JN130394

新版

負けない英文契約書

不利な
条項への
対応術

弁護士 熊木明 著

清文社

改訂にあたって

2018年1月に本書の初版を発刊してから約6年が経過しました。

この間に、法律実務の世界でも様々な出来事がありましたが、最も大きなインパクトを残したのは、やはり、2019年末から2020年初めに端を発した新型コロナウイルスの流行(パンデミック)とそれに伴う世界中でのロックダウン等の措置であったのではないかと思います。

2020年から2022年にかけては、このパンデミックのために世界で経済活動が停止することを余儀なくされましたが、医療制度の整ったこの現代社会で、病気の流行によってこれほど人間の活動が制限されることになるとは、(一部科学者を除き)誰も想定していなかった事態であったと思われます。法律実務の世界では、コロナウイルスによる突然の経済活動の停止に関してどのような救済が法律上・契約上受けられるのかという訴訟が欧米を中心に頻発しました。

本書の改訂にあたっては、章を新設し、この問題を取り上げました。契約書は、取引に入った当事者間の様々なルールを定めるものですが、その中でも英文契約書は詳細にそうしたルールを盛り込むことに特徴があります。しかしながら、契約書はあくまで人間が作成するものであるため、契約作成当時に人間が想定し得なかった事態に関するルールを契約書に盛り込むことはできません。人間の想像の限界が契約書の限界を画することになります。言い換えれば、契約書は、契約書作成当時に当事者が想定できた事態に関しては、どのように処理するのかのルールを示すツールとして優れていますが、想定できなかった不測の事態に関しては明確なルールを示すことができないということになります。

法律実務では、そのような不測の事態に関して、「Force Majeure」という「不測の事態に関する何でも屋」のような条項に依拠することになります。このForce Majeure条項は、通常はほとんど使用されることはありませんので、従来は、その内容も「ざっくり」しており、理論面でもそれほど詳細な分析はされてきておらず、また、契約書審査でもかなり大まかに検討されていた条項です。コロナウイルスによるパンデミックは、従来あまり注目されてこなかったこのForce Majeure条項にスポットを当て、実際にこの条項を適用する場合の問題点等が整理される契機となりました。

欧米を中心に様々な検討がされ、判例も蓄積されましたので、今後は「Force Majeure」に関しても、不測の事態が発生した場合にこれらの判例等に照らして自分に有利な結論を導ける内容になっているかの確認作業が、契約審査の中に組み込まれていくと思われます。今回改訂にあたって追加した新しい章が、そのお役に立てば幸いです。

契約書、特に、コモンローを採用する英米法に基づく契約書は、これまでに経験したことのない事態が発生した場合、それに応じて新たな研究・検討がされ、その結果を踏まえて契約の内容を精緻化・進化させてきた歴史があります。今回のコロナウイルスによるパンデミックを契機とした様々な検討（特にForce Majeure条項等）も、まさにそうした英文契約の内容の精緻化・進化の一環であり、我々は英文契約の歴史における貴重な前進の一場面に立ち会ったといえるのかもしれません。

2024年1月

熊木 明

はじめに

ビジネスの国際化が進み、日本企業においても、外国法（特に英米法）に基づく英文契約書を取り交わさなければいけない場面が増えつつあります。こうしたなか、英文契約に対して、英語で書かれているうえに日本の契約書に比べて長く、しかも、難解な英米法のルールで記載されていて……とうんざりされている方も多いでしょう。

もちろん、英文契約のレビューに慣れるにはある程度の経験が不可欠です。しかし、いくつかのコツを押さえたうえで実際にやってみると、実は英文契約のレビューはそれほど困難なものではないことがわかるはずです。そして、M&Aのような一部の複雑な契約を除けば、通常の取引契約で押さえておくべきコツはそれほど多くありません。

また、英文契約では、各条項によって留意すべきポイントが異なります。このポイントがずれたまま、ただひたすらに条文とにらめっこをしても、効率的なレビュー、リスクの発見はできません。逆にいえば、条項ごとのポイントを念頭に置きながらレビューすれば、作業は非常に楽になるのです。

冒頭の英文契約サンプル（(1)ページ）を見てください。もしあなたがこの英文契約のレビューを依頼された場合、どう対応するでしょうか。問題のある規定がいくつか含まれていますが、それに気づき、適切に修正対応できるでしょうか。

本書では、このサンプルをレビューするという前提で、各条項で押さえるべきポイントを確認し、それぞれについて具体的な修正方法を詳しく解説しています。その手法を身につければ、他の英文契約にも充分応用することができます。

レビューをするにあたっては、英文契約の特徴を考えてみることが有用です。それが、英文契約に対する「うんざり」を克服することにつながります。とっつきにくさの原因は、以下の4つの特徴によるものではないでしょうか。

1. そもそも英語で読みにくい
2. 独特の表現や形式をとっている
3. 日本法と異なる特殊な法的意味を持つ用語・条項がある
4. 分量が長い

しかし、これらは、みなさんが想像しているほど大きな問題ではありません。具体的には以下のとおりです。

1 そもそも英語で読みにくい

まず、英語が使用されている点ですが、実際には、英文契約で使用されている単語や文章はそれほど難解なものではありません。確かに専門用語も使用されますが、英文契約のレビューをいくつか経験すれば、大体同じような単語が使用されていることに気づくと思います。英文契約で使用される専門用語は限定されており、これは一定の経験を積めばすぐに慣れます（10本ほどの英文契約をきちんと読めば、通常の契約で使用される用語は一通り目にするはずです）。

また、文章の構造も、基本的には「A shall do X…」＝「誰が·何を·しろ」という単純なものです。確かに、カンマで延々と続く長い文章で読みにくい場合もありますが、それらも、分解すれば単純な文章のつなぎ合わせです。文章のつながりを正確に追っていくというパズル的な作業は要求されても、英文の理解力として高度なレベルが求められるものではありません。

さらに、英文契約では「美しい英語」を使用する必要性は一切ありません。稚拙でもかまわないので、シンプルで、誤解が生じる余地のない英語を目指すことのほうがむしろ重要です。この点は**「第Ⅰ部 第2章 英文契約の英語の読み方」**で扱います。

2 独特の表現や形式をとっている

次に、独特の表現や形式をとっている点ですが、これらは英米法の長い歴史の過程で形づくられたものであり、誤解を恐れずに言えば、現代では形骸化していて気にする必要がないものがほとんどです。重要なのは、表現・形式ではなく、「各条項に何が書いてあるか」です。この点は**「第Ⅰ部 第1章 英文契約の形式に惑わされない」**で扱います。

3 日本法と異なる特殊な法的意味を持つ用語・条項がある

英文契約には、日本法と異なる特殊な法的意味を持つ用語・条項が確かに存在します。たとえば、Representation & Warranty条項（表明保証条項）、あるいはIndemnity条項（補償条項）です。これらの条項で使用されている用語には、判例等を通じて一定の特殊な法的効果が付与されているため、単に和訳しただけではその用語が有する正確な法的効果を見逃す可能性があります。

しかし、安心してください。そうした用語はそれほど多くはありません。**「第Ⅱ部 英文契約の本体部分をレビューする」**で取り上げるものを押さえておけば、通常の契約には充分に対応可能です。

4 分量が長い

英文契約は、通常の売買基本契約ですら10ページ以上になります。日本の契約では言わずもがなとして記載しない部分までしっかりと規定に落とし込んでいるためです。これは、英米法と日本法の契約に対するアプローチの違い、言い換えれば、裁判所の契約の読み方に関するアプローチの違いからくるものです。

日本の裁判所が、契約書の文言を当事者の合理的意思から解釈して、表示されたとおりの内容とは異なる合意を読むことをそれほどためらわないのに対し、英米法では、契約書に記載されていることが極めて重視され、そこに記載されている内容から離れて解釈することは基本的にありません。極端な例を挙げると、書き間違えであっても、その内容どおりの合意があったと読むことさえあるのです。近時の判例ではこうした姿勢に若干の修正がされているものも見受けられますが、英文契約に臨む実務上の心構えとしては、この原則を念頭に置くことが重要です。

このような理由から、英文契約は確かに分量が多いですが、条項ごとに分類して性質やチェックポイントを整理しておけば、レビューは格段に楽になります。この点は、**「第II部 第1章 英文契約の構造」**で扱います。

なお、本書の中で、意見として述べたことは、すべて筆者の個人的な見解を示したものであり、筆者が所属する法律事務所の見解を示すものではないことにご留意ください。また、本書は、あくまで実務での有用性を重要視しており、読者に不要の混乱を招く学術的な反対意見等はあえて紹介せず、筆者の経験に照らしてある程度割り切った結論を述べている箇所があります。したがって、あくまでも実務における一つの方向性・判断を示そうとするものであることを念頭に置きながら、本書をご利用いただければ幸いです。

2017年12月

熊木 明

■ 英文契約サンプル

第I部 英文契約の形式・ルール

第1章 英文契約の形式に惑わされない

第2章 英文契約の英語の読み方

第II部 英文契約の本体部分をレビューする

第1章 英文契約の構造

第2章 取引に関する当事者の合意
(取引に関するCovenant/Agreement)
積極的義務:「〜しなければならない」

第3章 特別な義務(特別Covenant)
消極的義務:「〜してはならない」

第4章 表明保証条項(Representation & Warranty条項)の注意点

第5章 補償条項 (Indemnity 条項) の注意点

第6章 一般条項 (Miscellaneous 条項) の注意点

第7章 ドラフト上の注意点

第8章 想定していないイベントの発生と契約条項の限界

※本書の内容は、2024年1月1日現在の法令等によっています。

■ 英文契約サンプル

Master Agreement for the Purchase and Sale of Products

Between

[　　　　　　　　]

And

[　　　　　　　　]

[　　　　　　　　], 20XX

TABLE OF CONTENTS

MASTER AGREEMENT FOR THE PURCHASE AND SALE OF EMISSION PRODUCTS

This **MASTER AGREEMENT FOR THE PURCHASE AND SALE OF PRODUCTS** (the "**Agreement**") is made effective as of this ____ day of ______, ____(the "**Effective Date**"), by and between ______ (the "**Buyer**") and ______ (the "**Seller**"). In this Agreement, the Buyer and the Seller are sometimes referred to individually as a "Party" and together as the "Parties."

RECITALS:

WHEREAS, the Parties are interested in engaging in Individual Agreements for the purchase and sale of certain products, in each case pursuant to the terms and conditions hereof.

NOW, THEREFORE, in consideration of the foregoing and of the mutual promises hereinafter set forth, the Parties, intending to be legally bound, agree as follows:

ARTICLE I: DEFINITIONS

1.1 Definitions. In addition to any other terms defined herein, the following terms shall have the meaning ascribed to them as set forth below:

"**Affiliate**" means, with respect to any person or entity, any person or entity that directly or indirectly, through one or more intermediaries, controls, or is controlled by, or is under common control (which shall mean 50% or greater voting interest in a person) with, such person or entity.

"Applicable Law" means any international, federal, state or foreign law, treaty, convention, rule, regulation, ruling, directive, requirement, determination or decision of any Government Body, including any international, federal, or state regulatory program concerning or creating Products.

"Business Day" means a day on which banks are open for business and on which both Parties are open and transacting business of the kind involved in the Agreement.

"Claiming Party" is defined in Section 10. 1.

"Co-Venture" means any other entity with whom a Party is or may be from time to time a party to a joint operating agreement or similar agreement relating to the distribution, sale, manufacture or development of its products.

"Confidential Information" means all oral and written information exchanged between the Parties in the course of implementation of actions or transactions under this Agreement. The following exceptions, however, do not constitute Confidential Information for purposes of this Agreement: (a) information that is or becomes generally available to the public other than as a result of a disclosure by either Party in violation of this Agreement; (b) information

P.70
~88

that was already known by either Party on a non-confidential basis prior to this Agreement; and (c) information that becomes available to either Party on a non-confidential basis from a source other than the other Party if such source was not subject to any prohibition against disclosing the information to such Party.

"Defect" means any one or a combination of the following, or items of a similar nature: (a) when used with respect to Products (including work by any Seller personnel) , items that are not: (i) in accordance with the Specifications; or (ii) free from errors and omissions in Product workmanship or design which materially impair the functionality of the Product; or (b) in general: (i) work (including work by any Seller personnel) that does not conform to the Specifications or requirements of this Agreement or both; or (ii) any design, engineering, materials, products, tools, supplies or training that does not conform to the Specifications.

レビュー
P.118
~120

"Force Majeure" means an event or circumstance which prevents one Party from performing its obligations under one or more Individual Agreements such as riots, wars, terror, governmental laws, orders or regulations, embargoes, actions by the government or any agency thereof, acts of God, storms, fires, strikes, explosions or such other similar disasters that were not anticipated as of the date the Individual Agreement was agreed to, that are not within the reasonable control of, or are not the result of the negligence of, the Claiming Party, and that, by the exercise of due diligence, the Claiming Party is

P.284
~295

unable to overcome or avoid, or cause to be avoided. The following shall not be a basis to claim Force Majeure: (i) the loss of Buyer's markets; (ii) Buyer's inability economically to use or resell the Product purchased hereunder; (iii) the loss or failure of Seller's supply; or (iv) Seller's inability to sell the Product at a price greater than the Purchase Price. The applicability of Force Majeure to the Individual Agreement is further controlled by the definition of that Product.

"Government Body" means the government of any nation, state, prefecture, city, municipality or other political subdivision thereof, and any entity exercising executive, legislative, judicial, regulatory, administrative functions of or pertaining to government, including any securities market or securities market regulator.

"Group" means, with respect to an entity, such entity, its Co-Ventures, and the respective Affiliates of such entity and Co-Venture.

"Individual Agreement" means a specific sale, purchase or exchange of Products in accordance with Section 3. 2.

"Interest Rate" means, for any date, two percent (2%) over the per annum rate of interest equal to the prime lending rate as may from time to time be published in The Wall Street Journal under "Money Rates," provided that the Interest Rate shall never exceed the maximum rate permitted by Applicable Law. Interest on amounts due hereunder shall accrue and compound daily based on a 360-day year.

"Legal Requirements" is defined in Section 10. 1.

"Product" or **"Products"** means any commodity defined in any Individual Agreement.

"Purchase Price" means the price in U.S. Dollars to be paid by Buyer to Seller for the purchase of Products pursuant to a Individual Agreement. The Purchase Price may be stated in either a per Product purchase price or the total purchase price for all Products pursuant to a Individual Agreement.

"Specification" means the Product specifications and associated performance standards which are set forth as **Exhibit B** of this Agreement.

"Taxes" means, but is not limited to, any or all ad valorem, property, occupation, severance, first use, conservation, gross receipts, privilege, sales, use, consumption, excise, lease, Individual Agreement and other taxes, governmental charges, licenses, fees, permits and assessments, or increases therein, other than taxes based on net income or net worth. A Tax is not a penalty or a fine.

"Trade Date" means the date on which the agreement for an Individual Agreement is reached pursuant to this Agreement.

ARTICLE II: TERM OF AGREEMENT

2. 1 Term. The term of this Agreement shall commence on the Effective Date and shall remain in effect until terminated by either Party upon thirty (30) days' prior written notice to the other Party; provided, however, that such termination shall not affect or excuse the performance of either Party under any provision of this Agreement that by its terms survives any such termination and, provided further, that this Agreement and any other documents executed and delivered hereunder shall remain in effect with respect to any Individual Agreement entered into prior to the effective date of such termination until both Parties have fulfilled all of their obligations with respect to such Individual Agreement, or such Individual Agreement has been terminated as provided elsewhere in this Agreement.

2. 2 Early Termination. Either Party may terminate this Agreement or an Individual Agreement by written notice if the other Party fails to perform its obligation under this Agreement or otherwise breaches any provision of this Agreement and such failure or breach remains uncured for seven (7) Business Days after receipt by the other Party of such notice.

ARTICLE III: INDIVIDUAL AGREEMENTS

3. 1 Scope of Agreement. The Parties may enter into Individual Agreements whereby the Seller agrees to sell, assign and transfer to the Buyer, and the Buyer agrees to purchase from the Seller, Products for a price as determined in accordance with this Agreement. An Individual Agreement

P.58
~65

shall be effected and evidenced in accordance with this Agreement and shall constitute a part of this Agreement. The Parties are relying upon, and hereby agree, that all Individual Agreements, together with this Agreement, shall constitute a single integrated agreement. Any conflict between the terms of this Agreement and the terms of an Individual Agreement shall be resolved in favor of the terms of the Individual Agreement. This Agreement shall govern all current and future Individual Agreements for Products between the Parties from and after the Effective Date unless expressly stated otherwise in an Individual Agreement.

3.2 Individual Agreement Procedures. An Individual Agreement for sales and purchase of Product or Products shall be formed at the time when an order issued by Buyer is accepted by Seller in accordance with this Section 3. 2. Seller shall send its acceptance to Buyer by facsimile (or other mutually acceptable method) within three (3) Business Days of the receipt of Buyer's order. Failure by Seller to send an acceptance to Buyer shall be deemed rejection of Buyer's order.

3.3 Forecast. From time to time during the term of this Agreement, Buyer shall prepare and provide Seller with its forecasts in respect of the quantities and the types of products, anticipated to be required and ordered by the Buyer pursuant to this Agreement (the **"Forecast"**). Buyer shall be under no obligation to order any products from Seller pursuant to the Forecast. Seller shall not reject any order of Buyer which complies with the terms and conditions of this Agreement and is consistent with the Forecast.

3.4 Capacity Allocation. In the event of the

imposition of any capacity constraint either with respect to assembly build or components availability, Seller shall, without prejudice to any right Buyer may have hereunder, give the highest priority to Buyer in order to satisfy Buyer's demands.

3.5 Similar Products. Seller shall not, directly or through a third party, manufacture or sell any products identical to the Products or similar products thereto utilizing all or any part of the appearances or specifications of the Products for the benefit of any third party, without the prior written consent of Buyer, provided, however, that Seller may sell, directly or indirectly, the product corresponding to product number XXXX and YYYY to a third party without the prior written consent of Buyer.

3.6 Most Favored Status. Seller shall not offer to any other customers of Seller Products identical and/or similar to Products at a price that is more favorable than the price offered to Buyer. If, at any time during the term of this Agreement, Seller offers to any other customer more favorable prices than to Buyer, Seller will immediately offer to sell the Products to Buyer at such prices.

レビュー
P.93
~101

ARTICLE IV: DELIVERY, TITLE TRANSFER, ACCEPTANCE

4.1 Delivery. Seller shall ship Products to the location specified in the applicable Individual Agreement (the **"Delivery Point"**). Seller will select a carrier and insurance for the shipment of Products that is consistent with Seller's past practices and its standard and uniform customer terms which the Buyer has been notified of in advance and reasonably satisfactory to Buyer. All shipments will be identified with large, easily readable type, including the shipping location, the Individual Agreement number and any other special purchase or shipping instructions required by Buyer. Successful delivery of the Product to Buyer does not and shall not impair or adversely affect Buyer's right to return to Seller any Products that fail to satisfy the Specifications according to the procedures described in Section 4. 2 below.

4. 2 Acceptance. Buyer will have the right and opportunity to inspect any Product shipment hereunder, in whole or in part, at the Delivery Point. If Seller determines that any shipment or part of a shipment fails to conform to the Specifications, Buyer may request, within 3 Business Days of receiving a Product shipment, a return and credit by notifying Seller in writing of the nature and quantity of the non-conforming Products and the affected Individual Agreement number. Seller will respond to Buyer within 2 Business Days of receiving Buyer's request and will either (i) issue a return material authorization (the **"Return Authorization"**) to Buyer that will authorize the return of non-conforming Product, or (ii) provide Buyer with written substantiation for the refusal to issue the Return Authorization. Upon receipt of the rejected Product or Products from Buyer, Seller will, at Buyer's request, either (i) issue an appropriate credit with respect to the relevant invoice or (ii) ship conforming replacement Product in quantities up to the Product quantities returned under the relevant Return Authorization. Buyer's issuance or non-issuance of a return request pursuant to this Section 4. 2 will in no event limit, modify, waive or otherwise restrict either

Buyer's or Seller's rights under the terms, including, without limitation, the warranty provisions of this Agreement.

4.3 Late Delivery. If Seller fails to deliver any Products when due under an Individual Agreement, Seller shall pay Buyer interest on the aggregate Purchase Price, at the Interest Rate, from and including the delivery date of such Product up to, but excluding, the date the Product or Products are actually delivered.

4.4 Delivery and Risks. All risk of loss shall pass to Buyer upon delivery to carrier or into Buyer's transports and completion of the inspection procedure by Buyer without finding any non-conforming Products in accordance with Section 4.2, and Buyer shall be responsible for obtaining and paying for any desired insurance (including war risk insurance) for the period begining upon passing of the risk of loss. Notwithstanding delivery and the passing of risk in the Product, title to the Product shall not pass to Buyer until payment has been received by Seller in full. Until such time as title to the Product passes to Buyer —

(a) Buyer shall (i) not be entitled to pledge or in any way charge or otherwise encumber by way of security for any indebtedness any of the Product, (ii) hold the Product as Seller's fiduciary agent and bailee, (iii) keep the Product separate from those of Buyer and third parties and properly stored, protected and insured and identified as Seller's property and (iv) bear the risk of any loss or damage to, or deterioration of the Product from whatever cause arising following passing of the risk of loss to the Buyer;

(b) Seller shall be entitled at any time to require Buyer to deliver up the Product to Seller and, if Buyer fails to do so forthwith, to enter upon any premises of Buyer or any third party where the Product is stored and repossess the Product; and

(c) In the event that the Buyer uses the Product in some manufacturing or construction process of its own or of some third party, then the Buyer shall hold such part of the proceeds of such manufacturing or construction process as relates to the Product in trust for the Seller.

ARTICLE V: REPRESENTATIONS AND WARRANTIES

レビュー
P.108
~116

5.1 General Representations and Warranties. On the Effective Date of this Agreement and the date of entering into each Individual Agreement, each Party represents to the other Party that:

(a) It is duly organized and validly existing under the Applicable Laws of the jurisdiction of its organization or incorporation and, if relevant under Applicable Laws, in good standing;

(b) Such Party has the corporate power and authority to execute, deliver and perform its obligations under this Agreement and each Individual Agreement, and the execution, delivery and performance of this Agreement and each Individual Agreement have been duly authorized by such Party;

(c) This Agreement and each Individual Agreement constitute a legal, valid and binding obligation of such Party, except as the enforceability of this Agreement and each Individual Agreement may be limited by the effect of any applicable bankruptcy, insolvency, reorganization, moratorium or similar laws affecting creditor's rights generally and by general principles of equity;

(d) Neither the execution or delivery of this Agreement nor the consummation of the Individual Agreements contemplated hereby causes or will cause such Party to be in violation of any Applicable Laws, regulation, administrative or judicial order, or process or decision to which such Party is subject or by which such Party or its properties are bound or affected;

(e) All governmental and other authorizations, approvals, consents, notices and filings that are required to have been obtained or submitted by such Party with respect to this Agreement or any Individual Agreement or other document relating hereto or thereto to which it is a party have been obtained or submitted and are in full force and effect and all conditions of any such authorizations, approvals, consents, notices and filings have been complied with;

(f) There are no bankruptcy, insolvency, reorganization, receivership or other arrangement proceedings pending or being contemplated by such Party, or threatened against it; and

(g) There is no pending or threatened against such Party or any of its Affiliates any action, suit or proceeding at law or in equity or before any court, tribunal, governmental body, agency, official or any arbitrator that is likely to affect the legality, validity or enforceability against it of this Agreement or any Individual Agreement or other document relating hereto or thereto to which it is a party or its ability to perform its obligations under the same.

5. 2 Product Related Warranties. Seller warrants to Buyer with respect to any Product at the time such Product is delivered to Buyer hereunder:

(a) Seller has good and marketable title to such Product and at the time of delivery such Product is transferred to Buyer free and clear of any liens, security interest or other encumbrances or any defects of title;

(b) Such Product conforms with the applicable terms as set forth in the relevant Individual Agreement (except as otherwise provided to the contrary herein);

(c) There is no infringement or misappropriation of legal rights of any third party in relation to such Product;

(d) Such Product materially complies with the Specifications;

(e) Such Product is free from Defects in materials, workmanship and design; and

(f) The price or other terms of such Product purchased hereunder are at least as favorable as those charged to other customers of Seller purchasing products that are substantially the same or similar to such Product.

レビュー
P.116
~120

If there is a breach of Seller's warranties to Buyer under this Section 5. 2, or if any defect or fault in connection with the design, materials or workmanship of a Product arises anytime within either eighteen (18) months after the date when such

レビュー
P.10
~15
P.121
~128

Product is placed in use or operation or thirty-six (36) months after the date on which such Product is properly delivered pursuant to this Agreement, whichever period ends later, Seller shall, at the Buyer's option, repair or replace such Product, or otherwise make such Product no longer in breach of the foregoing warranties.

5.3 Survival. This Article V shall survive expiration or termination of this Agreement.

ARTICLE VI: BILLING AND PAYMENT

6.1 Price. The price for Products (the **"Purchase Price"**) shall be the prices quoted by Seller to Buyer or, when no price is quoted, the Seller's list price for an applicable Product at the date when the relevant Individual Agreement is formed, unless otherwise agreed in writing by the parties. All prices quoted shall be exclusive of value added tax and other applicable Taxes, duties or imports which shall be payable by Buyer. Seller may increase or decrease its prices at any time, provided that new prices shall apply to an Individual Agreement formed or entered into between the Parties only if Buyer has been notified of such new price before Buyer sends to Seller an order for the Individual Agreement. Unless otherwise specifically agreed in writing, Buyer shall be responsible for payment of all freight charges and any freight charges incurred by Seller, including any increases in charges, which shall be for the account of Buyer and shall apply to any balances unshipped or undelivered from warehouse at the time the freight increase becomes effective. Any Taxes, tariff, duty or charge which Seller may be required to pay or collect, now or hereafter imposed by any governmental authority or agency, foreign or domestic, with respect to the sale, purchase, production, processing, storage, delivery, transportation, use or consumption of any of the products or services covered hereby, including all Taxes upon or measured by receipts from sales or services, shall be for the account of Buyer, and any such charges may be added by Seller as a separate item to Seller's invoices.

6. 2 Invoice. For each Individual Agreement, Seller shall provide Buyer with an invoice for the aggregate Purchase Price, as applicable, as soon as practicable, but within three (3) Business Days after delivery of Products to Buyer. Buyer shall pay Seller within three (3) Business Days of receipt of an invoice the Purchase Price set forth in the invoice, unless such day is a non-Business Day, in which case Buyer shall pay Seller on the following Business Day.

6. 3 Funds. All payments shall be made in immediately available funds (U.S. Dollars) by wire or electronic transfer, or in such other form as mutually agreed, on or before the date due. Payments shall be made to the following accounts or to such other account as may be designated by a Party in writing:

Buyer: ⟨*bank name*⟩
ABA: ____
Account: ____

Seller: ⟨bank name⟩
ABA: ____
Account: ____

6. 4 Past Due Payments. All overdue payments shall

bear interest at the Interest Rate from and including the date due and up to, but excluding the date paid.

6.5 Disputed Invoices. If Buyer in good faith disputes the correctness of an invoice, Buyer shall pay the undisputed amount when due and submit to Seller a written statement detailing the items disputed and the reasons therefor. The Parties shall attempt in good faith to resolve the dispute promptly through negotiation between representatives who have authority to settle the controversy. All negotiations pursuant to this clause shall be confidential. If it is determined that Buyer owes all or a portion of the disputed amount, Buyer shall pay Seller that amount within five (5) Business Days of such determination with interest accrued at the Interest Rate from and including the original payment due date and up to, but excluding, the date the payment is made.

6.6 Netting of Payments. If the Parties are each required to pay an amount on the same date in accordance with this Agrement then, upon notice from one Party to the other, the Parties shall discharge their obligations to pay through netting, in which case the Party owing the greater aggregate amount shall pay to the other Party the difference between the amounts owed.

6.7 Audit. Upon notice by Buyer, Seller shall furnish to the representatives of Buyer, and allow such representatives of Buyer, access to financial and operating data and other information regarding assets, properties and liabilities relating to the Products. Seller shall cooperate with Buyer and its appointed representatives and grant them access. If any such examination reveals any inaccuracy in any invoice, the necessary

P.261 ~282

adjustments in such invoice and the payments thereof will be made promptly and the responsible Party shall bear interest calculated at the Interest Rate from the date the overpayment or underpayment was made up to, but excluding, the date the payment is made. Any information received or reviewed by a Party in connection with an audit shall be Confidential Information, and may only be used to show a breach hereof.

ARTICLE VII: INDEMINIFICATION

7.1 General Indemnification. Each party (the **"Indemnitor"**) shall indemnify, hold harmless and defend the other Party, its Group, and their respective directors, officers, employees, agents, customers, suppliers and representatives (each, an **"Indemnitee"**) from and against any and all claims, demands, damages, losses, liabilities, costs, expenses and reasonable attorneys' fees due to, arising out of, caused by or in connection with the performance of this Agreement, regardless of negligence of the Indemnitee.

レビュー
P.148
～170

7.2 Limitation on Liability. **NOTWITHSTANDING ANYTHING TO THE CONTRARY SET FORTH HEREIN, IN NO EVENT WILL EITHER PARTY BE LIABLE TO THE OTHER PARTY UNDER ANY THEORY OF TORT (INCLUDING NEGLIGENCE), CONTRACT, STRICT LIABILITY OR OTHER LEGAL THEORY FOR PUNITIVE, SPECIAL, INCIDENTAL, INDIRECT OR CONSEQUENTIAL DAMAGES OR LOST PROFITS, LOST REVENUES, LOST BUSINESS OPPORTUNITIES OR LOST GOODWILL, IF THESE DAMAGES ARISE OUT OF OR IN RELATION TO**

レビュー
P.170
～173

THIS AGREEMENT. EACH OF THESE DAMAGES IS EXCLUDED BY THIS AGREEMENT, REGARDLESS OF WHETHER THE DAMAGES WERE FORESEEABLE OR WHETHER ANY PARTY OR ANY PERSON HAS BEEN ADVISED OF THE POSSIBILITY OF THE DAMAGES.

7.3 Indemnification Procedure. Whenever any claim shall arise for indemnification under this Section 7:

(a) the Indemnitee shall promptly notify the Indemnitor in writing of the claim and, when, known, the facts constituting the basis for such claim provided, however, that the failure to timely provide such notice shall not release the Indemnitor from its obligations under this Section 7 except to the extent that the Indemnitor is actually prejudiced by such failure. The notice shall specify the amount or an estimate of the amount of the claim (if known or capable of estimation at such time);

(b) in connection with any claim by a third party giving rise to or the commencement of any proceeding that may give rise to indemnity under this Section 7, the Indemnitor may, upon written notice to the Indemnitee, assume the defense of any such third party claim or proceeding, and thereafter conduct the defense thereof at its own expense. If the Indemnitor elects to defend such third party claim or proceeding, the Indemnitee shall make available to the Indemnitor or its representatives all records and other materials reasonably required by them for use in contesting such third party claim or proceeding and shall cooperate fully with the Indemnitor in the defense thereof. No Indemnitee will

レビュー
P.181
~190

be liable with respect to any compromise or settlement of any third party claims or proceedings effected without its consent;

(c) if the Indemnitor does not assume the defense of such third party claim or proceeding within 30 days after giving notice under Section 7.2 (a) or does not thereafter conduct such defense, the Indemnitee may defend against such third party claim or proceeding in such manner as it may deem appropriate.

第Ⅱ部
第4章
第5章

ARTICLE VIII: INTELLECTUAL PROPERTY RIGHTS

レビュー
P.128
〜131
P.190
〜192

8.1 No Infringement. Seller warrants and assures to Buyer that the Products or any other goods sold or delivered by Seller to Buyer under this Agreement shall not infringe or violate the intellectual property rights of a third party. Seller shall save, indemnify, defend and hold harmless Buyer from all claims, losses, damages or cost (including attorney's fees) arising out of, any alleged infringement of any intellectual property of a third party except where such infringement arises from Buyer's instruction.

8.2 Relevant Inventions. If Seller has created any invention, device, design, trademark, copyright or other work related to the Products or the manufacturing method thereof (**"Relevant Inventions"**) based on any Specifications or other specification sheet, drawing or any other materials provided by Buyer, Seller shall promptly notify Buyer in writing thereof. Seller shall not file an application for intellectual property rights (including patent right, utility model right, design right, trademark right, right to obtain them and copyright) related to the

Relevant Inventions or register them without the prior written consent of Buyer. If any Relevant Invention has been created, the Parties shall consult on which Party should own them, how to handle them and other relevant issues.

第Ⅱ部
第3章

ARTICLE IX: CONFIDENTIALITY

レビュー
P.70
〜88

9. 1　Confidentiality. Neither Party shall publish, disclose, nor otherwise divulge Confidential Information to any person, other than its directors, officers, employees, attorneys, accountants, representatives and agents who have a need to know in relation to this Agreement, at any time during or after the term of this Agreement for five (5) years from the receipt of the Confidential Information, without the other Party's prior express written consent or as otherwise required by Applicable Law or a Government Body.

9. 2　Return. Upon termination of this Agreement, within 15 days of the receipt of a request by the Disclosing Party, the Receiving Party shall return all the Confidential Information of the Disclosing Party and any copies of that information and all material containing or reflecting any such Confidential Information to the Disclosing Party and delete and expunge all such Confidential Information from any computer, word processor or other device containing the Confidential Information.

第Ⅱ部
第8章

ARTICLE X: FORCE MAJEURE

レビュー
P.295
〜299

10. 1　Suspension of Obligations. Except with regard to a Party's obligation to make payments under this Agreement, in the event either Party hereto is rendered unable,

wholly or in part, by Force Majeure to carry out its obligations with respect to this Agreement, it is agreed that upon such Party's (the **"Claiming Party"**) giving notice and full particulars of such Force Majeure as soon as reasonably possible after the occurrence of the cause relied upon, such notice to be confirmed in writing or by facsimile to the other Party, then the obligations of the Claiming Party shall, to the extent they are affected by such Force Majeure, be suspended during the continuance of said inability, but for no longer period, and the Claiming Party shall not be liable to the other Party for, or on account of, any loss, damage, injury or expense resulting from, or arising out of, such event of Force Majeure. The Party receiving such notice of Force Majeure shall have until the end of the Business Day following such receipt to notify the Claiming Party that it objects to or disputes the existence of an event of Force Majeure.

10. 2 Due Diligence. A Party affected by an event of Force Majeure shall use due diligence to fulfill its obligations hereunder and to remove any disability caused by such event at the earliest practicable time. Nothing herein shall require a Party to settle any strike or labor dispute. The Party affected by Force Majeure shall continue to perform hereunder after such cause has been removed.

ARTICLE XI: MISCELLANEOUS

P.199
～238

11. 1 Assignment. Neither this Agreement nor any of the rights, interests or obligations hereunder may be assigned by either Party hereto (whether by operation of law or otherwise) without the prior written content of the other Party. Subject to

the preceding sentence, this Agreement shall be binding upon, inure to the benefit of and be enforceable by the Parties hereto and their respective successors and permitted assigns.

11.2 Severability. If any provisions of this Agreement shall be held to be illegal, invalid or unenforceable, the Parties agree that such provisions will be enforced to the maximum extent permissible so as to effect the intent of the Parties, and the validity, legality and enforceability of the remaining provisions of this Agreement shall not in any way be affected or impaired thereby.

11.3 Amendment. This Agreement may not be amended, changed, modified or altered unless such amendment, change, modification or alteration is in writing and signed by both Parties or their successors in interest or permitted assigns.

11.4 Entire Agreement. This Agreement, the schedules, the exhibits and the transaction documents constitute the entire understanding and agreement of the Parties with respect to said transactions and the subject matter hereof, and all other prior or contemporaneous oral or written statements, understandings or agreements shall be of no effect.

11.5 Notice. All notices which either Party is required to provide to the other Party for exercising its rights or otherwise under or in connection with this Agreement shall be in writing and shall be sent by any of the following methods: hand delivery; reputable overnight courier; certified mail, return receipt requested; or, with respect to communications other than payments, by facsimile transmission, if the original communication is delivered by reputable overnight courier. The communications shall be sent to the following addresses:

If to Buyer:

Address:

Facsimile Number:

If to Seller:

Address:

Facsimile Number:

Any written communication made as provided in this Section shall be deemed given upon receipt by the Party to which it is addressed, which, in the case of facsimile, shall be deemed to occur on the date that transmission is received by the addressee in legible form.

11.6 Existing Agreements. Except as otherwise mutually agreed by the Parties, all Individual Agreements for the purchase and sale of Products (as that term is defined herein) entered into prior to the Effective Date of this Agreement shall be subject to and governed by this Agreement.

11.7 Waiver. In no event shall any failure or forbearance on the part of either party to enforce or pursue any of its rights or remedies under this Agreement, or to insist upon the other party's full performance of its obligations under this Agreement, be construed or interpreted as a complete or partial waiver or relinquishment of that or any other right, remedy or obligation in that or any other instance; rather, the same shall continue in full force and effect. No waiver by any party in respect of any breach shall operate as a waiver in respect of any subsequent breach.

11.8 Dispute Resolution. Any disputes,

controversies or differences which may arise between the Seller and the Buyer, in relation to this Agreement, shall be settled by the American Arbitration Association in accordance with the said Association's arbitration rules thereof. The award rendered by said Association shall be final and binding upon both parties. By agreeing to arbitration pursuant to this Section the parties do not intend to deprive any court or other governmental body or regulatory agency of its jurisdiction to issue an interim injunction or other interim relief or assistance in aid of the arbitration proceedings or for the enforcement of any arbitral award.

11.9 Governing Law. This Agreement and any dispute related to or arising out of this Agreement shall be governed in all respects by the laws of the state of New York without reference to any choice of law principles.

11.10 Cumulative Remedies. The rights and remedies provided by this Agreement are cumulative and the use of any one right or remedy by any Party shall not preclude or waive its right to use any or all other remedies. Said rights and remedies are given in addition to any other rights the Parties may have by Applicable Law, statute, ordinance or otherwise.

11.11 Counterparts. This Agreement may be executed in several counterparts, each of which is an original and all of which constitute one and the same instrument.

11.12 Headings. The Article and section titles in this Agreement are only for purposes of convenience and do not form a part of this Agreement and will not be taken to qualify, explain or affect any provision thereof.

11.13 No Third Party Beneficiaries. The provisions of this Agreement shall not impart rights enforceable by any person or entity not a Party or not a permitted successor or assignee of a Party bound to this Agreement and shall not create, or be interpreted as creating, any standard of care, duty or liability to any person not a Party hereto

11.14 Language. The English language version of this Agreement shall be the controlling version. Any translations made of this Agreement shall be for the purpose of convenience only and shall have no legal effect.

11.15 No Partnership. This Agreement does not constitute a partnership or joint venture between the Parties. No employee, partner or joint venture of either Party is an employee, partner or joint venture of the other Party for any purpose whatsoever. Neither Party has authority to make any agreement or commitment or to incur any liability on behalf of the other Party, and neither Party is liable for any acts, omissions, agreements, promises or representations made by the other Party, unless otherwise stated in this Agreement.

11.16 No License. Unless otherwise expressly provided herein, nothing contained in this Agreement shall be construed as granting or conferring any right or license, by implication, estoppel or otherwise, under any patent, copyright, know-how or any other intellectual property rights of the party.

11.17 No Change. Seller shall not change the specifications of the Product without Buyer's prior written consent. Further, Seller shall not change the process, design, materials and/or manufacturing location for the Products

which may affect fit, appearance, form, function, quality, safety and/or life of the Products, without Buyer's prior written consent.

IN WITNESS WHEREOF, the Parties have executed this Agreement as of the date first set forth above.

The Buyer		The Seller	
By:	______	By:	______
Name:	______	Name:	______
Title:	______	Title:	______

第 I 部

英文契約の形式・ルール

英文契約では、本文に記載されている当事者の義務の法的な意味や効果を理解することが不可欠ですが、英文契約の形式と英語の読み方のルールを理解しておくことも重要です。

当事者の法的な義務が記載されている本文部分に関しては第Ⅱ部で取り上げることとして、第I部では、英文契約の形式部分を確認し、英文契約における英語の読み方の心構えを見ていくことにします。

第1章 英文契約の形式に惑わされない

一般的な英文契約の構成は以下のようになっています。

契約の導入部
This agreement is made by and between A and B as of XXX, 20YY.
Whereas,
契約の前文
Consideration
Now, THEREFORE, in consideration of the above premises……
both parties agree as follows:
Article I
Article II
契約の本文。取引に関する取り決め
IN WITNESS WHEREOF, A and B have caused this agreement to be duly executed as of the day and year first above written
A：　署名
B：　署名
署名
契約の結文

英文契約では、その独特な形式にとまどうことがあります。それは、契約に関する英米法の長い歴史の中で培われたものであったり、判例等を意識してとられる形式であったりしますが、基本的には契約の内容や解釈に影響を及ぼすものではないと考えて、実務上は差し支えありません。

では、順番に見ていきましょう。

1 契約の導入部

契約の導入部では、契約の当事者、題名、日付が記載され、契約を特定します。また、どのような取引を目的として契約に入ったのかに関して簡単に触れることもあります。

(1) 契約の当事者

契約の当事者は、当該契約により発生する権利義務の名宛人として、権利を行使し、また、義務の履行を求められる唯一の主体であるため、その特定は重要です。そのため、その名称だけなく、住所や設立準拠法まで記載されることがあります。契約の対象である取引の相手方に法人格がないような場合には、契約を執行する相手方として適切なものを、関連する適用法令に従い特定することが必要です。

(2) 契約の日付

日付に関しては、いくつかのパターンがあります。通常は、「made as of XXXX」という形式をとりますが、中には、「made this XXXX」あるいは「made on XXXX」というものもあります。実際には、これらの間に大きな違いはないと考えられていますが、「made as of XXXX」はその日付が必ずしも実際に当事者が署名した日とは限らないとされ（もちろん一致していることも排除しません）、「made this XXXX」あるいは「made on XXXX」は当該日付が実際に当事者が署名した日であることを示唆するとされています。

(3) 契約の効力発生日

ここで注意が必要なのは、日付に関していずれの表現をとるかと、契約の効力発生日は別であるということです。契約の効力発生日は、一般的には、①契約本文に効力発生日の記載があればその日、②なければ両当事者が署名をした日になります。通常は、これらの日付がずれないように契約上調整して記載されています。たとえば、契約の導入部では、「This agreement is made by and between A and B as of XXXX, 20YY (the "Effective Date") .」と記載し、契約の本文における契約期間の箇所では、「This Agreement shall become effective on the Effective Date」と記載し、当事者の署名の日に関しては、契約の結文で「IN WITNESS WHERE OF, A and B have caused this agreement to be duly executed as of the day and year first above written」(the day and year first above writtenとは契約の導入部分で記載した日なのでEffective DateであるXXXX, 20YY) とすることで、これらがずれないように調整されています。いずにせよ、契約導入部における日付の表現はどの形態でもあまり違いはなく、実務上重要なのは、当該日付、契約効力発生日とが当事者の署名日と一致しているかどうかの確認になります。

さらにもう一歩

通常は、契約導入部の日付、契約本文で規定される効力発生日、当事者の署名日は一致するように記載されます。ただし、契約上記載の調整がなされず、これらの日付がずれる場合があります。

典型的なのは、契約導入部の日付と契約本文で規定される効力発生日は同じ日としつつ、それらが当事者の署名日とずれる場合です。署名欄に署名日を記入する形になっている場合にこうしたズレがよく発生します。たとえば、前者を「20XX年4月1日」としつつ、当事者の署名欄を見るとそれぞれが「20XX年3月19日」と「20XX年3月29日」など、実際に署名した異なる日付を後から各自手書きで記入しているケースです。この場合は、記載上の矛盾は置くとして、両者の署名がそろった「20XX年3月29日」で契約効力発生の要件が充足されるため、それより後に到来する「20XX 年4月1日」が当該契約の効力発生日と考えて通常は差し支えないと思います。

一方、当事者の署名欄にそれぞれが「20XX 年4月3日」と「20XX 年4月5日」という、契約で特定した効力発生日より後の日付を記入した場合は、どのように考えるかという悩ましい問題が生じます。この場合、原則として両者が署名しない限り契約は成立し得ないので、両者の署名がそろった「20XX 年4月5日」になってはじめて契約効力発生の要件がそろうことになります。

問題は、この契約の効力発生日が、①両者の署名がそろった20XX 年4月5日と、②契約で特定した20XX 年4月1日のどちらになるかです。②の場合には、当事者が契約の効力を遡及させて発生させることに合意したと考えることになります。いわゆる back date です。多くの国・州では back date が認められているため、back date の合意があったとみなすのが合理的かもしれませんが、契約の効力発生日に関して疑義が生じることになるため、できるだけ、当該日付・契約効力発生日・当事者の署名日が一致するような記載になっているかは確認したほうがよいといえます。

そもそもこのような事態を避けるには、「This Contract shall be effective on the last signature date set forth below」という規定を入れて、むしろ当事者の署名欄に記載される日付に契約効力発生日をゆだねる方法もあります。ただ、このケースでは当事者が記入する日付で契約効力発生日が左右されるため、たとえば、特定の日付をもって契約効力発生日としたいような場合には、あまり適切でないことになります。

このように色々と悩ましい問題はありますが、結果として契約の全当事者が署名していれば、日付のズレによって契約が無効になることは考えにくく、単に契約効力発生日が数日ずれるだけという程度の問題に留まるといえます。しかし、金融関連の契約における利息の発生日等に影響するなど、契約効力発生日がいつになるかが思わぬ重要な意味を有することがありますので、注意が必要です。

2 契約の前文

契約の前文は、契約の導入部に続いて記載される部分であり、当事者が契約関係に入るにいたった背景、当該取引の目的あるいは当該取引と同時ないし関連して行われる取引に関して説明する箇所です。「RECITAL」「BACKGROUND」あるいは「WITNESSETH」といった題名が付されることがあります。この中では「WITNESSETH」が伝統的・旧式の表現ですが、他の題名でも意味は変わりません。

一方で、前文がまったくない契約書もあります。前文は、契約の解釈や当事者の意図等を解釈する際の参考にされますが、前文自体に法的効力はありません。位置的に、次で取り上げるLead-in/Considerationにある「……both parties agree as follows」=「当事者で合意したこと」の前にきており、合意の対象ではないからです。したがって、その内容が事実関係に照らして誤っていないかだけを確認できれば十分といえます。また、前文に法的効力はないことから、前文に当事者の権利義務を記載した場合、同じ権利義務を契約の本体でも記載しなければならない点に留意が必要です。

3 Lead-in/Consideration

前文に続いて、「Now, THEREFORE, in consideration of the above premises…… both parties agree as follows」という文章がきてから、契約の本文に入ります。このリード文には様々なパターンがありますが、多くの場合、「in consideration of」という語句を入れています。

Considerationとは、出損・対価関係を意味します。これは、英米法において伝統的な法的論点であり、端的にいえば、契約書を執行可能にするための要件として議論されてきたものです。英米法の伝統的な考え方では、契約書は互いに一定の出損・対価関係があってはじめて執行可能になると考えられており、このような出損・対価関係がない場合には法的に執行可能ではない（言い換えれば、自身が何の義務や出損も負担しないのであれば相手側に対して権利行使できない）とするものです。もっとも、どの程度の出損・対価関係があれば執行可能といえるのかは必ずしも明確ではないため、「Now, THEREFORE, in consideration of the above premises… both parties agree as follows」という文章を用いて、「Consideration がある」ということを当事者間で確認するのがこの文章の目的です。

しかしながら、判例では、このような文章を入れても Consideration が当然にあるとみなされるわけではないとされています。加えて、現代の契約においては「Consideration が欠けるため法的に執行できない」とされるリスクは極めて小さいといえるため、この文章に関しては形骸化しており、実務的には気にする必要はありません。

4 契約の本文

契約の本文は、当該取引にかかる当事者の権利義務を規定する部分です。ここに記載された内容のみが法的に効力を有し執行可能となります。なお、条項を指す語句として Article、Clause あるいは Section 等いくつかバリエーションがありますが、形式の問題にすぎませんので、特にこだわる必要はありません。なお、本文の構成は、「第Ⅱ部 第1章」で扱います。

5 契約の結文

契約の本文の終わりに、「IN WITNESS WHEREOF, A and B have caused this agreement to be duly executed as of the day and year first above written」のような文言が記載されることがあります。これにも様々なパターンがありますが、結文自体は法的効力がなく、その記載内容に関して実務上は特に注意を要しません。

6 署　名

契約書には、署名欄が設けられます。当事者全員が同じ紙の上に署名することは特に必要ではなく、署名ページを何枚か準備して別々に署名してもかまいません。

なお、当事者に加えて、第三者がwitnessとして署名することが求められる英文契約もあります。通常の取引契約であればそのようなことは求められません。この場合、witnessの署名はあくまでも契約が成立したことの証左としての意味でしかないため、法律上必須ではありません。ただし、英米法上、特殊な一定の契約（遺言等）では、第三者がwitnessとして署名しないと効力が発生しないことがあるので注意が必要です。

7 別　紙

契約書には、別紙が付される場合があります。別紙は、Schedule, Appendix, Addendum, Exhibitなど様々な呼称があり、それぞれ若干ニュアンスの違いがありますが、実務上はそれほど気にする必要はありません。

では、別紙の内容は当然に法的効力を有するのでしょうか。この点、別紙が契約書本文とは別に用意されることから、契約書本文のみが法的効力を有するという原則に照らし、その法的効力を明確にするために、以下のような規定が設けられることがあります。

The exhibits and schedules hereto are an integral part of this agreement and are deemed incorporated by reference herein.

ここに添付される別紙及び別表は、本契約と一体不可分なものであり、本契約の一部を構成するものとみなす。

All exhibits and schedules annexed hereto are expressly made a part of this agreement as though fully set forth herein.

ここに添付されるすべての別紙及び別表に記載されている内容は、本契約に記載されているものとみなされ、明確に本契約の一部を構成するものとする。

通常はわざわざこうした規定を設けずとも、契約の本文で別紙に関して言及し、あるいは参照すれば、それだけで別紙の内容は契約書本文と一体となるため、本文の一部として法的効力を有することになります。逆にいえば、契約書本文で一切の言及がない別紙があれば、それに法的効力を持たせるには上記の規定を入れたほうがよいということになります。

第2章 英文契約の英語の読み方

英文契約で使用される英語は、それほど難しいものではありません。使用されている英単語や文法自体は難しくないのですが、英文契約という性質上、注意すべきポイントがいくつかあります。英文契約レビューの実務という視点からは、以下の3つが特に重要です。

① きれいな英語よりも明確な英語
② 補足して読まず、書いてあるとおりに読む
③ 独特の言い回しに慣れる

項目ごとに見ていきましょう。

1 きれいな英語よりも明確な英語

英文契約書では契約書に記載されている内容が重視されます。したがって、当然のことですが、内容は正確に記載することが重要です。美しい英語であるに越したことはありませんが、それよりも重要なのは、明確で誤解を生まない英語を使うことです。

(1) 各文章の関連性を明確化する

英文契約書では、いくつかの文章をカンマで区切ってつなげることで、一文が非常に長くなる傾向があります。そのような場合は文章と文章のつながりが不明確になるので注意が必要です。

たとえば、英文契約サンプルの5.2条は以下のような文章になっていますが、その内容は明確といえるでしょうか。

If there is a breach of Seller's warranties to Buyer under this Section 5. 2, or if any defect or fault in connection with the design, materials or workmanship of a Product arises anytime within either eighteen (18) months after the date when such Product is placed in use or operation or thirty-six (36) months after the date on which such Product is properly delivered pursuant to this Agreement, whichever period ends later, Seller shall, at the Buyer's option, repair or replace such Product, or otherwise make such Product no longer in breach of the foregoing warranties.

5. 2条で規定されている売主の保証内容の違反あるいはデザイン、材料又は仕上がりに関する瑕疵や欠陥が、製品が使用ないし稼動されるようになった日から18か月経過した日、あるいは製品がこの契約に従い適切に納入された日から36か月経過した日のうち後に到来する日までの間に発生した場合、売主は、買主の選択に応じて、製品を修理ないし交換し、あるいはその他の方法で製品が表明保証違反にならないような措置をとる。

ここでは、2つの保証違反のケースについて、保証期間が規定されています。すなわち、まず、対象となる保証違反については、①5. 2条で規定されている売主の保証内容の違反があった場合(if there is a breach of Seller's warranties to Buyer under this Section 5.2)、及び、②デザイン、材料あるいは仕上がりに関して瑕疵や欠陥があった場合(if any defect or fault in connection with the design, materials or workmanship of a Product arises)の2つの品質トラブルが生じたときについて述べています。そして、保証期間については、製品が使用ないし稼動されるようになった日から18か月経過した日か、あるいは、製品がこの契約に従い適切に納入された日から36か月経過した日のいずれか後に到来する日までという期間を設定しています。

ここで問題なのは、この保証期間が、2つの品質トラブルのケース双方に適用されるかどうかという点です。言い換えれば、上記の文章では、保証期間が、後者の品質トラブルのケース（デザイン、材料あるいは仕上がりに関して瑕疵や欠陥があった場合＝ if any defect or fault in connection with the design, materials or workmanship of a Product arises）のみに適用されると読めてしまわないかという問題です。そのように読むのであれば、前者の品質トラブルのケース（5. 2条で規定されている売主の保証内容の違反があった場合＝ if there is a breach of Seller's warranties to Buyer under this Section 5. 2）には保証期間の定めがなく、契約上は無期限で交換対応することが求められます。

if there is a breach of Seller' s warranties to Buyer under this Section XXX

if any defect or fault in connection with the design, materials or workmanship of a Product arises

anytime within either eighteen（18）months after the date when such Product is placed in use or operation or thirty-six（36）months after the date on which such Product is properly delivered pursuant to this Agreement, whichever period ends later

どちらにするか……

if there is a breach of Seller's warranties to Buyer under this Section XXX

if any defect or fault in connection with the design, materials or workmanship of a Product arises

anytime within either eighteen（18）months after the date when such Product is placed in use or operation or thirty-six（36）months after the date on which such Product is properly delivered pursuant to this Agreement, whichever period ends later

上記どちらの意味で読むかがわかりにくいのは、2つの文章の間にあるカンマのためです。

If there is a breach of Seller's warranties to Buyer under this Section 5.2, or if any defect or fault in connection with the design, materials or workmanship of a Product arises anytime within either eighteen (18) months after the date when such Product is placed in use or operation or thirty-six (36) months after the date on which such Product is properly delivered pursuant to this Agreement, whichever period ends later, Seller shall, at the Buyer's option, repair or replace such Product, or otherwise make such Product no longer in breach of the foregoing warranties.

このカンマにより文章が切れてしまい、保証期間を定めた文章が後者の品質トラブルのケース(デザイン、材料あるいは仕上がりに関して瑕疵やミスがあった場合＝if any defect or fault in connection with the design, materials or workmanship of a Product arises)にのみかかっているように読めてしまうのです。

実際にそうした読み方でも意味は通じますし、英文法的にもこうした読み方は必ずしも間違っていないと思われます。つまり、この位置にカンマが打たれているだけで、結果が大きく変わる2つの読み方が可能になってしまっています。

英文契約では、読み方ひとつで法的効果が大きく変わってしまうため、こうしたあいまいな文章は避け、明確で、誰が読んでも同じ読み方しかできないような記載・表現を心がけることが非常に重要です。特に、上記のように複数の文章がつながってできている規定に関しては、それぞれの文章のつながり・関係性を明確にするためにナンバリングをして、くどいくらいに明確化する心構えが必要です。

たとえば、この例では、単につながり方を不明確にしているカンマを削除するだけでは不十分であり、以下のように修正することが考えられます。

If either (A) there is a breach of Seller's warranties to Buyer under this Section 5.2 or (B) any defect or fault in connection with the design, materials or workmanship of a Product arises, in each case of (A) and (B), any time within (X) either eighteen (18) months after the date on which such item is placed in use or operation or (Y) thirty-six (36) months after the date on which such Product is properly delivered according to this Agreement, whichever period of (X) or (Y) ends later, Seller shall, at the Buyer's option, repair or replace such Product, or otherwise make such Product no longer in breach of the foregoing warranties.

(A) 5.2条で規定されている売主の保証内容の違反、あるいは、(B) デザイン、材料又は仕上がりに関する瑕疵や欠陥に関して、(A) 又は(B)のいずれかが、(X)製品の使用ないし稼動がされるようになった日から18か月経過した日、あるいは、(Y) 製品がこの契約に従い適切に納入された日から36か月経過した日のうち、(X)あるいは(Y)のいずれか後に到来する日までの間に発生した場合、売主は、買主の選択に応じて、製品を修理ないし交換し、あるいはその他の方法で製品が表明保証違反にならないような措置をとる。

英語として美しい文章ではないかもしれませんが、これであれば、誰が読んでも保証期間が2つの品質トラブルの双方にかかっているとしか読めません。このようにナンバリング等をして、文章がどこで区切られており、それぞれがどのようにかかっているのかを明確にすることは、一つの重要なやり方です。

(2) 自分の読み方が正しいと思わない

不明確あるいは別の読み方を可能とする余地のある文章を英文契約の中で

使用すると、いざ紛争になったときに、必ずその点が攻撃されます。契約に関する争いでは、当事者はそれぞれ自身に有利なように規定が読めないか徹底的に分析するためです。取引が順調で問題ない場合には契約書の記載は気にされません。契約書の内容が徹底的に分析されるのは、いわば荒探しをされる紛争時であるという点は、常に念頭におくべきです。

このように考えると、「まさか相手はそのようなうがった読み方はしないだろう」「普通に考えればそのようには読めないはずだ」という姿勢は、英文契約レビューの際には危険といえます。目の前にある英文契約が次に読まれるのは紛争時であり、相手がうがった読み方をしてくる可能性が十分にあることを常に念頭におき、不明確な記述をできるだけ排除すべきです。

また、読み方に関して相手も同じ理解でいることが契約時に確認できれば、あえてこうした修正までしなくてもよいと思いがちですが、時間の経過とともに当該契約に関与する人間も変わり、締結当初の意図を知らない人がこの条項を見た場合に異なる考え方をして火種になる可能性があります。したがって、文言上明確にしておくことは重要です。

一方、読み方を明確化する修正をしたとき、相手方の規定の理解が自身のものと異なっていたことで、こちらで行った修正を拒否されることもあり得ます。その場合には、相手が自分と異なる見方をしていたことが確認できたことになります。先の例でいえば、相手がこちらの修正を拒否した場合、一つ目の品質トラブルのケース（5.2条で規定されている売主の保証内容の違反があった場合＝if there is a breach of Seller's warranties to Buyer under this Section 5.2）には保証期間の定めがなく、契約上は無期限で交換対応するよう求められると考えていることが浮き彫りになります。その場合には、このような内容でも受けるのか、さらに交渉するのかを判断することになります。明確化の修正をすることによって、契約に対する読み方の不一致をあぶりだす効果も期待できるといえます。

2 英語は補足せず字面どおりに読む

英文契約では、契約書の記載内容が重視されるという基本原則があるため、英文契約の規定を読む際には、規定内容を丁寧に追っていくことが必要です。そして、英文契約の規定を読む際に重要なのは、そこに記載されている以外のことを補足して読むことは絶対に避けるべきということです。つまり、「行間を読んではいけない」ということであり、これは英文契約以外の英語で書かれた文書を読むときと大きく異なる点といえます。こうした文面外のことを補足しながら読むというのは、一種のクセになっていることも多いので注意が必要です。特に、通常は取引の内容や背景をあらかじめ聞いたうえで契約のレビューをするため、そうした知識を踏まえて、書いていないことを無意識に補足しながら読んでしまうことがあります。

◆ 手数料支払いの条件は？

たとえば、以下の規定を読んで、手数料支払いの条件についてどのように書かれていると理解すべきか、考えてみましょう。これは、Xという外国の会社が自社の製品を日本で販売するためにYという代理店を使用するという取り決めに関する契約の一部です。

【1.1】 X shall pay a fee (“Fee”) to Y in accordance with the guidelines set out in Section 1.2 in the event that X enters into a Supply Contract with any customer in Japan during the Term, as compensation for services rendered by Y.

【1.2】 The payment of the Fee shall be subject to the following conditions:

(a) The Fee shall constitute full and final compensation for all services rendered, costs and expenses incurred by Y for and under the Supply Contract and neither Party shall be liable to pay or claim from the other any further compensation under this Agreement.

(b) The Fee shall be due and payable within 30 days after receipt of an invoice from Y.

(c) Y shall be paid only after X has successfully entered into each and every Supply Contract with a customer during the Term.

(d) If, at any time, a Supply Contract shall be terminated or cancelled for whatever reasons, Y shall return any and all such Fee which X has paid to Y within 14 days upon written notice.

【1. 1】 契約期間内にXが日本において顧客との間で供給契約を締結した場合、Yのサービスの対価として、Xは1. 2条で定めるガイドラインに従いYに対して手数料（以下「本手数料」という。）を支払うものとする。

【1. 2】 本手数料の支払いは以下の条件に従うものとする。

(a) 本手数料は、顧客との供給契約に基づいてYが提供するサービス及びYが負担する費用に対する完全かつ最終の報酬額であり、当事者は本契約に基づき他の当事者に対してその他一切の報酬を支払う責任がない。

(b) 本手数料はYが発行する請求書が受領されてから30日以内に支払われるものとする。

(c) YはXが本契約期間中に顧客との間で供給契約の成約をした後に限り支払いを受けることができる。

(d) 万が一、その理由を問わず供給契約が解約ないし取り消された場合、YはXがYに対して支払った本手数料の全額を書面による通知から14日以内に返還しなければならない。

規定を見ると、1. 1条で「日本の顧客と成約した場合、XはYに対して一定の手数料を支払う」という取り決めをしており、その手数料に関する詳細な条件を1.2条で定めていることがわかります。一見、シンプルに規定されており、英語としても問題なさそうに見えます。しかしながら、1.1条の文章は果たして適切でしょうか。

X shall pay a fee (“Fee”) to Y in accordance with the guidelines set out in Section 1.2 in the event that X enters into a Supply Contract with any customer in Japan during the Term, as compensation for services rendered by Y.

契約期間内にXが日本において顧客との間で供給契約を締結した場合、Yのサービスの対価として、Xは1.2条で定めるガイドラインに従いYに対して手数料（以下「本手数料」という。）を支払うものとする。

英語をそのまま読むと、「契約期間中に日本の顧客と供給契約を締結した場合、XはYに対して1.2条に定める条件に従い手数料を支払う」となっています。

この点、通常の代理店契約では、「Yが紹介した顧客」と成約した場合にはYに対して手数料を支払うということが想定されています。Yが成約に寄与しているためです。一方、Yが直接紹介したり、あるいは、キャンペーン活動等をやったわけではなく、Yがまったく関与しないところでXが顧客と成約した場合には、Yは手数料を受け取れないとするのが通常と思われます。Yは成約になんら寄与していないからです。

ところが、この規定を見ると、手数料を支払う条件に関しては「in the event that X enters into a Supply Contract with any customer in Japan during the Term」とあるだけで、Supply Contractを成約した相手がYが紹介した顧客であることも、Yが何らかの形で成約に貢献したことも条件にしていません。確かに、「1.2条に定める条件に従い」という文言はありますが、1.2条を読んでも、Yの寄与が手数料支払いの条件になっているとは一切書いてありません。(a) は手数料が報酬のすべてであること、(b) は手数料の支払時期、(c) は手数料の支払いはあくまで供給契約が成約した後に限ること、(d) は手数料返還の条件をそれぞれ定めるだけであり、Yが成約に貢献したことを条件にする文言は含まれていないのです。

もっとも、1.1条では末尾に「as compensation for services rendered by Y」と記載されており、手数料はYのサービスの対価として支払われるものであるとされています。そこで、この文章は手数料の支払いがYのサービス＝貢献を条件にしていると、“行間を読めば”考えることもできます。しかし、文言を見る限り、何がここでいう「service」にあたるのかは明確でなく、この文章をしてYの寄与を手数料支払いの条件とすることを規定していると読むのは厳しいといえます。手数料の支払いの条件として、Yが紹介した顧客であることや、Yが成約に何らかの形で貢献したことが文言上明確に記載されていない以上、そうした条件はないものとして適用されることになり、勝手にそのような条件があると補って解釈することは原則としてできません。

そうすると、上記の記載では、Yが顧客を紹介した場合だけでなく、Yが何も関与していないところで顧客が直接Xにコンタクトして契約した場合や、あるいは、Xが自ら勧誘に成功した顧客と契約をした場合ですら、Yに手数料を支払わなければいけないことになります。もちろん、テリトリー制のように、Yの貢献等がなくても無条件で手数料を支払うという取引も考えられますので、このような内容の規定自体が常に問題というわけではありません。重要なのは、ここで記載されている「契約期間中に日本の顧客と供給契約を締結した場合、XはYに対して1.2条に定める条件に従い手数料を支払う＝(Yの貢献等にかかわらず成約の場合には無条件に手数料を支払う)」ということが、両者の合意内容として正しいのかどうかです。

もし、合意内容が、あくまでYの紹介した顧客と成約した場合にのみ手数料を支払うということであり、したがってこの1.1条の内容が正確ではなかった場合には問題です。もっとも、これが日本語による契約であって、日本の裁判所で審理した場合には、契約の文言にかかわらず、取引の内容や当事者の合理的意思解釈等を通じて「成約した顧客がYの紹介した先であることが条件である」と判断される可能性はあります。日本の裁判所は、契約の記載よりも何が当事者の意思であったのかを探り、場合によっては後者を優先することにさほど躊躇しない傾向があるからです。しかしながら、英米の裁判所等でこの規定を審理する場合には、文言に記載されていないことを補充して解釈されると期待すべきではありません。たとえ契約の記載が誤りであったとしても、契約の相手方はそれが自身に有利であれば文言どおりの適用を主張しますし、英米の裁判所は基本的に契約書の文言・記載内容を重視するからです。

◆ 手数料返還の条件は？

では、手数料返還の条件を定める1.2条(d)は適切でしょうか。

If, at any time, a Supply Contract shall be terminated or cancelled for whatever reasons, Y shall return any and all such Fee which X has paid to Y within 14 days upon written notice.

万が一、その理由を問わず供給契約が解約ないし取り消された場合、YはXがYに対して支払った本手数料の全額を書面による通知から14日以内に返還しなければならない。

この規定をそのまま読めば、「供給契約が理由を問わず解約ないし取り消しされた場合には、YはXから支払いを受けた手数料を通知から14日以内に全額返還する」となっています。確かに、成約した供給契約が解約された場合、成約がなかったのと実質的には同じなので、手数料は返還するのが合理的であるようにも思われます。しかしながら、供給契約の解約の理由についてYに一切落ち度がないような場合にまで返還すべきかは微妙ですし、ましてやX側の落ち度で供給契約が解約されたような場合まで、Yが手数料返還を強いられるのは一般的には不合理であるように思われます。

この点、1.2条(d)では、文面上、供給契約が解約された場合において、Y側に落ち度があるときにのみ手数料返還が求められるとは記載されておらず、むしろ、供給契約が解約された場合には「理由を問わず」返還が必要になるとしています。したがって、この文言によれば、供給契約の解約の理由についてYに一切落ち度がないような場合はもちろん、X側の落ち度で供給契約が解約されたような場合であっても手数料返還が求められるという結論になります。事情によってはそのような取り決めをすることも考えられますので、この条項が常に問題というわけではありませんが、こうした一見不自然な結論になるような規定に関しては、両者の合意内容として正しいのかについて取り決めに関わった部門等に確認することが必要になるのです。

このように、契約の対象である取引の権利義務に関する規定は、そこに記載されたとおりに適用されますので、記載内容を正確に把握することが重要です。その際には、契約に記載されていない文言を勝手に補足したり、記載されている文言について勝手に読み込みをしたりしないように留意し、あくまで、そこに記載されている字句どおりに読むことが必要になります。

3 英文契約独特の表現に慣れる

1 よく使われる表現

英文契約で使用されている英語は、いくつか法律専門用語のようなものもありますが、基本的にはさほど難しくありません。ただし、独特の言い回しがされるため、そこに何か特殊な意味が込められているのではないかと身構えてしまうこともあるかと思います。しかし、そのほとんどは、単に表現の嗜好の問題であり、実質的な意味がない場合が多く、いったん慣れてしまえば苦労するものではありません。以下、いくつか典型的なものを見ていくことにします。

(1) 義務を表す語句

契約でもっとも使用されるであろう「義務を表す語句」には、実に様々な表現があります。では、以下の表現はそれぞれ意味が変わるのでしょうか。

○ Seller shall deliver the Products in accordance with the specifications set out in the Individual Contract.
○ Seller must deliver the Products in accordance with the specifications set out in the Individual Contract.
○ Seller will deliver the Products in accordance with the specifications set out in the Individual Contract.
○ Seller agrees to deliver the Products in accordance with the specifications set out in the Individual Contract.
○ Seller undertakes to deliver the Products in accordance with the specifications set out in the Individual Contract.
○ Seller is required to deliver the Products in accordance with the specifications set out in the Individual Contract.

上記はいずれも意味は変わらず、「売主は個別契約に記載されている仕様書の条件に従って製品を納入する義務がある」という意味です。義務の強弱にも違いはありません。通常の英文では、mustのほうがwillよりも義務が強い印象がありますが、英文契約ではどれも義務を指すものであり、法的な義務の強弱に差はありません。

なお、一般的な英文契約では「shall」が使用され、「must」や「will」はあまり使用されません。英文契約では、こうした助動詞によっては義務の程度は変わらず、それを決めるのはむしろ、その後に続く動詞やそれを修飾する副詞ということになります。

(2) 権利を表す語句

それでは、逆に権利を表す語句について、以下のそれぞれの場合で権利の度合いは変わるのでしょうか。

○ Buyer may at all times set-off any amount owing at any time to Seller.

○ Buyer can at all times set-off any amount owing at any time to Seller.

○ Buyer has the right at all times to set-off any amount owing at any time to Seller.

○ Buyer shall be granted the right at all times to set-off any amount owing at any time to Seller.

○ Buyer reserves the right at all times to set-off any amount owing at any time to Seller.

○ Buyer is allowed at all times to set-off any amount owing at any time to Seller.

いずれも「買主はいつでも売主に対して負っている債務について相殺できる権利がある」ことを意味しており、その権利の強さや内容は法的にすべて同じと考えて差し支えありません。上記以外にもバリエーションはありますが、英文契約では、こうした助動詞によっては権利の程度は変わらず、それを決めるのはむしろ、その後に続く動詞やそれを修飾する副詞になります。

(3) 可能性を表す語句

英文契約では、一定の事項の発生の可能性を表すために助動詞等を使用します。一般的に使用されるのは以下のものです。

Buyer may suspend the performance of its obligation under this Agreement if any of the default events as set forth in Article 12 could occur.

第12条に定める不履行事由のいずれかが発生する可能性がある場合には、買主は本契約における自身の義務の履行を留保することができる。

Buyer may suspend the performance of its obligation under this Agreement if any of the default events as set forth in Article 12 would reasonably be expected to occur.

第12条に定める不履行事由のいずれかが発生すると合理的に考えられる場合には、買主は本契約における自身の義務の履行を留保することができる。

Buyer may suspend the performance of its obligation under this Agreement if any of the default events as set forth in Article 12 is likely to occur.

第12条に定める不履行事由のいずれかがおそらく発生するであろう場合には、買主は本契約における自身の義務の履行を留保することができる。

Buyer may suspend the performance of its obligation under this Agreement if any of the default events as set forth in Article 12 would occur.

第12条に定める不履行事由のいずれかが発生するであろう場合には、買主は本契約における自身の義務の履行を留保することができる。

上記に関しては、could ＞ would reasonably be expected to ＞ is likely to ＞ would の順番で、当該事項（＝上記の例では12条に列挙されている不履行事由）が発生する可能性の確度が高くなると、一般的に理解されています。すなわち、最初の「could」の場合は、12条に列挙されている不履行事由が発生する「何らかの可能性」があれば買主が自身の義務の履行を拒否できることになりますが、「would reasonably be expected to」だと「発生すると合理的に考えられること」が必要であり、「is likely to」だと「おそらく発生するであろうこと」、「would」だと「発生するであろうこと」が求められるという形で確度が高まります。

どれを選択するかは交渉によりますが、よく妥協点として選択されるのは「would reasonably be expected to」です。「is likely to」も極端すぎないという意味ではよいのですが、「would reasonably be expected to」は「reasonably」という主観的な判断を要する基準が入っているため、当事者それぞれの立場からの主張をすることができる余地が広くなります。この「reasonable」という語句の有用性に関しては、「第II部 第7章」でも取り上げます。

(4) 他の文章との優先順位を示す語句

英文契約では様々な権利義務等が規定され、その範囲が重なるような場合には、お互いの優劣関係を示す必要があります。優劣関係を示さなければ、一見矛盾した条項が含まれている場合にどちらが正しいのかわからなくなるためです。そのための一般的なルールとしては、①一般的・抽象的な規定より個別的・具体的な規定が優先し、②先にくる規定より後にくる規定が優先すると考えられていますが、こうしたルールだけでは十分でないことが多く、英文契約では互いの条項の優劣関係を示すための慣用句が用いられます。

a) 他より優先することを示す語句

◆ Provided however

「provided however」は、英文契約でよく使用される語句です。これは、その語句の後ろにくる文章が、その前にある文章に対する例外であることを示すもので、以下のように使用されます。

Seller shall not subcontract to any third party the manufacture or processing of the Products in whole or in part without the written consent of Buyer, provided, however, that Seller may subcontract any part of the manufacture or processing of the Products to its affiliates without the consent of Buyer.

売主は買主の書面による同意なく製品の製造あるいは処理の過程の全部ないし一部を第三者に委託してはならないが、ただし、自身の関連会社に対しては、買主の書面の同意なく製品の製造あるいは処理の過程の全部ないし一部を委託することができる。

このように下線が引かれたり、あるいは、イタリックで記載されることが多いですが、これは単に強調するための装飾であり、下線を引かない普通の文体でもかまいません。「provided, however, that」は「provided that」でも同じ意味です。「provided」は一般の文章ではあまり使用されず、法律文書でよく使われる単語ですが、法的に特別な意味を有するわけではなく、「except that」とまったく同じで、「例外」という意味です。

なお、「provided, however, that」は上記のように例外を表す意味として使用される以外に、条件を付すための語句としても使用される場合があります。たとえば、以下のような場合です。

Seller may subcontract to any third party the manufacture or processing of the Products in whole or in part without the written consent of Buyer, provided, however, that Seller shall notify Buyer of the name of the third party, to which it intends to subcontract.

売主は製品の製造あるいは処理の過程の全部ないし一部を第三者に

委託することができるが、その場合は、買主に対して、委託先の第三者の名称を伝えなければならないものとする。

これは、たとえば以下のように言い換えが可能です。

Seller may subcontract to any third party the manufacture or processing of the Products in whole or in part without the written consent of Buyer, on the condition that Seller shall notify Buyer of the name of the third party, to which it intends to subcontract.

売主は製品の製造あるいは処理の過程の全部ないし一部を第三者に委託することができるが、買主に対して、委託先の第三者の名称を伝えることを条件とする。

あるいは、以下のようにより平易にしても同じ意味です。

Seller may subcontract to any third party the manufacture or processing of the Products in whole or in part without the written consent of Buyer if Seller notifies Buyer of the name of the third party, to which it intends to subcontract.

売主は買主に対して委託先の第三者の名称を伝えれば、製品の製造あるいは処理の過程の全部ないし一部を第三者に委託することができる。

このように「if」で言い換えられる場合は、「provided however」が条件を表わすものとして使用されていることになります。この場合には、下線は引かないのがルールです。

◆ Notwithstanding anything to the contrary

「Notwithstanding anything to the contrary」は、それまでに記載されていることに対して例外を述べるための慣用句です。「〜にかかわらず」という意味であり、「Notwithstanding anything to the contrary」の後にくる文章は、それまでに述べられていたことにかかわらず適用されるということになります。

ある条項に対して例外を述べる語句は、他にも前述の「provided however」がありますが、「provided however」の場合には、その対象となる文章にそのまま続けて同じ文章内で使用する必要があるのに対して、「Notwithstanding anything to the contrary」は別の文章の中で使用します。たとえば、**26ページ**の「provided however」の例では、下記のとおり例外の対象となる文章につなげて同じ文章の中で使用されていました。

Seller shall not subcontract to any third party the manufacture or processing of the Products in whole or in part without the written consent of Buyer, provided, however, that Seller may subcontract any part of the manufacture or processing of the Products to its affiliates without the consent of Buyer.

売主は買主の書面による同意なく製品の製造あるいは処理の過程の全部ないし一部を第三者に委託してはならないが、ただし、自身の関連会社に対しては、買主の書面の同意なく製品の製造あるいは処理の過程の全部ないし一部を委託することができる。

これを「Notwithstanding anything to the contrary」で言い換えると、下記のように別の文章に分けて使用されることになります。どちらも意味は変わりません。

Seller shall not subcontract to any third party the manufacture or processing of the Products in whole or in part without the written consent of Buyer. Notwithstanding anything to the contrary, Seller may subcontract any part of the manufacture or processing of the Products to its affiliates without the consent of Buyer.

売主は買主の書面による同意なく製品の製造あるいは処理の過程の全部ないし一部を第三者に委託してはならない。これにかかわらず、自身の関連会社に対しては、買主の書面の同意なく製品の製造あるいは処理の過程の全部ないし一部を委託することができる。

このように、「Notwithstanding」は独立の文書で使用するため、例外の対象とする規定・文章の選択にいくつかバリエーションがあります。直前の文章に記載されていたことに対する例外を述べるには「Notwithstanding the foregoing」としますが、特定の条項で規定されていたことに対する例外を記載する場合には、「Notwithstanding anything in Section [ ] to the contrary」とします。さらに、例外の対象とする規定を限定せずに、契約に記載されているいかなる条項に対しても例外として働くようにするには、「Notwithstanding anything in this Agreement to the contrary」とします。

「Notwithstanding anything in this Agreement to the contrary」では、続く文章が常に優先すること（=その文章がそのまま適用されること）になるため、契約書の他の部分をいちいちチェックせずに済み便利です。

b) 他より劣後することを示す語句

上記とは逆に、他より劣後して適用されることを示すための語句もあります。典型的な語句は「Except as otherwise provided」です。たとえば、以下のように使用します。

Except as otherwise provided in Article 3. 5, Buyer shall not disclose the Confidential Information to a third party other than its Affiliates.

3. 5条で別途定められている場合を除き、買主は自身の関連会社以外の第三者に対して守秘情報を開示することができない。

「Except as otherwise provided in Article 3. 5」を入れることで、「買主は守秘情報を自身の関連会社以外の第三者に対して開示してはならない」という義務が、3. 5条で規定されている事項には及ばないことを明確にしています。

あるいは、このように当該事項に優先する条項を特定せずに、以下のようにすることも可能です。

Except as otherwise provided in this Agreement, Buyer shall not disclose the Confidential Information to a third party other than its Affiliates.

この契約で別途定められている場合を除き、買主は自身の関連会社以外の第三者に対して守秘情報を開示することができない。

ただし、この場合には、契約書に別段の記載があれば、それに対して開示禁止義務は及ばないことになるので、契約書内に想定外の規定がないかについて確認が必要です。

このように、「Except as provided otherwise in this Agreement」の場合には、その後ろにくる文章の適用範囲が、契約書の記載によっては狭まっていくという効果がありますので、思いがけず効力を狭められないかという点に注意が必要です。

…Notwithstanding anything in this Agreement to the countrary…

契約中の他の規定

…Except as provided otherwise in this Agreement…

2 ムダに長い表現

英文契約では多くの語句や言い回しが使用されますが、その中にはまったく内容に影響を及ぼさないものもあります。たとえば、以下の語句です。

契約である以上、不要　　意味のない語句

The parties hereto agree that upon the occurrence of the each and every failure by Seller to comply and perform the covenants, restrictions and limitations set forth under this Agreement, Buyer shall have the right to and be entitled to exercise any and all rights set forth in Article 5.

繰返し

本契約の当事者は、売主が本契約に定める誓約、禁止あるいは制限条項を遵守ないし履行しない場合は、その都度毎回、第5条に定めるすべての各権利を行使する権利を有し、これを行使できることに合意する。

(1) 無意味な語句

上記の例でいえば、茶色でハイライトされている「hereto」です。この単語自体は、あえて訳するのであれば「この契約の」ですが、あってもなくてもどちらでもよい語句です。同様のものとして「hereby」があります。

(2) 繰り返し

英文契約で使用される意味を有しない言い回しでもっとも多い類型は、同じ意味をもつ語句の繰り返しです。上記の例でいえば、グレーでハイライトされているものがこれにあたります。「each and every」はともに「毎回」の意味ですし、「comply and perform」はともに「遵守する」の意味、「covenants, restrictions and limitations」はすべて「義務(あるいは制限)」の意味です。また、「have the right to and be entitled to」は先に見たようにともに権利を表し、「any and all」はともに「すべて」を表す語句です。

これらは、まったく、あるいはほぼ同じ意味の語句を並べているだけであり、どちらか一方はあってもなくてもかまいません。誤解を恐れずにいえば、英文契約の中で列挙された語句のほとんどは、こうした同じ意味の語句であり、列挙することで意味を広げたりする効果は通常ありません。

ただし、このように列挙された語句が、それぞれ互いに法的に異なる意味をもつ場合がまれにあります。典型的なのは、Indemnity条項(補償条項)で常に使用される「indemnity, hold harmless and defend」です。「第II部 第5章」で詳しくみますが、法的に「indemnity」「hold harmless」と「defend」は異なる法的効果を有する語句として理解されているため、「defend」を入れるどうかで補償の義務内容が変わります。また同様に、Indemnity条項でよく目にする「claims, demands, damages, losses, liabilities, costs, expenses and reasonable attorneys' fees」に関しても、これらの語句はそれぞれ微妙に異なる意味を有しており、具体的には、「claims」「demands」と、「damages」「losses」「liabilities」と、「costs」「expenses」「reasonable attorneys' fees」の3つのグループはそれぞれ、請求等の手続、損害賠償責任、費用という異なる種類のものを意味すると理解されています。

このように、裁判で争われ、その意味を歴史的に確認してきたような条項で使用されている列挙語句は、法的に意味が付与されているため、そのどれを残すか、削除するかで、文章の有する法的意味が変わってしまう可能性があります。ただし、このように実質的に違いが出るほど異なる意味が付与されているような列挙語句は、通常の取引契約であれば、Indemnity条項くらいであると考えても実務上は差し支えありません。

(3) 法的に意味のないもの

上記の例では、赤色にハイライトされている箇所です。「The parties hereto agree that」とは、「この契約の当事者は…と合意した」という意味ですが、契約である以上、そこに記載されている各条項がすべて「当事者が合意したもの」であることは当然といえ、このような文言に特段の意味はありません。

ちなみに、契約の前文では、「Now, THEREFORE, in consideration of the above premises… both parties agree as follows:」という文章が入りますが、ここで、契約本文に記載された各条項は「both parties agree（両当事者が合意した）」ものであることを述べていますので、各条項で「The parties hereto agree that」と入れるのは、英文契約の構成上、同じことの繰り返しになり、本来は不自然なものであるといえます。

同様の理由で、たとえば以下の例文のように、契約の中で一定の行為を禁止する条項における「相手方の同意がなければ」という語句も、当たり前のことを記載しているだけであって無意味なものといえます。

> Seller shall not sell Products to any third party without a prior written consent of Buyer.
>
> 売主は、買主の事前の書面による同意なく、第三者に本製品を販売してはならない。

「相手方の同意がなければ」を入れない、シンプルな形は以下になります。

Seller shall not sell Products to any third party.

売主は、第三者に本製品を販売してはならない。

この文章でも、契約である以上、義務の名宛人である買主が同意すれば義務は当然に免除されるところ、あえて「without a prior written consent of Buyer」を入れる意味はほとんどないといえます。唯一意味があるとすれば、買主の同意が「書面」でなければならないことを明示している点くらいです。

3「言い換え」に慣れる

英文契約を読む際に気をつけなければいけないのは、一定の語句を追加することで真逆の意味になってしまう場合があるということです。たとえば、以下の例文で考えてみましょう。

Seller may make changes to Products, their place of manufacture, and their production methods or manufacturing process.

売主は、本製品自体あるいは本製品の製造場所、製造方法ないし製造過程を変更することができる。

上記の例文では、「売主は、製品自体、製品の製造場所、製造方法あるいは製造プロセスを変更してよい」として、売主の"権利"を定めています。これとは真逆に、「売主は、勝手に製品の製造場所、製造方法あるいは製造プロセスに変更を加えてはならない」という"義務"にするには、どんな方法があるでしょうか。

シンプルな方法としては、以下が考えられます。

Seller shall not make changes to Products, their place of manufacture, and their production methods or manufacturing process.

売主は、本製品自体あるいは本製品の製造場所、製造方法ないし製造過程を変更してはならない。

しかし、これでは「禁止」という部分があまりに強調されてしまいますので、以下のように修正されることがあります。

Seller may make changes to Products, their place of manufacture, and their production methods or manufacturing process if Buyer agrees to it in writing in advance.

売主は、買主が書面で事前に同意した場合には、本製品自体あるいは本製品の製造場所、製造方法ないし製造過程を変更することができる。

すなわち、最初の部分はそのまま残して、「売主は、製品自体、製品の製造場所、製造方法あるいは製造プロセスに変更してよい」としつつ、ただし、「それは買主が事前に書面で同意することを条件とする」と、条件を追加するのです。ここでの「if」は条件付けをすることを目的としています。これにより、売主は買主の承諾なく自由に変更できないことになります。

あるいは、よりシンプルに以下のようにすることも考えられます。

Seller may, with a prior written consent of Buyer, make changes to Products, their place of manufacture, and their production methods or manufacturing process.

売主は、買主の書面による事前の同意を得て、本製品自体あるいは本製品の製造場所、製造方法ないし製造過程を変更することができる。

ここでも、「売主は、製品自体、製品の製造場所、製造方法あるいは製造プロセスに変更してよい」をそのまま残しつつ、よりシンプルな形で買主による事前の書面同意を条件としているのです。やはり、売主は自由に変更することができなくなっています。

これら2つの例文は、「shall not」のように直接「禁止」という表現を使用することなく、実質的に行為を禁止しています。すなわち、「買主による事前の書面同意があれば、売主は、製品自体、製品の製造場所、製造方法あるいは製造プロセスに変更を加えてよい」ということは、一見すると売主に変更する権利があるように見えますが、事前の書面同意につき買主がこれを拒否した場合には条件が成就せず、売主は変更を加えることができなくなります。すなわち、買主が同意しなければ、変更は禁止されてしまう（=変更してはいけない義務）のです。

これは英文契約の特徴ですが、「相手方の同意を条件にする」ことには文章の意味を真逆にひっくり返す作用がありますので、このような語句が付される場合には、その効果をよく見極めることが必要です。

第Ⅱ部

英文契約の本体部分をレビューする

第Ⅱ部では、いよいよ英文契約の本体部分のレビューに入っていきます。ただ、その場合も、すべてに神経を尖らせてレビューするのでは非効率的です。英文契約の構造を理解し、各条項の特徴を把握しておくことが効率的なレビューにつながります。

第1章 英文契約の構造

まずは、英文契約の構造と各条項の特徴を確認しましょう。

1 全体の構成

英文契約には2つの特徴があります。対象となる取引の種類にかかわらずほぼ同じ構成をとること、そして、各条項はその機能あるいは特徴により分類ができるということです。

英文契約のほぼすべての条項は、具体的には下記の7つに分類できます。

① 取引に関する当事者の合意（取引に関するCovenant/Agreement）：～する義務
② 表明保証（Representation & Warranty）
③ 契約期間／解約（Term/Termination）
④ クロージング及び前提条件（Closing/Condition Precedent）
⑤ 特別な義務（特別Covenant）：～してはならない義務
⑥ 補償（Indemnification）
⑦ その他条項（Miscellaneous）

それぞれの概要と見分け方は以下のとおりです。

1 取引に関する当事者の合意（取引に関するCovenant/Agreement）

契約書には、様々な権利義務に関する規定が記載されます。それらの権利義務のうち、特殊な法的権利義務に関するもの（Representation & Warrantyや Indemnification）やすべての契約に共通する手続的・補足的なもの（Miscellaneous）を除く大部分には、契約の対象となっている取引に関して当事者が何をすべきか、何をすべきでないか、というルールが規定されています。こうした当事者の取引に関する権利義務を「Agreement」あるいは「Covenant」と呼びますが、契約をレビューする実務においては、その性質・目的・法的効果を考慮して、以下の2つの分類を意識すると有用です。

① 取引の内容自体に関する権利義務
(本書では、便宜上「取引に関する Covenant/Agreement」と呼ぶ)
② 取引自体ではなく、当事者の取引以外の行動を律する権利義務
(本書では、便宜上「特別 Covenant(特別な義務)」と呼ぶ)

上記①の「取引に関する Covenant/Agreement」では、ほとんどの場合、「shall…」あるいは「must…」のように「〜しなければならない」という表現で、積極的に何かをすることが義務になっています。これは、契約の対象である取引の実現・実施に向けたものであるという性質上、当然であるといえます。

一方で、上記②の「特別 Covenant」は、取引の内容自体に関するものではありません。取引関係に入った当事者に対して一定のルールを要求するものです。そして、多くの場合、それは「shall not…」、「must not…」、あるいは「shall be prohibited from…」のように、「〜してはならない」という表現で一定の行為を禁止する不作為義務になっています。典型例としては、Confidentiality(守秘義務)、Non-Compete(競業避止義務)、あるいはNon-Solicitation(勧誘禁止義務)が挙げられます。

この2つは、①取引の内容自体かどうかという点と、②積極的な作為義務なのかあるいは消極的な不作為義務なのかという点で異なっているため、レビュー上のポイントが変わってきます。そこで、本書では、これら2つは分けて扱い、ここではまず「取引に関する Covenant/Agreement」を取り上げます。なお、「特別 Covenant」については、下記**5**(43ページ)で取り上げます。

さらにもう一歩

英文契約では、日本語でいうところの当事者の義務を指す語句として、単なるduty や obligation 以外に covenant という単語がよく使われます。Covenant

には、特定の行為を行う約束（affirmative covenant）と特定の行為を行わない約束（negative covenant）があり、通常の契約上の権利義務とは異なる法的概念として歴史的な背景を有します。現在では、特殊な法的関係（たとえば、英米法における土地に関連する権利義務としての文脈における covenant 等）の中で使用される場合はともかく、契約書の中で「covenant」という場合には、通常の契約上の権利義務とほとんど異ならない意味として使用されていることが多いです。

取引に関する Covenant/Agreement は、まさに、当該契約で対象にしている取引に関する当事者の取り決めを規定するものです。通常の製品の売買基本契約であれば、製品の注文の確定方法、製品の引渡し、受け入れ検査あるいは代金の支払いといった一連の流れに関する取り決めが規定されますし、ライセンス契約であれば、対象となる知的財産権の確定、ライセンスの条件、ロイヤリティーの支払方法等が規定されます。当然、この部分は各契約によって、分量も規定の内容も大きく異なってきます。一般的に、規定される位置は契約書の冒頭（少なくとも序盤）になります。

この部分は、取引に関する当事者の合意内容、取り決め内容を記載するものであるため、基本的には特殊な法律用語が使用されることは少なく、単純に英語として読んだ内容と大きく乖離する法的効果が発生することはありません。たとえば、M&A 契約では、ここに当該 M&A の法的効力を発生される特殊な法的概念や法的手続が規定されますが、このような場合は例外であって、一般的な法令に依拠して行われる取引契約では、そこに記載されたとおりの内容で権利義務が発生します。したがって、取引に関する Covenant/Agreement のレビューのポイントは、記載されている内容が当事者の合意内容を正確に記載したものかどうかの確認になります。この点は、「第II部　第2章」で詳解します。

冒頭の英文契約サンプルでは、Article III（Individual Agreements）, Article IV（Delivery, Title Transfer, Acceptance）及び Article VI（Billing and Payment）が、取引に関する Covenant/Agreement にあたります。これらが、当該契約の対象である取引の内容、すなわち製品売買に関する具体的な内容・手続を定めているからです。

2 表明保証（Representation & Warranty）

表明保証（RepresentationWarranty）は、一定の事実を契約の相手方に保証するもので、①契約当事者自身に関する事実の保証と、②取引の対象となる物やサービス等に関する事実の保証に大別されます。

前者は、契約者自身が適正に設立され存続していること、当該取引をする法的能力があること、当該取引に必要な内部授権手続が完了していることなどの基本的事項から、近時では、贈賄規制法に違反した行為をしていないことといった法令遵守に関する事項まで保証することがあります。いずれにせよ、自身に関する保証なので、あまり問題になることは多くありません。

一方、後者は、保証の対象となる物やサービスが契約当事者にとって馴染みが深く、その内容を十分に把握している場合（典型的には製品売買契約で自社で製造している製品について保証するケース）には、保証することが問題になることは少ないです。しかし、保証の対象となる物やサービスが複雑な事実背景を有しており、契約当事者がそのすべてを把握しているわけではない場合（典型的には、M&A契約で売却対象の会社に関して保証をするケース）には問題になりやすいといえます。

表明保証は、「Represent」及び「Warrant」という、日本法にはない特殊な法的義務を内容にするものであるため、「Represent」あるいは「Warrant」するということがどのような法的義務を発生させるのかについて正確な理解が必要です。したがって、英語として読めればその効果や機能が理解できるというものではなく、法的な理解を前提としたレビューが必要になるという点で法的リスクが高い条項であるといえます。

表明保証条項には特徴があり、「represent」「warrant」「assure」という動詞を使用しています。表明保証条項以外ではこうした語句が使用されることはまずないので、これらの語句が使用されている条項は表明保証条項であると考えて基本的には間違いありません。

また、保証する事実の内容及び対象は各契約によって異なりますが、その形式や権利義務の内容がどの契約でもほぼ同じであるという特徴があります。たとえば、冒頭の英文契約サンプルでいえば、Article V (Representations and Warranties) が、表明保証条項にあたることになります。また、これは表題からはわかりませんが、8.1条も第一文で「warrants」「assures」の文言が使用されており、表明保証条項を含んでいることがわかります。表明保証条項に関しては、「第Ⅱ部 第4章」で詳しく検討します。

3 契約期間／解約 (Term/Termination)

契約期間／解約 (Term/Termination) は、文字どおり当該契約の契約期間及び解除に関する規定です。たとえば、冒頭の英文契約サンプルでは、Article II (Term of Agreement) が、契約期間／解約 (Term/Termination) にあたります。日本語による通常の契約と同様、シンプルに記載されており、特殊な法的概念が使用されることはありませんので、本書では独立の章を設けては取り上げません。

4 クロージング及び前提条件 (Closing/Condition Precedent)

クロージング及び前提条件 (Closing/Condition Precedent) は、契約締結時点と、取引実行 (物の引渡し、サービスの開始等) の時点がずれる場合に規定される条項です。クロージングとは、当該契約における取引の「実行」であり、その内容は取引の中身によって変わってきます。前提条件とは、取引を実行するための「前提条件」であり、この条件が満たされてはじめて、実行する義務が発生します。

典型としては、たとえば、M&A 契約で当該買収の実行に国からの許可が必要な場合において、買収対象の企業の引渡し及びその対価の支払いが「実行 (Closing)」であり、その「前提条件 (Condition Precedent)」として国からの許可が取得されていることが規定されます。買収は国の許可がなければ法的に実行できないため、これを「実行 (Closing)」の前提条件とするのです。「実行 (Closing)」に必須となるこうした法的要件以外にも、できるだけ問題のない形で対象企業の引渡しを受けようと様々な前提条件が付与されることがあり、その範囲に関して紛糾することも珍しくありません。クロージング及び前提条件は、元々日本の契約では意識して規定されておらず、英文契約に特徴的な条項であるといえます。

クロージング及び前提条件では、極めて特徴的な「Closing」という語句が使用されるため、見分けるのは非常に簡単です。ただし、M&A契約のような特殊な契約を除けば、本条項が規定されることは極めてまれです。通常は契約締結と同時に取引の実行が行われることが多いですし、契約締結と取引の実行の間に期間が空く（たとえば、売買基本契約の締結と、それ基づく個別の売買取引は時点がずれる）としても、あえて「実行（Closing）」に前提条件を付してその充足を確認するといったことは通常の取引では不要だからです。

冒頭の英文契約サンプルは通常の売買契約書であり、該当する条項がないのがわかります。したがって、本書では独立の章を設けては取り上げません。

5 特別な義務（特別Covenant）

特別Covenantも、当事者の契約における権利義務を定めるという点では、上記**1**（38ページ）の取引に関するCovenant/Agreement（取引に関する当事者の合意）と変わりません。ただし、**1**で説明したように、取引に関するCovenant/Agreementが契約の対象となる取引自体の取り決めを定めるのに対して、特別Covenantは取引自体とは関係のない周辺の権利義務を定めるものと分類されます。取引関係に入った以上守るべき事項であり、典型的にはConfidentiality（守秘義務）、Non-Compete（競業避止義務）、あるいはNon-Solicitation（勧誘禁止義務）がこれにあたります。

取引に関するCovenant/Agreementが契約ごとに内容や形式が異なるのに対して、特別Covenantは内容や形式が統一されており、どの契約でもほぼ同じになっているという特徴があります。一般的には、契約の後半に位置していることが多く、また、「shall not」が使用されて行為を禁止する形式になっています。たとえば、冒頭の英文契約サンプルでは、Article IX（Confidentiality）が特別Covenantにあたります。詳しくは、「第II部 第3章」で取り扱います。

6 補償（Indemnification）

補償（Indemnification）は、当事者が一定の事由により損害を被り、あるいは第三者から訴えられた場合に、それを補償するという内容の条項です。日本の契約でよく見られる損害賠償規定と似ていますが、補償は英米法独特の概念であって、損害賠償規定とはその機能の一部が重なるものの、本質はまったく異なるものです。したがって、補償は英語として正確に読めれば、その意味や機能、効果が理解できるものではなく、法的な理解を前提としたレビューをすることが必要になるという点で法的リスクが高い条項であるといえます。この点は、「第Ⅱ部 第5章」で詳しく取り扱います。

補償条項は、「indemnify」「hold harmless」「defend」「save」といった動詞を用いる点が特徴ですが、これらの語句が他の条項で使用されることは極めてまれであるため、このような動詞が含まれていれば補償条項であると考えてよいでしょう。また、補償条項は、その内容・形式・効果が、契約の種類を問わず基本的に同じであることも特徴の一つです。

契約書では後半に位置することが多く、たとえば、冒頭の英文契約サンプルでは、Article VII（Indeminification）が補償条項にあたります。表題からもわかりますが、内容を見ても「indemnify」「hold harmless」「defend」という語句を使用していることが確認できます。また、8.1条も第二文で「save」「indemnify」「hold harmless」「defend」を使用しており、補償条項を含んでいることがわかります。

7 その他条項（Miscellaneous）

その他条項（Miscellaneous）は、契約に関する細かい取り決め等を規定する条項です。その内容は、契約の対象である取引自体からは独立しています。それゆえ、他の条項のようにどちらかに有利あるいは不利に働くようなものでなく、その内容に関して当事者間で紛糾することはまずありません（準拠法や紛争解決手段といった一部を除く）。

その他条項は、ほとんどのケースで契約の一番最後にきます。また、その内容・形式はどの契約でもまったく同じであり（表現の相違等の形式面を除く）、誤解を恐れずにいえば、通常の売買基本契約で規定されたその他条項を、M&A契約やライセンス契約といったまったく異なる内容の契約にそのまま流用しても支障がないほどです。したがって、一度典型例となる規定ぶりを確認しておけば、見分けるのは容易です。冒頭の英文契約サンプルでは、Article XI（Miscellaneous）が、その他条項（Miscellaneous）にあたります。

以上を踏まえると、**図表1**のように整理することができます。

図表1

分　類	内　容	特　徴	本書での該当箇所
取引に関する Covenant/ Agreement	当該契約における取引の約束事を規定	契約の最初に規定され量が多い。正確性が重要。	→ 第Ⅱ部 第2章
Representation & Warranty	対象となるモノ、サービスに関する「品質保証」	「represent」「warrant」「assure」の文言を使用する。	→ 第Ⅱ部 第4章
Term/Termination	期間・解除	「term」「period」の文言を使用する。	
Closing/Condition Precedent	取引の実行条件を規定	「closing」の文言を使用する。	
特別 Covenant	取引関係に入ったことに付随する特殊な義務	「〜しはならない」という禁止形をとることが多い。契約書で中盤・後半にくることが多い。	→ 第Ⅱ部 第3章
Indemnification	契約に関する「リスク」の分配	「indemnify」「defend」「hold harmless」の文言を使用する。	→ 第Ⅱ部 第5章
Miscellaneous	その他一般的な義務を規定	契約書の一番最後にまとめて規定される。どの契約書でもほぼ同じ内容。	→ 第Ⅱ部 第6章

なお、冒頭の英文契約サンプルからもわかるように、各条項が上記の分類・順序どおりきれいに各規定に振り分けられているわけではなく、Article VIII (Intellectual Property Rights) の8.2条のように、表明保証 (Representation & Warranty) と補償 (Indemnification) の2つが一つの規定に含まれている場合もありますし、あるいは、主に別の条項が規定されている箇所に他の条項が含まれている場合もあります。重要なのは、表題等にとらわれることなく、今自分が見ている文章が上記のどれに分類されるものであるかを、その内容に照らして確認するクセをつけることです。

2 法務の観点から重点的にレビューすべき条項

上記では、英文契約の規定を7つに分類して説明しました。このように分類することは、レビュー上も役に立ちます。すなわち、法務リスクが大きく慎重に見るべき条項とそれ以外の条項をある程度振り分けることができ、英文契約のレビューをメリハリをつけて行うことができるようになるからです。英文契約は分量が多いため、メリハリをつけて、自分が今レビューしている条項の留意点を理解しながらレビューを進めることが、リスクの見逃しを防ぐうえで重要です。

上記で確認した各条項の特徴及び内容を踏まえれば、レビューに関して**図表2**のように整理することが可能です。なお、「法務リスク」とあるのは、法的な知見をもってレビューしないと本当のリスクを理解しにくいものであって、かつリスクが大きいものを指しています。つまり、法務部等が責任をもってレビュー・チェックすべきものです。

具体的には、**図表2**で赤色になっている Representation & Warranty (表明保証) と Indemnification (補償) です。これに続くのが、特別 Covenant (特別な義務) や取引に関する Covenant/Agreement (取引に関する当事者の合意) ですが、この2つではレビューする際の視点が異なることがわかります。特別な義務では、その内容が契約によってそれほど異ならないため、法務部等でのレビューに適しています。

図表2

分　類	法務リスク	ビジネスリスク	レビューのポイント
取引に関する Covenant/Agreement	中／低	○	法務部だけでなく取引をまとめた営業部や実際に取引を実施する部署に確認すべき。内容が合意に沿っているか、対応可能かという観点からの確認。
Representation & Warranty	**高**		**法務部が法務リスクを管理するためきちんと確認することが必要。**
Term/Termination	低	△	基本的にリスクは低い。
Closing/Condition Precedent	高		法務部が法務リスクを管理するためきちんと確認することが必要。ただし、規定されているケースは特殊な契約のみ。
特別 Covenant	中		法務部が法務リスクを管理するためきちんと確認することが必要。
Indemnification	**高**		**法務部が法務リスクを管理するためきちんと確認することが必要。**
Miscellaneous	低		基本的にリスクは低い。

一方で、取引に関する Covenant/Agreement は結局のところ、そこに記載されていることが取引に関する当事者の合意内容を正確に反映しているか、取引を実施するうえで対応できる内容になっているかという点の確認が中心になるため、これらの事項について必ずしも直接関わっていない法務部等の審査機関のみによるレビューでは限界があり、営業部門や管理部門等の関与が一定程度必要になります。また、取引に関する Covenant/Agreement には、たとえば最恵国待遇条項や最低供給量保証条項のように、引き受けると負担の大きい義務を負うことになる条項もあります。これらの条項は、法的リスクというよりは、法的知識がなくても記載内容を読むことである程度はその内容及びリスクを理解できる、いわばビジネスリスクであるといえます。こ

の点については、「第Ⅱ部 第2章」でも触れます。

繰り返しますが、英文契約をレビューする際には、漫然と行うのではなく、まさに自分が見ている条項が、上記分類のどれに位置付けられるものなのか、そして、その分類を前提にどのような視点からレビューすべきなのかを意識しながら、メリハリのあるレビューを行うことが重要です。

さらにもう一歩

リーガルチェックの観点から見て、法的リスクのある条項＝「怖い」条項とは何でしょうか。契約書のレビューにあたって何が重点的に見るべき「怖い」条項なのかを理解しておくことは非常に重要です。

「怖い」といった場合、感覚的にわかりやすいのは損害賠償責任等の契約違反に対する責任です。そうすると、損害賠償額が大きい、あるいは、大きくなる可能性のある規定が怖いのでしょうか。

たとえば、「製品の引渡義務に違反した場合に10億円の損害賠償責任が発生する」という規定があった場合、これは確かに怖い規定ではあります。しかしながら、逆にいえば、約束した引渡義務をきちんと履行しさえすれば、賠償額がどれだけ莫大であろうとも、そもそも責任は発生しません。そして、製品の引渡し義務を履行することは自らコントロール可能ですから、当該規定のリスクは、「自身でコントロールできるリスク」であるといえます。これは非常にわかりやすいリスクであり、それほど「怖い」条項ではありません。

本当に「怖い」規定とは、自身でコントロールできない（あるいはコントロールをすることが難しい）事由により責任を問われるような規定です。自身の意思・行動にかかわらず責任を問われる、すなわち「自身でコントロールできないリスク」は、いつ何時責任を問われるかわからないという意味で、可能な限り引き受けるべきではない法的リスクです。

ここで問題なのは、それぞれの規定が「自身でコントロールできないリスク」であるかどうかを判断するのが容易ではないということです。英国法や米国の各州法を前提にした英文契約の場合、それまでの判例等の蓄積により、「自身でコントロールできないリスク」を引き受けさせることを当然の前提にした規定が契約書の中に埋め込まれています。これらの規定では、それが「自身でコントロールできないリスクであること」、あるいは、「無過失責任であること」を明示していません。したがって、法的な背景を理解せずに単にその規定を読んでも、気づくことができないのです。これらの規定の典型例が、**第4章**で解説するRepresentations & Warranties条項、そして、**第5章**のIndemnity条項です。これらは、法的に「怖い」規定であり、慎重にレビューすることが必要になります。

3 大きな視点

すでに説明したように、英文契約は7つの規定に分類することができ、それぞれで法務リスクの大きさが異なるということがわかりました。

さらに、この7つの規定は、誤解を恐れず大きい視点から整理を試みると、契約ごとにその内容が変わるのか、それとも、すべて同じなのか（つまり、標準化されているか）という観点から、以下のように分類できます。

① 取引に関するCovenant/Agreement	大きく変わる
② Representation & Warranty ③ Term/Termination ④ Closing/Condition Precedent ⑤ 特別Covenant ⑥ Indemnification	ほとんど変わらない
⑦ Miscellaneous	変わらない

上記からもわかるように、契約によってその内容が完全に異なる（つまり、契約ごとに完全に書き換えないといけない）のは、①の取引に関するCovenant/Agreementのみです。②から⑥については、①の取引に関するCovenant/Agreementの内容によって調整のための修正はされるものの、基本的な構造やリスクのあり方は変わりません。⑦のMiscellaneousにいたっては、一

部（準拠法や紛争解決手段）を除き、その内容が契約ごとには変わらないといっても過言ではありません。

すなわち、取引に応じて①の取引に関する Covenant/Agreement は書き換える必要がありますが、その他については、若干の調整はしつつもほぼそのまま「利用」できるのです。そのため、取引Aのために作成した契約を下地として取引Bのための契約を作成する場合には、これを見れば、双方の契約で大きく変わる箇所は限定されているのがわかります。一部の「衣」をつけかえれば十分なのです。

取引Aのための契約		取引Bのための契約
① 取引に関する Covenant/Agreement	完全に書き換え →	大きく変わる
② Representation & Warranty ③ Term/Termination ④ Closing/Condition Precedent ⑤ 特別 Covenant ⑥ Indemnification	①に応じて微調整 →	ほとんど変わらない
⑦ Miscellaneous	そのまま利用可 →	変わらない

このように、英文契約においては標準化できるものは歴史の中で標準化・分類されているため、こうしたことが可能になっています。

言い換えれば、法的リスクが高いとされる部分（②、⑤、⑥）は標準化された部分であり、そのレビューの方法は、契約の類型にかかわらず、ある程度そのまま適用するのです。すなわち、以下で見る Representation & Warranty や Indemnification あるいは特別 Covenant、Miscellaneous のレビューの方法は、対象となる契約の内容・類型にかかわらず、少なくとも基本的な部分に応用できると考えて間違いではありません。

次章からは、いよいよ各論に入ります。

第2章 取引に関する当事者の合意（取引に関するCovenant/Agreement）積極的義務：「〜しなければならない」

この章では、取引に関するCovenant/Agreementを扱います。第1章で見たように、契約の対象となる取引自体についての権利義務にかかる部分を規定しています。

1 取引に関するCovenant/Agreementを見つける

取引に関するCovenant/Agreementは、通常、契約の前のほうに位置し、他の条項とは違って通常の取引でも使用される見慣れた表題になっています。英文契約サンプルでいえば、Article IVの「Delivery」やArticle VIの「Billing」といったものです。また、内容も通常のビジネス英語が使われ、法律的なバックグラウンドがなくても読んで理解できるものであることが多いです。

英文契約サンプルでは、上記でハイライトされた条項が取引に関するCovenant/Agreementということになります。それでは、以下でレビューのポイントを見ていきましょう。

2 レビューの視点

取引に関するCovenant/Agreementは、当然、契約の大部分を占めますが、特殊な法的効果を有する文言は使用されず、英語として読んだとおりの意味と考えて基本的に差し支えありません。M&Aなどの特殊な契約では、ここに特殊な法的概念や手続が規定されますが、これらは例外です。

大きな方針

取引に関するCovenant/Agreement条項では、その内容が合意内容を正確に反映しているかの確認をすることに尽き、関連する部署と連携してチェックを行う。

取引に関するCovenant/Agreementは、その内容が合意内容を正確に反映しているか、そこで記載されているとおりの対応が実務上可能なのかの確認に尽きます。そして、これらは法務部等のチェック機関だけでは対応は難しいです。もちろん、契約書を読み慣れているという意味では法務部でも確認しなければなりませんが、必要に応じて、取引をとりまとめた部署や、実際に業務にあたる部署等と連携してレビューすることが重要になってきます。

3 取引に関するCovenant/Agreementの意味

取引に関するCovenant/Agreementは、契約の対象となる取引により内容は千差万別ですが、レビューの心構えという観点からいえば、大きく2つの類型に分けて考えると便利です。

① **基本契約型**

取引自体にかかる具体的な権利義務は発生せず、すべての取引に適用される原則的ルールの枠組みのみを定める基本契約

② **コミット契約型**

取引自体にかかる具体的な権利義務が発生する契約

たとえば、①の基本契約型は、製品の売買において、製品の売却・購入にかかる具体的な法的権利義務についてとり決めるのではなく、すべての製品の売却・購入に適用される共通ルールを定めるものです（本書では「基本契約型」と呼ぶ）。これに対して②は、当該契約で製品○○個を△△円で購入すると規定する場合など製品の売却・購入の法的権利義務を発生させるものです（本書では「コミット契約型」と呼ぶ）。両者のいずれであるかによって、レビューのポイントが大きく変わってきます。

基本契約型の場合には、契約締結時において取引自体に関する権利義務は発生しておらず（つまり、製品の売買契約であれば、製品を販売する義務は発生していない）、この時点では、すぐに適用されるような具体的リスクは発生していません。

すなわち、基本契約に規定されている条項は製品の売買が実際に行われる時にはじめて適用されるものであるため、基本契約自体に条件が厳しい条項があっても、製品の売買を別途合意する個別契約の時点で再交渉する余地があるからです。誤解を恐れずにいえば、基本契約型の場合には、締結時点でまだ何もコミットしていないのです。また、取引を開始した後も、途中で取引内容を見直したい、あるいは、取引ごと停止したいと思えば、個別契約締結の際に、条件の再交渉をしたり締結の拒否をしたりすることができるため、将来にわたってもそのコミットは弱いといえます。

一方、コミット契約型では、契約締結時点で製品の供給を行うことまでコミットしており、そこで規定された製品の売買に関しては条件が確定してしまっているので、相手の合意なく再交渉はできません。契約における重大リスクの一つは、当事者を取り巻く状況が変わり、当初合意した条件のままでは履行するのが困難になった場合でも、すでに法的権利義務が発生していれ

ば、勝手に条件等を変更することは許されず、義務の履行を強いられるという点です。このリスクは、法的なリスクというよりは、契約に記載されている取引自体に関する権利義務をそのまま引き受けられるのかというビジネスリスクといえます。コミット型では具体的な権利義務が発生するため、このリスクが高いといえます。

(1) 見分け方

このように、契約が基本契約型かコミット契約型かによってリスクが大きく異なるため、レビューにあたり、まずは当該契約がいずれのタイプなのかを見極めることが重要です。見分け方としては、取引自体を行うかどうかや取引条件について「別途個別に合意ないし契約の取り交わしをする」というような記載があれば、基本契約型であるといえます。典型的には、以下のような記載です。

【1.1】Buyer shall use the form attached hereto for an order to Seller for the Goods (“**Order (s)**”). Such Order shall contain the date of the order, the names of Goods, product numbers, quantities, place and date of delivery, and delivery terms such as prices, unit prices, and other information.

買主が注文書を発行。この時点では拘束力のある売買契約は成立していない

【1.2】Buyer shall place Orders with Seller. Seller shall notify Buyer in writing whether or not Seller accepts an Order placed by Buyer within three (3) working days from the issuance

売主が注文書を承諾する手続

date of such Order. If Buyer does not receive Seller's reply regarding the acceptance or refusal of such Order within the aforesaid period, Order shall be deemed to have been accepted by Seller. Order shall become effective upon acceptance by Seller, and such Order shall constitute an individual transaction contract (the **"Individual Contract"**).

売主の承諾で売買に関する拘束力のある契約が成立

【1.1】買主は売主に対して製品に関する注文をする場合、この契約に添付されている書式を使用しなければならない（以下「注文書」という。）。注文書には、注文の日付、製品の名称、製品番号、注文量、納入の場所と日時、そして単価及びユニット価格等その他の納入条件に関する情報を記載する。

【1.2】買主は売主に対して注文書を提出する。売主は、注文書の発行から3営業日以内に買主に対して注文書を承諾するかどうかを通知する。買主が注文にかかる諾否の返答を当該期間内に受領しなかった場合、売主は注文書を承諾したとみなす。注文書は、売主が承諾した場合に有効となり、個別の取引にかかる契約（以下「個別契約」という。）となる。

上記の規定では、実際の製品の売買に関しては別途両者で合意することを要求しています。このような基本契約型の場合には、その後、個別の取引についての合意を形成する手続が規定されていることが多いです。上記の例では、買主が注文書を発行し、その注文書を売主が承諾した場合に、売買の合意が成立することになります。この例では、注文書の発注・承諾があると拘束力のある個別契約（Individual Contract）が成立すると明確にしていますが、このように個別契約が成立することまで記載されていないケースもみられます。したがって、①価格・数量（最低保証数量も含む）が記載されておらず、②それらは注文書に記載されるとしたうえで、注文書に対する承諾の有無につき売主に裁量があるようになっていれば、当該契約は基本契約型であると考えることができます。

(2) 隠れたコミット型契約

ただし、上記のような規定がある場合でも、買主の注文に応じることを契約上強制する形で、実質的にコミット型契約となっている場合があるため注意が必要です。これは、個別の取引に関する合意は別途取り交わすような手続にしつつも、当該個別合意をなすこと自体を義務にしてしまう（個別の合意を拒否できない）ことで、コミット型契約と変わらないようにしてしまうものです。シンプルな例として、以下のようなものがあります。

> Seller shall not reject Order which complies with the terms and conditions of this Agreement.
>
> 売主は本契約の条項にしたがって発行された注文書を拒否することはできない。

又は、よりシンプルに、発注されれば売主の承諾なく拘束力を有するというような記載になっているものもあります。

> Order shall become effective and binding upon Seller immediately when Order is placed.
>
> 注文書はそれが出された時点で有効となり、売主はそれに拘束される。

また、単に注文を拒絶できないとするのではなく、拒絶することに条件を付すことで実質的にそれを制限しようとするケースもあります。

Seller shall not refuse an order from Buyer without reasonable grounds, and shall, when it refuses an order, explain the reason thereof to Buyer.

売主は注文書を合理的な理由なく拒否してはならず、もし拒否する場合にはその理由を買主に対して説明しなければならない。

この例では、売主が注文を拒否する場合、それが合理的な理由に基づくこと、及び、その理由を説明することが求められています。しかし、言い換えれば、合理的な理由があれば拒否できるということです。たとえば、生産能力が追いつかないなどの理由であれば拒否できるので、注文を必ず受けなければならないというわけではありません。したがって、リスクは比較的小さいといえますが、注文に応じるかどうかは今後の関係性次第と考えているような場合には、完全な自由裁量による拒否はできなくなり、一定の強制が働くことになります。

また、将来調達見積り (Forecast) のようなものが作成される場合には、それに一定の拘束力が付与されていないかの確認が必要です。なぜなら、個別の注文に関しては売主の拒否を制限しないように見せつつ、将来調達見積量を実質的に最低供給保証量としてしまうケースがあるからです。たとえば、以下のように規定されます。

Buyer may prepare and create an estimation of its demand for products (the **"Forecast"**). The forecast is planning purpose only and Buyer shall be under no obligation to place an order for products pursuant to the Forecast. Seller shall assure and guarantee that it meets the volume specified in the Forecast.

買主は製品の必要量に関する将来調達見積り（以下「将来調達見積書」という。）を準備・作成することができる。将来調達見積書は、計画を立てる目的のみのものであり、買主は将来調達見積書に従って注文を出す義務を負うものではない。売主は将来調達見積書に記載されている数量に応じた供給ができることを保証する。

この場合、年間調達見積りに記載された数量を保証していますので、事実上、その量に達するまでの注文は受けざるを得なくなります。

このように、基本契約型のように見えても、実際には売主に注文拒否の裁量を与えないようになっていることがありますので、決して形式にとらわれず、「売主が注文を拒否することができるか」、「拒否することに関して何らかの制限が付されていないか」という点を慎重に確認することが必要です。

4 英文契約サンプルをレビューしてみる

それでは、英文契約サンプルの取引に関するCovenant/Agreementを見ながら、レビューの練習をしてみましょう。具体的には、Article IIIが中心になります。

まずは、「基本契約型」か「コミット契約型」かを確認していきます。

3.1 Scope of Agreement.

The Parties may enter into Individual Agreements whereby the Seller agrees to sell, assign and transfer to the Buyer, and the Buyer agrees to purchase from the Seller, Products for a price as determined in accordance with this Agreement. An Individual Agreement shall be effected and evidenced in accordance with this Agreement and shall constitute a part of this Agreement. The Parties are relying upon, and hereby agree, that all Individual Agreements, together with this Agreement, shall constitute a single integrated agreement. Any conflict between the terms of this Agreement and the terms of an Individual Agreement shall be resolved in favor of the terms of the Individual Agreement. This Agreement shall govern all current and future Individual Agreements for Products between the Parties from and after the Effective Date unless expressly stated otherwise in an Individual Agreement.

3.2 Individual Agreement Procedures.

An Individual Agreement for sales and purchase of Product or Products shall be formed at the time when an order issued by Buyer is accepted by Seller in accordance with this Section 3.2. Seller shall send its acceptance to Buyer by facsimile (or other mutually acceptable method) within three (3) Business Days of the receipt of Buyer's order. Failure by Seller to send an acceptance to Buyer shall be deemed rejection of Buyer's order.

3.3 Forecast.

From time to time during the term of this Agreement, Buyer shall prepare and provide Seller with its forecasts in respect of the quantities and the types of products, anticipated to be required and ordered by the Buyer pursuant to this Agreement (the **"Forecast"**). Buyer shall be under no obligation to order any products from Seller pursuant to the Forecast. Seller shall not reject any order of Buyer which complies with the terms and conditions of this Agreement and is consistent with the Forecast.

3.4　Capacity Allocation.

In the event of the imposition of any capacity constraint either with respect to assembly build or components availability, Seller shall, without prejudice to any right Buyer may have hereunder, give the highest priority to Buyer in order to satisfy Buyer's demands.

3.1　契約の範囲

当事者は、この契約に従い決定される価格で、売主が買主に対して製品を販売・供給し、買主が同製品を売主から購入することに合意する内容の個別契約を締結することができる。個別契約は本契約に従い有効となり成立するものとし、本契約の一部をなす。当事者は、すべての個別契約が本契約とともに単一・不可分の合意を構成することに依拠しかつ合意している。本契約と個別契約の間で矛盾がある場合には、個別契約の条項に従って解決されるものとする。この契約は、個別契約に明確な別段の定めがある場合を除き、効力発生日以降の当事者間の製品に関するすべての現在及び将来の個別契約に対して適用される。

3.2　個別契約の手続

製品の売買にかかる個別契約は、買主が注文を出し、売主が3.2条に従いこれを承諾した場合に成立する。売主は、注文を受ける場合には、買主の注文を受け取った時点から3営業日以内にファックスで（あるいはその他両者で合意した方法で）承諾する旨を買主に連絡しなければならない。売主が注文を承諾したことを買主に対して連絡しなかった場合は、買主の注文を拒絶したものとみなす。

3.3　将来調達見積り

本契約の期間中、買主は本契約に基づき買主が必要となり注文すると想定される製品の量及び種類に関しての見積り（以下「将来調達見積書」という。）を作成し、売主に提供する。ただし、買主は、将来調達見積書に従って売主から製品を購入する義務を負わないものとする。売主は、本契約の条件に従いかつ将来調達見積書の内容に沿って発注された注文書に関しては、これを拒否することはできない。

3.4　生産能力の割当て

組立工程あるいは部品の調達において生産能力に制限が生じた場合、売主は、買主の需要を満たすべく買主を最優先で扱うものとし、これにより本契約で買主が有するその他の権利は一切影響を受けないものとする。

3.1条と3.2条を見ると、製品の売買に関しては別途個別契約が締結されることを前提にしており、個別契約の成立に関しては、買主が注文し、売主がそれに承諾することを条件とする規定になっています。したがって、一見すると基本契約型のように思えます。

そこで次に、「売主が注文を拒否することができるか」、「拒否することに関して何らかの制限が付されていないか」という点を確認します。注目したいのは3.3条です。

ここでは、買主が将来調達見積り（Forecast）を作成することになっていますが、買主はこれに拘束されず、買主は注文を出すことを義務付けられていません。また、「売主が将来調達見積りに記載された量を保証する」というような語句も入っていません。しかしながら、それに続く文章では、「Seller shall not reject any order of Buyer which complies with the terms and conditions of this Agreement and is consistent the Forecast（本契約の条件に従いかつ将来調達見積書の内容に沿って発注された注文を拒否できない）」と規定されています。

したがって、将来調達見積りに記載された量・時期に従って買主から注文が出された場合には、売主は当該注文を拒否できません。その結果、将来調達見積りが事実上の最低保証量として働くことになってしまい、隠れたコミット型契約であるということがわかります。

こうした確定的な義務を負うことを、現時点で受け入れられない場合には、当該部分を次のように削除する必要があります。

3.3 Forecast.

From time to time during the term of this Agreement, Buyer shall prepare and provide Seller with its forecasts in respect of the quantities and the types of products, anticipated to be required and ordered by the Buyer pursuant to this Agreement (the **"Forecast"**). Buyer shall be under no obligation to order any products from Seller pursuant to the Forecast. ~~**Seller shall not reject any order of Buyer which complies with the terms and conditions of this Agreement and is consistend with the Forecast.**~~

3.3 将来調達見積り

本契約の期間中、買主は本契約に基づき買主が必要となり注文すると想定される製品の量及び種類に関しての見積り（以下「将来調達見積書」という。）を作成し、売主に提供する。ただし、買主は、将来調達見積書に従って売主から製品を購入する義務を負わないものとする。~~**売主は、本契約の条件に従いかつ将来調達見積書の内容に沿って発注された注文書に関しては、これを拒否することはできない。**~~

別の対応方法もあります。それは、将来調達見積りを両者の同意で作成することにする方法です。将来調達見積りに従った注文に対して拒否権を持たなくても、将来調達見積り自体について拒否権を有していれば、ある程度同じ効果を得られます。

すなわち、将来調達見積りが十分に応じることのできる量・スケジュールであることを確認できれば、それに従った注文に応じることはリスクが低いですし、もし、自信を持って対応できる範囲を超える場合には、買主が作成した将来調達見積りを拒否すればよいのです。この場合、将来調達見積りは成立せず、そもそも3.3条の適用はなくなります。その結果、3.1条と3.2条のみが適用され、売主の注文拒否権が確保されることになります。修正は以下のようになります。

3.3　Forecast.

From time to time during the term of this Agreement, Buyer shall prepare, with consent of Seller, ~~and provide Seller with~~ its forecasts in respect of the quantities and the types of products, anticipated to be required and ordered by the Buyer pursuant to this Agreement (the **"Forecast"**). Buyer shall be under no obligation to order any products from Seller pursuant to the Forecast. Seller shall not reject any order of Buyer which complies with the terms and conditions of this Agreement and is consistend with the Forecast.

3.3　将来調達見積り

本契約の期間中、買主は本契約に基づき買主が必要となり注文すると想定される製品の量及び種類に関しての見積り（以下「将来調達見積書」という。）を、売主の同意を得て作成~~し、売主に提供~~する。ただし、買主は、将来調達見積書に従って売主から製品を購入する義務を負わないものとする。売主は、本契約の条件に従いかつ将来調達見積書の内容に沿って発注された注文書に関しては、これを拒否することはできない。

次に、3.4条を検討します。同条には、売主の注文拒否権を直接制限するような語句は入っていません。しかし、その内容を見ると、売主の生産能力によりすべての注文に応じられないような場合には、買主の注文を最優先することを求めています。これだけでは、買主からの注文を拒否できないことにはなりませんが、生産能力を最大限買主に振り分けるよう求められていること踏まえれば、拒否の自由が完全にないとも読め、コミット型契約に寄った内容になっています。

そこで、この規定に関しては、やはり修正しておいたほうがよいと考えられます。たとえば、次のように修正することが考えられます。

3. 4　Capacity Allocation.

In the event of the imposition of any capacity constraint either with respect to assembly build or components availability, Seller shall, without prejudice to any right Buyer may have hereunder, make reasonable efforts to give the highest priority to Buyer in order to satisfy Buyer's demands. For the avoidance of doubt, nothing in this clause will restrict, alter or limit Seller's discretion as to accepting Buyer's order issued pursuant to Section 3. 2.

3. 4　生産能力の割当て

組立工程あるいは部品の調達において生産能力に制限が生じた場合、売主は、買主の需要を満たすべく買主を最優先で扱うよう合理的な努力を行うものとし、これにより本契約で買主が有するその他の権利は一切影響を受けないものとする。疑義を避けるために付言すれば、本条項の規定によって、売主は3. 2条で定める注文を承諾するかどうかの裁量に関して一切制約、変更あるいは制限を受けないものとする。

上記の修正は、買主の注文を最優先する義務を合理的な努力義務に変更し、かつ、あくまで3. 2条で規定されている売主の注文拒否権を制限するものではないことを明言することで、本規定を紳士協定化しています。

また、「合理的な努力(reasonable efforts)」はよく使用する語句です。詳しい使い方は「第II部 第7章」で取り上げます。

以上の修正を行うことで、実質的にも基本契約型であることを確保できました。このように、レビューするにあたっては、基本契約型としたいのか、コミット型でもよいのかを判断したうえで、基本契約型にするのであれば、当該契約とは別に両者の合意で売買契約を成立させるという条件になっていることを確認し、さらに、「売主が注文を拒否することができるか」、「拒否することに関して何らかの制限が付されていないか」を条項ごとに慎重に確認することが必要になります。

第3章 特別な義務（特別 Covenant）消極的義務：「〜してはならない」

この章では、特別 Covenant（特別な義務）、すなわち契約で定められる権利義務のうち、取引自体とは直接関係がない周辺の権利義務を扱います。よく見られる標準化されたものとしては、Confidentiality Obligation（守秘義務）や Non-Compete Obligation（競業避止義務）が挙げられます。これらは、契約の取引自体ではないものの、取引の達成に向け関係を構築するうえで必要な規定です。

1 特別 Covenant を見つける

特別 Covenant の分類

	見つけやすさ	特　徴
●**標準化されたもの** Confidentiality Non-Compete Non-Solicitation	条項の表題ですぐに見つけられる。契約の後半にあることが多い。	内容は契約によってあまり変化しない。レビューも定型化されている。
●**契約ごとに定められるもの** Most Favored Status など （※特に決まった呼称はない）	取引に関する Covenant/Agreement に付随するので、その中に紛れていることが多い。「shall not」などの消極的義務の形を手がかりに探す。	契約の対象となる取引によって変わるため、レビューを定型化しづらい。

特別 Covenant は、通常、契約の類型にかかわらず同じような内容・形式・表題になっているため、見つけるのは容易です。具体的には、Confidentiality Obligation（守秘義務）、Non-Compete Obligation（競業避止義務）あるいは Non-Solicitation Obligation（勧誘禁止義務）がよく見られます。これらはそもそも表題がこのままになっているのですぐに見つけることができます。

英文契約サンプルでは Article IX（confidentiality）がこれにあたり、目次を見ればすぐに見つけられます。後で説明しますが、これらの標準化された特別 Covenant は、契約によって内容・様式があまり変わらないため、レビューの方法も定型化できます。

一方、特別 Covenant の中には、定型的なもの以外に契約の対象となる取引内容に応じて規定されるものもあり、こちらは慣れないと見つけることが難しいかもしれません。探し方のポイントは、①取引の内容そのものか（その条項がなくても取引はできるか）、②消極的な義務（「shall not」のように「〜してはならない」という内容）になっているかという2点です。

この点、消極的な義務になっていないような条項もあります。たとえば、英文契約サンプル6.7条の Audit 条項（監査条項）です。これも、特別 Covenant の一種といえますが、特別 Covenant で特に注意が必要なのは、消極的な義務の形をとっているものです。したがって、レビューの観点からは消極的な義務の形の特別 Covenant を見つけ出しておくことが重要です。この視点でチェックすると、英文契約サンプル3.5条の Similar Products（類似品の販売禁止）と、3.6条の Most Favored Status（最恵国待遇）がともに「shall not」という消極的義務の形をとっているため、特別 Covenant であると想定できます。

英文契約サンプルでは、66ページの目次でハイライトされている条項が、特別 Covenant として特に注意してレビューすべき条項になります。

それでは、特別 Covenant をどのようにレビューすべきか見ていきましょう。

2 レビューの視点

特別 Covenant は「〜してはならない」というように一定の行為を禁止するような形で規定されていることが多く、こうした不作為義務をネガティブコビナント（negative covenant）と呼ぶこともあります。

レビューにあたっては、次の点がポイントになります。

大きな方針　「〜してはならない」という形の権利義務は、禁止される範囲が適切に限定されていることを確認する。

消極的な義務の形で規定される特別 Covenant では、具体的に何が禁止されているのかについて確認することが非常に重要です。禁止されている範囲がきちんと特定されていない場合、無制限に義務の範囲が広がりかねないからです。

特別 Covenant では、法的に特殊な効果を有する語句は通常使用されませんが、一見しただけでは禁止されている範囲を正確に理解できない可能性がありますので、慎重な確認が求められます。

3 特別 Covenant の意味

特別 Covenant の典型例は、Confidentiality Obligation（守秘義務）、Non-Solicitation Obligation（勧誘禁止義務）や Non-Compete Obligation（競業避止

義務）ですが、極端にいえば、これらは契約に規定されていなくても取引自体には支障ありません。

たとえば、Confidentiality Obligation（守秘義務）は、契約当事者間で交換された機密情報を第三者に漏えいしないように義務付けることで、安心して取引に必要な機密情報を交換し、円滑に取引を行うことができるようにするものです。しかし、この規定がなくても（取引が安心して円滑に行えるかどうかは別にして）、取引自体は実施できることがわかります。同様のことは、顧客や従業員等の引き抜きを禁止するNon-Solicitation Obligation（勧誘禁止義務）や同様の事業を行うことを禁止するNon-Compete Obligation（競業避止義務）についても当てはまります。

これらの特別Covenantの典型例とされるものは、一般的に内容・形式がある程度定型化されているため、レビュー上チェックする点や留意すべき点は契約の種類が異なってもおおよそ同じです。そのため、慎重な検討は要するものの、手順に沿ってチェックしていけばリスク等を見逃すおそれは少ないといえます。

なお、通常の取引契約であっても、まれに当該取引特有の特別Covenantが盛り込まれることがあるので注意が必要です。たとえば、取引の対象である製品あるいは類似品を第三者に販売することを禁止する義務や、第三者に対してより有利な条件で販売することを禁止する義務などです。後者は、Most Favored Status条項（最恵国待遇条項）などと呼ばれます。通常は「～してはならない」という不作為義務の形になっていますが、やっかいなことに別の表現で同様の効果を発生させるものもあるため注意が必要です。

4 英文契約サンプルをレビューしてみる

前述のように、特別Covenantのレビューでは、「～してはならない」という形式で禁止されている範囲の特定が重要であり、むしろその確認に尽きるといっても過言ではありません。英文契約サンプルでは、Article IXのConfidentiality Obligation（守秘義務）が定型的な特別Covenantにあたります。

また、少し特殊な類型の特別 Covenant として3.5条の Similar Products（類似品の販売禁止）と3.6条の Most Favored Status 条項（最恵国待遇条項）が入っているのがわかります。以下、順に見ていきます。

1 Confidentiality（守秘義務）

英文契約サンプルの守秘義務条項は、以下の内容になっています。

9.1 Confidentiality.

Neither Party shall publish, disclose, nor otherwise divulge Confidential Information to any person, other than its directors, officers, employees, attorneys, accountants, representatives and agents who have a need to know in relation to this Agreement, at any time during or after the term of this Agreement for five (5) years from the receipt of the Confidential Information, without the other Party's prior express written consent or as otherwise required by Applicable Law or a Goverment Body.

9.1 守秘義務

当事者は、本契約の期間中及び守秘情報を受領してから5年間、守秘情報を、本契約に関連して知る必要性のある自身の取締役、役員、従業員、弁護士、会計士、代表者及びエージェント以外の他人に対して、公表、開示ないしその他漏洩してはならない。ただし、相手方当事者の書面による明確な同意を得た場合あるいは適用法令ないし政府機関から要請を受けた場合はこの限りではない。

肝心の「Confidential Information（守秘情報）」は別途定義が設けられており、下記のようになっています。

"Confidential Information" means all oral and written information exchanged between the Parties in the course of implementation of actions or transactions under this Agreement. The following exceptions, however, do not constitute Confidential Information for purposes of this Agreement: (a) information that is or becomes generally available to the public other than as a result of a disclosure by either Party in violation of this Agreement; (b) information that was already known by either Party on a non-confidential basis prior to this Agreement; and (c) information that becomes available to either Party on a non-confidential basis from a source other than the other Party if such source was not subject to any prohibition against disclosing the information to such Party.

「守秘情報」とは、本契約に基づく行為ないし取引の過程で両当事者の間で口頭ないし書面で交わされるすべての情報をいう。ただし、本契約においては、(a) いずれかの当事者が本契約に違反して開示した結果による場合を除き、一般に入手可能になった情報、(b) 本契約の前において守秘義務を負わない形で当該当事者がすでに知っていた情報、あるいは、(c) 相手方当事者以外の情報源であって当該当事者に開示することを禁止されていなかった者から守秘義務を負わない形で入手した情報は、守秘情報に含まないものとする。

Confidentiality Obligation（守秘義務）は、機密情報の漏えいを防ぐことが目的です。そこで、禁止されている行為の具体的な範囲を特定するには、主に、対象となる情報の範囲と漏えいを禁止される期間（守秘義務の期間）を確認すればよいことになります。Confidentiality Obligation（守秘義務）はその内容や形式が比較的定型化されているため、このチェックは比較的容易です。

9.1 Confidentiality.

Neither Party shall publish, disclose, nor otherwise divulge Confidential Information to any person, other than its directors, officers, employees, attorneys, accountants, representatives and agents who have a need to know in relation to this Agreement, at any time during or after the term of this Agreement for five (5) years from the receipt of the Confidential Information, without the other Party's prior express written consent or as otherwise required by Applicable Law or a Goverment Body.

"Confidential Information" means all oral and written information exchanged between the Parties in the course of implementation of actions or transaction under this Agreement. The following exceptions, however, do not constitute Confidential Information for purposes of this Agreement: (a) information that is or becomes generally available to the public other than as a result of a disclosure by either Party in violation of this Agreement; (b) information that was already known by either Party on a non-confidential basis prior to this Agreement; and (c) information that becomes available

④ 開示が許容される第三者

② 守秘義務の存続期間

⑤ 開示が許容されるケース

① 守秘義務の対象である情報の範囲

③ 守秘義務の対象から除外される情報

to either Party on a non-confidential basis from a source other than the other Party if such source was not subject to any prohibition against disclosing the information to such Party.

9.1　守秘義務

当事者は、本契約の期間中及び守秘情報を受領してから5年間、守秘情報を、本契約に関連して知る必要性のある自身の取締役、役員、従業員、弁護士、会計士、代表者及びエージェント以外の他人に対して、公表、開示ないしその他漏洩してはならない。ただし、相手方当事者の書面による明確な同意を得た場合あるいは適用法令ないし政府機関から要請を受けた場合はこの限りではない。

守秘情報とは、本契約に基づく行為ないし取引の過程で両当事者の間で口頭ないし書面で交わされるすべての情報をいう。ただし、本契約においては、(a) いずれかの当事者が本契約に違反して開示した結果による場合を除き、一般に入手可能になった情報、(b) 本契約の前において守秘義務を負わない形で当該当事者がすでに知っていた情報、あるいは、(c) 相手方当事者以外の情報源であって当該当事者に開示することを禁止されていなかった者から守秘義務を負わない形で入手した情報は、守秘情報に含まないものとする。

守秘義務の及ぶ範囲を特定するため、まず以下の2つをチェックします。

① Confidential Information（守秘義務の対象となる情報類型）の定義の範囲
② 守秘義務の存続期間

次に、例外的に開示が可能な範囲に関して、以下の事項を確認します。

③ 守秘義務の対象から除外される情報の類型
④ 開示が許容される第三者

⑤ 開示が許容される例外的なケース

もちろん、契約によっては上記の例と形式・表現・順序が異なりますが、基本的にはこの順序で確認すれば足ります。

(1) 守秘情報の範囲

まず、①の漏えいが禁止されている情報の範囲を定める「Confidential Information」(守秘情報) の内容に関しては、通常、(A) 情報の形式面 (どういう形式の情報か)、(B) 授受の方法 (どのように授受された情報が対象か)、(C) 何に関する情報か ((B) との関係で何に関して授受された情報か) の3つの要件で特定するので、これらを確認すればよいことになります。英文契約サンプル9.1条では、以下のようになっています。

(A) 情報の形式面　(B) 授受の方法

all oral and written information exchanged between the Parties in the course of implementation of actions or transaction under this Agreement

本契約に基づく行為ないし取引の過程で両当事者の間で口頭ないし書面で交わされるすべての情報

(C) 何に関する情報か

「Confidential Information」(守秘情報) の内容の特定において重要なのは (C) の部分であり、当該契約に関連して交換されたものであるという最低限の限定が付されていれば、通常の契約における特定としては十分です。(A) 及び (B) は様々なバリエーションがありますが、基本的には守秘義務の内容や範囲に大きな影響を与えるものではないので、それほど気にする必要はありません。

たとえば、(A) に関しては、「all oral and written information」(一切の情報)

という形ではなく、「all proprietary non-public information」（相手に権利が帰属する非公開情報）として一定の類型に限定するものもあります。しかし、両者の違いは、開示されても問題ない情報をあえて除外するかどうかだけなので、結果的にはどちらであっても変わらないことが多いです。(B) に関しても、「exchanged between the parties」「disclosed by the party to the other party」「learned by the other party」など様々なパターンがありますが、基本的にどれであっても結論的はそれほど変わらないので、あまり気にする必要はありません。

英文契約サンプル9. 1条の「Confidential Information」（守秘情報）の定義は、(C) について「本契約に基づく行為ないし取引の過程」で交わされる情報という限定を付しているので、最低限の要件は満たしているといえます。

Question 1

守秘義務の対象である「Confidential Information」（守秘情報）について、「守秘」というマークが付いているものに限定されていたり、あるいは、例示がされているような場合はどうすればいいでしょうか。

たとえば、以下のような規定になっているケースで考えてみましょう。

The Confidential Information disclosed by a party (the **"Disclosing Party"**) to the other party (the **"Receiving Party"**) under this Agreement shall be kept fully confidential by the parties, provided, however, that the Receiving Party may disclose the Confidential Information only to its affiliates, attorneys, accountants, representatives, agents and employees who have a need to know in relation to this Agreement.

For this purpose, "Confidential Information" shall mean, without limitation, all information related to the business, business plan, strategies, affiliations, customer lists, characteristics, know-how, marketing plans, products and services (now existing or proposed), any and all information generated by such products or services, financial information, and information on system, program and business methods, which are clearly classified and marked as "Confidential," "Private" or "Proprietary." Any oral disclosure of confidential information shall be summarized in writing as soon after the disclosure as feasible. It shall not include any information which (i) was publicly known and made generally available in the public domain prior to the time of disclosure by the Disclosing Party; (ii) becomes publicly known and made generally available after disclosure by the Disclosing Party to the Receiving Party through no action or inaction of the Receiving Party; (iii) is already in the possession of the Receiving Party at the time of disclosure by the Disclosing Party as shown by the Receiving Party' s files and records; (iv) is obtained by the Receiving Party from a third party, which to the knowledge of the Receiving Party was made without a breach of such third party's obligations of confidentiality; or (v) is independently developed by the Receiving Party without use of or reference to the Disclosing Party's Confidential Information.

一方当事者（以下「開示当事者」という。）が、他方当事者（以下「受領当事者」という。）に対して本契約のもとで開示した守秘情報は、当事者により完全にその守秘が守られなければならない。ただし、受領当事者

は、その関連会社、弁護士、会計士、代表者、エージェント及び従業員であって本契約に関連して知る必要のある者に対しては守秘情報を開示することができる。

この条項で、「守秘情報」とは、事業、事業計画、戦略、協力関係、顧客名簿、特性、ノウハウ、マーケティングプラン、(既存あるいは提案されている) 製品及びサービスに関するすべての情報、製品やサービスにより生じる情報、財務情報、並びにシステム・プログラム・事業方法に関する情報であって、明確に「機密」「守秘」あるいは「重要」という分類がされ、かつ、マークが付されているものをいう。口頭で開示された守秘情報は、開示後可能な限り速やかにその内容の概要を書面に記載しなければならない。なお、(i) 開示当事者による開示前にすでに一般に入手可能あるいは知られていた情報、(ii) 開示当事者による受領当事者に対する開示後に受領当事者の作為・不作為によらずして一般に入手可能あるいは知られるようになった情報、(iii) 開示当事者の開示の時点ですでに受領当事者が保有していた情報であり、受領当事者の書類や記録からそのことがわかるもの、(iv) 受領当事者が第三者から入手した情報であり、その際に当該第三者が受領当事者の知る限りにおいて守秘義務に違反していないもの、そして、(v) 開示当事者の守秘情報に依拠することなく受領当事者が独自に得た情報は、守秘情報に含まないものとする。

前述したように、(A) 情報の形式面 (どういう形式の情報か)、(B) 授受の方法 (どのように授受された情報が対象か)、(C) 何に関する情報か ((B) との関係で何に関して授受された情報か) の3要件を確認します (74ページ参照)。

この点、上記の「Confidential Information」(守秘情報) の定義を見ると、(A) に関しては、単にすべての情報とするのではなく、「all information related to the business, business plan, strategies, affiliations, customer lists, characteristics, know-how, marketing plans, products and services (now existing or proposed), any and all information generated by such products or services, financial information, and information on system, program and business methods」と情報の種類を例示列挙しています。英文契約サンプル9.1条のように「すべての情報」とした場合との違いは、開示されても問題のない情報をあえて除外するかどうかだけであり、さほど気にする必要はありません。

また、守秘情報とみなされるには、交換された情報に「Confidential」、「Private」あるいは「Proprietary」という文言を明示すること、及び、口頭で伝えられたものは後からその内容を書面に落とすことが要求されています。こうした機密性の明示・書面化は、何が守秘義務であるかを客観的に確認できるようにするものであるため、自身が情報の受け手である場合には好ましいといえます。しかし、逆の立場（情報の出し手）である場合に、わざわざこうした手続をとらないと守秘義務により保護されないというのは若干面倒です。

そこで、この場合には「which are clearly classified and marked as "Confidential", "Private" or "Proprietary". Any oral disclosure of confidential information shall be summarized in writing as soon after the disclosure as feasible」を削除することが考えられます。あるいは、削除ではなく、以下のような文言に修正することで妥協を図る方法もあります。

For this purpose, "Confidential Information" shall mean, without limitation, all information related to the business, business plan, strategies, affiliations, customer lists, characteristics, know-how, marketing plans, products and services (now existing or proposed), any and all information generated by such products or services,financial information, and information on system, program and business methods, which are clearly classified and marked as "Confidential," "Private" or "Proprietary" or by its nature or circumstances surrounding the disclosure, should be reasonably considered as confidential. Any oral disclosure of confidential information shall be summarized in writing as soon after the disclosure as feasible.

この条項で、「守秘情報」とは、事業、事業計画、戦略、協力関係、顧客名簿、特性、ノウハウ、マーケティングプラン、(既存あるいは提案されている)製品及びサービスに関するすべての情報、製品やサービスにより生じる情報、財務情報、並びにシステム・プログラム・事業方法に関する情報であって、明確に「機密」「守秘」あるいは「重要」という分類がされ、かつ、マークが付されているもの、あるいは、その性質もしくは開示の状況から見て合理的に機密であると考えられる情報をいう。口頭で開示された守秘情報は、開示後可能な限り速やかにその内容の概要を書面に記載しなければならない。

上記マーカー部分を追加することで、その内容や開示された状況から考えて合理的に機密であるといえる情報に関しては、いちいち機密性を明示すること(たとえば、"機密"のマークを資料に付けること)までは不要であるということになります。この場合、「守秘情報」該当性の判断はやや不明確になりますが、一つの妥協策であることは間違いありません(第II部 第7章参照)。

次に、(B)授受の方法(どのように授受された情報が対象か)、(C)何に関する情報か((B)との関係で何に関して授受された情報か)を確認してみると、本規定にはこれらの要件が一切記載されていないことがわかります。

この点、自身が主に情報を出す側であればこのままでもかまいません。一方、主に情報を受ける側（守秘義務を課される側）である場合には、このままだとどの情報が守秘義務の対象になるのか不明確であるため、望ましい状況とはいえなくなります。もっとも、当事者間において本件売買契約以外に接点がなく、これに関する情報以外をやりとりする可能性がない場合はこのままでも問題ありませんが、もし、当該取引以外の情報も入ってくる可能性があるのであれば、(B)・(C)の2要件によって保護される情報の範囲を特定すべきです。

この場合には、「exchanged between the Parties in relation to this Agreement」を追加することになります。

For this purpose, "Confidential Information" shall mean, without limitation, all information related to the business, business plan, strategies, affiliations, customer lists, characteristics, know-how, marketing plans, products and services (now existing or proposed), any and all information generated by such products or services, financial information, and information on system, program and business methods, exchanged between the Parties in relation to this Agreement, which are clearly classified and marked as "Confidential," "Private" or "Proprietary." Any oral disclosure of confidential information shall be summarized in writing as soon after the disclosure as feasible.

この条項で、「守秘情報」とは、本契約に関連して当事者の間で交換された、事業、事業計画、戦略、協力関係、顧客名簿、ノウハウ、特色、マーケティングプラン、（既存あるいは提案されている）製品及びサービスに関するすべての関連する情報、製品やサービスにより生じる情報、財務情報、並びにシステム・プログラム・事業方法に関する情報であって、明確に「機密」「守秘」あるいは「重要」という分類がされ、かつ、マークが付されているものをいう。口頭で開示された守秘情報は、開示後可能な限り速やかにその内容の概要を書面に記載しなければならない。

(2) 守秘義務の存続期間

次に、②の守秘義務の存続期間（73ページ）に関しては、1年程度から10年以上にわたるものまで、契約や守秘情報の内容に応じて様々なものがあります。もちろん、期間が何年なのかは重要ですが、見落としがちなのは期間の始期の確認です。たとえば、「契約の終了から○年」となっていれば、契約終了までの間は守秘義務は発生せず、契約が終了してはじめて守秘義務が発生することになってしまうからです。英文契約サンプル9.1条では、「本契約の期間中及び守秘情報を受領してから5年間」とされており、これは通常よく見られる範囲内といえます。

Question 2

守秘義務の規定に、義務が適用される期間の定めが特にないときは、どうなるのでしょうか。

The Confidential Information disclosed by a party (the **"Disclosing Party"**) to the other party (the **"Receiving Party"**) under this Agreement shall be kept fully confidential by the parties, provided, however, that the Receiving Party may disclose the Confidential Information only to its affiliates, attorneys, accountants, representatives, agents and employees who have a need to know in relation to this Agreement.

一方当事者（以下「開示当事者」という。）が、他方当事者（以下「受領当事者」という。）に対して本契約のもとで開示した守秘情報は、当事者により完全にその守秘が守られなければならない。しかしながら、受領当事者は、その関連会社、弁護士、会計士、代表者、エージェント及び従業員であって本契約に関連して知る必要のある者に対しては守秘情報を開示することができる。

この例文では期間の定めがありません。この場合、守秘義務はいつまで有効なのでしょうか。期間の定めがないからといって無期限になるわけではありません。契約の一般原則に従い、期間の定めがなければ契約上の他の義務と同様、契約の終了と同時に守秘義務も消滅します。つまり、契約がすぐに終了してしまう場合はもちろん、長期にわたる契約であっても、終了間際に開示された情報に関しては守秘義務がほとんど無意味なものになってしまいます。したがって、守秘義務の存続期間を別途定めることは必須です。

The Confidential Information disclosed by a party (the "**Disclosing Party**") to the other party (the "**Receiving Party**") under this Agreement shall be kept fully confidential by the parties, for a period of three (3) years from the date of termination of this Agreement, provided, however, that the Receiving Party may disclose the Confidential Information only to its affiliates, attorneys, accountants, representatives, agents and employees who have a need to know in relation to this Agreement.

一方当事者（以下「開示当事者」という。）が、他方当事者（以下「時受領当事者」という。）に対して本契約のもとで開示した守秘情報は、本契約が終了してから3年間が経過するまでの間、当事者により完全にその守秘が守られなければならない。しかしながら、受領当事者は、その関連会社、弁護士、会計士、代表者、エージェント及び従業員であって本契約に関連して知る必要のある者に対しては守秘情報を開示することができる。

この修正案では、守秘義務の存続期間である3年間は、守秘情報の開示時点ではなく、契約終了時から起算されることになります。このようにした場合、たとえば契約が10年続けば、契約締結当初に開示された情報については13年間、守秘義務が存続することに注意が必要です。

(3) 守秘義務の範囲を狭めるもの

さらに、守秘義務の範囲を狭めるものとして、③～⑤（73、74ページ）をチェックします。

これらの規定はほぼ定型化しており、具体的には、**図表3**のような内容が一般的です。

したがって、これらの内容から外れるものが入っていないかということが、

図表3

③ 守秘義務の対象から除外される情報の類型	• 一般に公開された情報 • 開示を受ける前に当事者がすでに得ていた情報 • 守秘義務の適用を受けない第三者から別途受領した情報
④ 開示が許容される第三者	会社関係者及び専門家／アドバイザー
⑤ 開示が許容される例外的なケース	• 法令や公共機関からの要請に基づく場合 • 相手の同意がある場合

基本的なレビューの視点になります。

③の「守秘義務の対象から除外される情報」のうち「開示を受ける前に当事者がすでに得ていた情報」は「Confidential Information」（守秘情報）の定義にそもそも入らない類型といえますし、「一般に公開された情報」は、その開示により損害等が発生するとは考えにくいため、あえて規定しなくても問題ありません。しかし、「守秘義務の適用を受けない第三者から別途受領した情報」は、たまたま別ルートから受領したことをもって守秘義務の対象から外すものです。したがって、あえてこれを除外するには規定しておく必要があります。

④の「開示が許容されている第三者」には、会社関係者及び専門家、アドバイザーに対する開示が規定されている例が多いです。⑤の「例外的に開示が許容されるケース」では、相手方の同意がある場合と法令等で開示が要請される場合が規定されることが多く、この2つがあれば十分です。むしろ、これら以外に開示が許容されるケースが規定されている場合には、それは当該取引の特殊な事情から特に規定されたものである可能性が高いので、慎重に確認すべきです。

英文契約サンプル9.1条では、いずれも通常の範囲内で収まっているため、最低限の要件は満たしていると考えられます。

Question 3

守秘義務の範囲を狭める規定について、**図表3**に記載されているものよりも広いように見える規定があるときはどうすべきでしょうか。

たとえば、上記**Question 1**（75ページ）で取り上げた例を見ると、守秘義務の範囲を狭める規定について、「(i) was publicly known and made generally available in the public domain prior to the time of disclosure by the Disclosing Party; (ii) becomes publicly known and made generally available after disclosure by the Disclosing Party to the Receiving Party through no action or inaction of the Receiving Party; (iii) is already in the possession of the Receiving Party at the time of disclosure by the Disclosing Party as shown by the Receiving Party's files and records; (iv) is obtained by the Receiving Party from a third party, which to the knowledge of the Receiving Party was made without a breach of such third party's obligations of confidentiality; or (v) is independently developed by the Receiving Party without use of or reference to the Disclosing Party's Confidential Information」という5つの類型が規定されています。

これらは、**図表3**で挙げた除外情報の類型よりも拡大しているように見えます。このように、守秘義務から除外される情報は**図表3**と異なる分類・形式で記載されていることがありますが、表現が異なるだけで、よく読むと実質的な範囲は同じであることがわかります。

例文①		例文②
(a) information that is or becomes generally available to the public other than as a result of a disclosure by either Party in violation of this Agreement	一般に公開された情報（例文②では、公開されたのが当該情報の当事者への開示前か後かで分けているだけ）	(i) was publicly known and made generally available in the public domain prior to the time of disclosure by the Disclosing Party
		(ii) becomes publicly known and made generally available after disclosure by the Disclosing Party to the Receiving Party through no action or inaction of the Receiving Party

<table>
<tr><td rowspan="2">(b) information that was already known by either Party on a non-confidential bas is prior to this Agreement</td><td rowspan="2">開示を受ける前に当事者がすでに得ていた情報（例文②では、「得ていた」をすでに「持っていた」と「自身で発見した」に分けて表現しているだけ）</td><td>(iii) is already in the possession of the Receiving Party at the time of disclosure by the Disclosing Party as shown by the Receiving Party's files and records</td></tr>
<tr><td>(v) is independently developed by the Receiving Party without use of or reference to the Disclosing Party's Confidential Information</td></tr>
<tr><td>(c) information that becomes available to either Party on a non-confidential basis from a source other than the other Party if such source was not subject to any prohibition against disclosing the information to such Party</td><td>守秘義務の適用を受けない第三者から別途受領した情報</td><td>(iv) is obtained by the Receiving Party from a third party, which to the knowledge of the Receiving Party was made without a breach of such third party's obligations of confidentiality</td></tr>
</table>

このようにして、見た目は広いようでも、実際には言い換え（表現の違い）にしかすぎないことも少なくありません。実務上は、明らかにコンセプトが異なるなど、よほど特殊なものを除き（こうしたものが入ることは極めてまれですが）、気にしなくてよいことが多いです。ただし、次の **Question 4**で取り上げる例は見落としがちなので注意が必要です。

Question 4

守秘義務の範囲を狭める規定に、「政府等へ開示される情報」が入っていても問題ないでしょうか。

たとえば、以下のような規定です。

The following exceptions, however, do not constitute Confidential Information for purposes of this Agreement:
(a) information that is or becomes generally available to the public other than as a result of a disclosure by either Party in violation of this Agreement; (b) information that was already known by either Party on a non-confidential basis prior to this Agreement; and (c) information that becomes available to either Party on a non-confidential basis from a source other than the other Party if such source was not subject to any prohibition against disclosing the information to such Party; and (d) information a Party is required to disclose to the Government Body in connection with any administrative or regulatory approval or filing process in connection with the conduct of it business.

以下は守秘情報には含まれないものとする。
(a) いずれかの当事者が本契約に違反して開示した結果による場合を除き、一般に入手可能になった情報、(b) 本契約の前において守秘義務を負わない形で当該当事者がすでに知っていた情報、(c) 相手方当事者以外の情報源であって当該当事者に開示することを禁止されていなかった者から守秘義務を負わない形で入手した情報、あるいは、(d) 事業の運営において行政機関あるいは規制当局への認可申請あるいは届出の手続に関連して当事者が政府機関に開示を求められる情報。

上記の例では、一般的に守秘情報から除外される類型に加えて「(d) 事業の運営において行政機関あるいは規制当局への認可申請あるいは届出の手続に関連して当事者が政府機関に開示を求められる情報」が追加されていることがわかります。これは、行政手続等の関係で政府機関に開示が要求される情報であり、通常開示が許容される例外的なケースに該当するものなので、一見すると、開示できるのであれば守秘義務の範囲から除外してもよいように思えます。

しかし、例外的に開示が許容されることと、そもそも守秘情報の範囲から除外することはイコールではない点に注意が必要です。すなわち、当該情報を守秘情報の範囲から外せば、「政府機関に対する開示」だけではなく、「一般の第三者への開示」も許容されることになってしまうのです。

一般的に、政府機関に対して開示される情報は、法令等で一般公開が許容されていない限り政府機関内限りで取り扱われ、機密性が保持されます。したがって、こうした情報を守秘情報の範囲から外すのは適切ではなく、特段の理由がない限り、「(d) information a Party is required to disclose to the Government Body in connection with any administrative or regulatory approval or filing process in connection with the conduct of it business」は削除するべきということになります。

以上、特別 Covenant の典型例である Confidentiality Obligation（守秘義務）の検討の方法を見てきましたが、重要なのは、禁止される行為の範囲の特定であり、また、これに尽きます。このことは、他の特別 Covenant の典型である Non-Compete Obligation（競業避止義務）でも同様です。

Question 5

特別 Covenant である Non-Compete Obligation (競業避止義務) について、たとえば、下記のような条項はどのようにレビューすべきでしょうか。

Seller undertakes with the Buyer that it and its controlling affiliates will not, directly or indirectly within a period three (3) years after the date when this agreement is signed, carry on, or engage in, own, control, or participate in the ownership management or control of the Business in Japan. Provided however, that, foregoing shall not prohibit the Seller or its controlling affiliates from, individually or collectively, owning as a passive investment 5% or less equity of any publicly-traded entity. Business shall mean [ ].

売主は、買主に対して、自身あるいは自身が支配する関係会社が、直接的ないし間接的に、本契約が署名されてから3年間、日本において、本事業を営業したり、本事業に従事したりせず、また、本事業を所有・支配したり、本事業の経営あるいは支配に参加しないことを約束する。ただし、かかる規定は、売主あるいはその関係会社が、個別ないし共同で、受動的投資として、上場企業の株主資本の5%以下を保有することを妨げない。本事業とは [ ] を意味する。

Non-Compete Obligation (競業避止義務) も契約上よくみられる特別 Covenant です。Confidentiality Obligation (守秘義務) ほどではないにせ

よ、その形式や内容はある程度定型化されており、レビューも各要素を確認することで足りるケースが多いです。

その内容を要素ごとに分けてみると、以下のようになります。

③ 禁止される競業行為

① 義務の主体

⑤ 禁止期間

⑥ 例外的に許容される行為

Seller undertakes with the Buyer that it and its controlling affiliates will not, directly or indirectly within a period three (3) years after the date when this agreement is signed, carry on, or engage in, own, control, or participate in the ownership management or control of the Business in Japan. Provided however, that, foregoing shall not prohibit the Seller or its controlling affiliates from, individually or collectively, owning as a passive investment 5% or less equity of any publicly-traded entity. Business shall mean [ ].

④ 禁止される場所

② 競業禁止の対象

売主は、買主に対して、自身あるいは自身が支配する関係会社が、直接的ないし間接的に、本契約が署名されてから3年間、日本において、本事業を営業したり、本事業に従事したりせず、また、本事業を所有・支配したり、本事業の経営あるいは支配に参加しないことを約束する。ただし、かかる規定は、売主あるいはその関係会社が、個別ないし共同で、受動的投資として、上場企業の株主資本の5%以下を保有することを妨げない。本事業とは[ ]を意味する。

上記のとおり、競業避止義務は通常、①競業避止義務の主体、②競業禁止の対象事業、③禁止される競業行為、④禁止される場所的範囲、⑤競業禁止期間、⑥例外的に許容される行為で構成されます。守秘義務と比べてチェックすべき要素が多いですが、それは規制内容が厳しいためです。すなわち、守秘義務では単に相手から受領した情報を他に漏えいすることのみが禁止されており、その目的は情報をくれた相手の利益の保護にあります。そして、禁止対象となる情報は元々自身のものではなく相手の情報であるため、禁止によって特に不利益はありません。一方、競業避止義務は、取引の相手方の利益に配慮して受け入れる制限規定ではありますが、これにより、自身が本来自由にできたはずの事業活動や取引ができなくなるという不利益を被ることになります。

◆ **競業避止義務の主体（上記①）**

守秘義務の場合には、守秘情報を受け取った主体にさえ制限をかければ目的を達成することができます。それ以外の主体はそもそも守秘情報を受け取っていない以上、漏えい等の不利益行為はできないからです。一方、競業避止義務の場合には、誰がするかにかかわらず競業事業を実施されると不利益を受けるため、制限をかける相手は契約の相手方だけでは足りず、その関係会社等も含める必要があります。そのため、契約の相手が支配している関係会社もその主体に加えるのが通常です。

ただし、この例のように「affiliate」だけではなく、できるだけ「controlling」を入れて下流会社のみに絞ることが望ましいです。英文契約では、単に「affiliate」というと、自身の支配下にある下流会社だけでなく、親会社などの上流会社や共通の支配下にある兄弟会社を含むように理解される傾向がありますが、そのような上流・兄弟会社に対しては義務の履行を強制できないためです。

また、見落としがちですが、「directly or indirectly」も義務の主体を広げる語句です。自ら直接やる場合だけでなく、「間接的に」行うことも禁止しているからです。ここでいう「間接的に」には、自身がコントロールできる第三者に行わせること等が含まれると読めるため、この語句があると、実質的に「it and its controlling affiliates」と記載するのと同じ（あるいは、より広い）範囲が禁止されているといえます。

◆ **競業禁止の範囲（上記②～⑤）**

②競業禁止の対象事業、③禁止される競業行為、④禁止される場所的範囲、⑤競業禁止期間は、競業禁止の具体的範囲を画するものなので、それぞれ慎重にレビューすることが必要です。この中で特に重要なのは、「②競業禁止の対象事業」です。義務を負う側からすれば、これをできるだけ明確に制限的なものにすることが重要になります。わずかな文言調整でも、その範囲は大きく変わることに注意が必要です。

◆ **例外的に許容される行為（上記⑥）**

競業行為を全面的に禁止したのでは通常の業務に支障が出る場合や当該契約時点ですでに行っている事業等が規定されます。

本問の例では、「Provided however, that, foregoing shall not prohibit the Seller or its controlling affiliates from, individual or collectively, owning as a passive investment 5% or less equity of any publicly-traded entity」として、競業事業を行っている会社への出資が禁止されているのに対して、そのような会社でも上場会社の場合には5%未満まで株式取得することを許容しています。

そうした出資は通常の投資行為であり、禁止されると当事者の資産運用活動に影響が出ますし、一方で、その程度の出資をしても出資先会社の経営に口出しすることができるようにはならないので、競業禁止の趣旨に照らして問題ないためです。このように、例外的に許容される行為は、両者のバランスから決めていくことになります。

以上より、Confidentiality Obligation（守秘義務）同様、Non-Compete Obligation（競業避止義務）でも順を追って禁止されている範囲を確認していけば、足りることがわかります。

2 Similar Products（類似品の販売禁止）

Confidentiality Obligation（守秘義務）やNon-Compete Obligation（競業避止義務）のような定型的な特別Covenantとは異なり、契約に応じて規定される特別Covenantには少し違った留意点があります。英文契約サンプル3.5条を見てみましょう。

3.5 Similar Products.

Seller shall not, directly or through a third party, manufacture or sell any products identical to the Products or similar products thereto utilizing all or any part of the appearances or specifications of the Products for the benefit of any third party, without the prior written consent of Buyer, provided, however, that Seller may sell, directly or indirectly, the product corresponding to product number XXXX and YYYY to a third party without the prior written consent of Buyer.

3.5 類似品の販売禁止

売主は、直接あるいは第三者を通じて、本製品と同じ製品あるいは本製品の外観や仕様の全部ないし一部を利用した類似品を、買主の事前の書面による同意なく、第三者のために製造ないし販売してはならない。ただし、製品番号XXXXとYYYYの製品に関しては、買主の事前の書面による同意なく、直接又は間接的に、第三者に対して製造ないし販売することができる。

定型的な特別Covenantではありませんが、冒頭で「shall not」が使われていること、そして、この規定の内容が製品の販売という取引自体ではないことから、特別 Covenant であると予測できます。

本規定のように、契約対象となる取引に応じて特別 Covenant が規定されることがあります。これらは、Confidentiality Obligation（守秘義務）、Non-Solicitation Obligation（勧誘禁止義務）、Non-Compete Obligation（競業避止義務）といった契約の類型を問わない定型的なものとは異なり、様々な内容・形態を有します。通常は「shall not」「must not」「will not」「be prohibited from」等を使用した同じような構成をとるので見つけやすいですが、イレギュラーな場合もあるので注意が必要です。

レビューにあたっては、①禁止義務の主体、②禁止の対象製品（もしくは、サービス、事業）、③禁止される行為、④禁止される場所的範囲、⑤禁止期間、⑥例外的に許容される行為の順で確認することになり、基本的には典型的な特別 Covenant と同じです。

ただし、定型的な特別 Covenant と異なり、これら①～⑥が必ず入っているわけではないことに注意が必要です。特に、④～⑥は含まれていない場合が多いです。なぜなら、まず④と⑥については、取引に応じて定められる特別 Covenant は禁止行為が特定の行為にある程度限定されるため、場所的な制限や例外的許容行為をあえて定める必要性が低く、また⑤については、契約自体の有効期間に合わせるのが一般的だからです。

ここでは、売主は買主の同意なく、買主に納入している「製品」と同じ製品、あるいは当該製品の外観や仕様を利用した類似品を、第三者に売却したり、第三者のために製造したりしてはならないとしています。これは、製品の売買という取引自体に関する取り決めではなく、当該製品を事実上買主以外には販売しないことを約束するものであるため、この点からも特別 Covenant であると判断できます。

次に、3.5条を見ると、当該規定にも④、⑤の要件がないことがわかります。⑥の例外的に許容される行為としては、但書で定められています（この内容については第7章（256ページ以下）で検討します）。

それでは、①～③を定める3.5条の前段を見ていきましょう。

① 禁止義務の主体

③ 禁止される行為

Seller shall not, directly or through a third party, manufacture or sell any products identical to the Products or similar products thereto utilizing all or any of the appearances or specifications of the Products for the benefit of any third party, without the prior written consent of Buyer.

② 禁止の対象製品

売主は、直接あるいは第三者を通じて、本製品と同じ製品あるいは本製品の外観や仕様の全部ないし一部を利用した類似品を、買主の書面による事前の同意なく、第三者のために製造ないし販売してはならない。

①の「禁止義務の主体」について見ると、主語は「Seller」だけですが、「directly or through a third party」となっていますので、自身の行為のみならず、第三者をして行わせることも禁止されています。たとえば、関係会社にやらせることも「through a third party」に含まれると考えられます。

③の「禁止される行為」は、「manufacture or sell」なので明確です。

問題は、②「禁止の対象製品」です。「買主に納入している当該製品と同じ製品、あるいは当該製品の外観や仕様を利用した類似品」となっていますが、当該製品が買主向けの特注品でなく、他の顧客にも広く販売しているような汎用品である場合は、他の顧客向けの販売もできなくなってしまうため、こうした制限は受けられません。また、買主向けの特注品で他への販売を考えていない製品であったとしても、「当該製品の外観や仕様を利用した類似品」の部分は不明確さが残り、これまで禁止対象に含めてよいかは慎重に検討する必要があるといえます。なぜなら、将来的に当該製品の改良品やアップデート版、あるいは当該製品をベースにして汎用品を開発・販売する計画がある場合、これらが「当該製品の外観や仕様を利用した類似品」に該当する可能性がある(少なくとも、買主からクレームをつけられる可能性がある)ためです。

では、④「禁止される場所的範囲」と⑤「禁止期間」が記載されていないことはどのように考えればよいでしょうか。④に関しては、特定されていない以上、場所的な限定はなく、全世界で禁止されることになります。しかし、⑤については、記載されていないからといって無制限にはなりません。特段の定めがなければ、特別 Covenant は契約自体が法的に有効である間に限り、その一部として有効となります。言い換えれば、契約が終了した時点をもって特別 Covenant も終了すると考えられます。

このように、禁止される行為の対象を特定したうえで、あとはそれをそのまま受け入れるかどうかの判断になります。

3 Most Favored Status (最恵国待遇)

では次に、英文契約サンプル3.6条を見てみましょう。

3.6 Most Favored Status.

Seller shall not offer to any other customers of Seller Products identical and/or similar to Products at a price that is more favorable than the price offered to Buyer. If, at any time during the term of this Agreement, Seller offers to any other customer more favorable prices than to Buyer, Seller will immediately offer to sell the Products to Buyer at such prices.

3.6条　最恵国待遇

売主は、本製品と同一ないし類似する製品を購入する他の顧客に対して、買主に対して提示する価格よりも有利な価格を提示してはならない。もし、本契約期間中、売主が他の顧客に対してより有利な価格を提示した場合、売主は直ちに買主に対して同じ価格で本製品を販売する申し出をしなければならない。

定型的な特別Covenantではありませんが、冒頭で「shall not」が使用されていることから、特別Covenantであると予測できます。

第三者に対して買主よりも有利な条件で販売することを禁止するものであり、「shall not」＝「〜してはならない」という消極的な義務になっています。そして、「売主は、類似の条件で似た製品を購入する他の顧客に対し、買主に提示する価格よりも有利な価格を提案してはならない」としたうえで、もし、他の顧客に有利な価格を提示した場合には、それと同じ価格で買主に当該製品を販売する義務を負わせています。

これは、当該製品をより有利な価格で他に販売することを禁じ、事実上、買主に対して最安値の保証を約束するものです。製品の売買という取引自体に関する取り決めではないため、この点からも特別Covenantであると判断できます。

そこで、①禁止義務の主体、②禁止の対象製品（もしくは、サービス、事業）、③禁止される行為、④禁止される場所的範囲、⑤禁止期間、⑥例外的に許容される行為についてを見ると、やはり、④〜⑥がないことがわかります。

① 禁止義務の主体　③ 禁止される行為　② 禁止の対象製品

Seller shall not offer to any other customers of Seller Products identical and/or similar to Products a price that is more favorable than the price offered to Buyer. If, at any time during the term of this Agreement, Seller offers to any other customer more favorable price than to Buyer, Seller will immediately offer to sell Products to Buyer at such prices.

売主は、本製品と同一ないし類似する製品を購入する他の顧客に対して、買主に対して提示する価格よりも有利な価格を提示してはならない。もし、本契約期間中、売主が他の顧客に対してより有利な価格を提示した場合、売主は直ちに買主に対して同じ価格で本製品を販売する申し出をしなければならない。

では、①から順にチェックしてみましょう。

①の「禁止義務の主体」は「Seller」だけです。Seller以外の行為を禁止する語句は入っていません。

③の「禁止される行為」は、「他の顧客に対して買主に提示する価格よりも有利な価格を提案する行為」であり、②の「禁止の対象製品」は「似た製品」ということになります。

この場合、当該製品が買主にしか販売されないものであれば、比較対象はないので問題ありません。しかし、もし当該製品あるいは類似製品が他の顧客にも販売されている場合には、こうした最低価格保証をできるのかが問題になります。たとえば、大口顧客にはディスカウントをしている可能性がありますし、将来的に特別の状況で特別の割引価格を1回限りで他の顧客に提示することがあるかもしれません。その場合、上記文言のままだと、他の顧客に安い価格を提示すれば無条件でその価格が買主にも適用されることになってしまいます。そこで、一案として「同様の条件で購入する顧客に関しては」という限定条件を付すことが考えられます。

Seller shall not offer to any other customers of Seller Products identical and/or similar to Products under similar condition at a price that is more favorable than the price offered to Buyer. If, at any time during the term of this Agreement, Seller offers to any other customer more favorable prices than to Buyer, Seller will immediately offer to sell the Products to Buyer at such prices.

売主は、本製品と同一ないし類似する製品を類似の条件で購入する他の顧客に対して、買主に対して提示する価格よりも有利な価格を提示してはならない。もし、本契約期間中、売主が他の顧客に対してより有利な価格を提示した場合、売主は直ちに買主に対して同じ価格で本製品を販売する申し出をしなければならない。

このようにすれば、禁止される行為の範囲をある程度制限することができます。特別 Covenant においては、こうして禁止されている行為を検討し、現実的に対応可能な形に範囲を制限していくことが必要です。

上記 Most Favored Status 条項（最恵国待遇条項）は、「shall not」という行為禁止の文章になっているため、注意を要する特別 Covenant であると気づきやすいですが、中には気づきにくい形で規定されている場合もあるので留意してください。

Question 6

「shall not」のような禁止的な表現を用いない Most Favored Status 条項（最恵国待遇条項）とはどういうものでしょうか。

しばしば、「shall not」のような典型的な言い回しではなく、以下のような形でMost Favored Status条項（最恵国待遇条項）が定められることがあります。

Seller guarantees that prices of Products to be sold to Buyer shall be equal to or less than the prices of the products identical or similar to Products that Seller sells to third parties in similar quantities and on similar trading conditions.

売主は、買主に対して販売する本製品の価格が、売主が他の顧客に対して本製品あるいは類似品を類似の数量及び取引条件で販売する場合の価格と同じであるか、より低価格であることを保証する。

ここでは、「shall not」の形式をとっていません。しかしながら、実質的な内容は、Most Favored Status条項（最恵国待遇条項）と同様であることがわかります。すなわち、買主に提示した価格が最安値であることを「保証」しているため、もし第三者に買主より安い価格を提示した場合には、この保証義務に違反し、損害賠償という形でその価格差の填補を求められることになります。

ここでは、「guarantee」（保証）という語句を用いることで、第三者に対してより安い価格を提示することを「禁止」しています。英語表現を工夫して、異なる言い方で同じ法的効果を得ている例といえます。

典型的な特別Covenantは文章や形式が定型化されているため見逃すリスクは低いですが、最恵国待遇条項のように取引に応じて規定される特別Covenantには、様々な言い回しのパターンがあります。実質的には「〜してはならない」という義務と同じであるにもかかわらず、直接的な表現として「shall not」「must not」「will not」「be prohibited from」等を使用していない、"隠れた「～してはならない」"が存在するため、レビューの際には注意が必要です。
また、以下のようなケースもあります。

If Seller offers to sell similar products to its other customers at a price lower than the price offered to Buyer, Seller will promptly notify Buyer thereof and offer such a lower price to Buyer during the period in which such a lower price for its other customer (s) are in effect.

売主は、買主に対して提示したよりも低い価格で他の顧客に類似品を販売する申し出をした場合は、買主に対してすぐにその旨を伝え、他の顧客に対してかかる低価格を提示している間は買主に対してもかかる低価格で提示しなければならない。

ここでは、第三者に対して買主に対するよりも安い価格を提示した場合には、その価格を買主にも適用するとしています。直接的な表現では、最安値の「保証」や第三者に対してより安い価格を提示することを「禁止」はしていませんが、結果的に、買主に対して最安値を提供するという義務を課していることがわかります。

このように、特別Covenantのうち、取引に応じて規定されるものは、必ずしも「shall not」の形式をとっていないことがありますので、レビューの際には見落とさないようにすることが重要です。

第4章 表明保証条項（Representation & Warranty条項）の注意点

表明保証条項（Representation & Warranty条項）は、契約の相手方に対して一定の「事実」を保証するものであり、その対象は、契約者自身に関する事項と契約において取引される物やサービスに関する事項の2種類に大別されます。

1 Representation & Warranty条項を見つける

ARTICLE I：DEFINITIONS ……(4)
1.1 Definitions ……(4)
ARTICLE II：TERM OF AGREEMENT ……(9)
2.1 Term ……(9)
2.2 Early Termination ……(9)
ARTICLE III：INDIVIDUAL AGREEMENTS ……(9)
3.1 Scope of Agreement ……(9)
3.2 Individual Agreement Procedures ……(10)
3.3 Forecast ……(10)
3.4 Capacity Allocation ……(10)
3.5 Similar Products ……(11)
3.6 Most Favored Status ……(11)
ARTICLE IV：DELIVERY, TITLE TRANSFER, ACCEPTANCE ……(11)
4.1 Delivery ……(11)
4.2 Acceptance ……(12)
4.3 Late Delivery ……(13)
4.4 Delivery and Risks ……(13)
ARTICLE V：REPRESENTATIONS AND WARRANTIES ……(14)
5.1 General Representations and Warranties ……(14)
5.2 Product Related Warranties ……(16)
5.3 Survival ……(17)
ARTICLE VI：BILLING AND PAYMENT ……(17)
6.1 Price ……(17)
6.2 Invoice ……(18)
6.3 Funds ……(18)
6.4 Past Due Payments ……(18)
6.5 Disputed Invoices ……(19)
6.6 Netting of Payments ……(19)
6.7 Audit ……(19)
ARTICLE VII：INDEMINIFICATION ……(20)
7.1 General Indemnification ……(20)
7.2 Limitation on Liability ……(20)
7.3 Indemnification Procedure ……(21)
ARTICLE VIII：INTELLECTUAL PROPERTY RIGHTS ……(22)
8.1 No Infringement ……(22)
8.2 Relevant Inventions ……(22)
ARTICLE IX：CONFIDENTIALITY ……(23)
9.1 Confidentiality ……(23)
9.2 Return ……(23)
ARTICLE X：FORCE MAJEURE ……(23)
10.1 Suspension of Obligations ……(23)
10.2 Due Diligence ……(24)
ARTICLE XI：MISCELLANEOUS ……(24)
11.1 Assignment ……(24)
11.2 Severability ……(25)
11.3 Amendment ……(25)
11.4 Entire Agreement ……(25)
11.5 Notice ……(25)
11.6 Existing Agreements ……(26)
11.7 No waiver ……(26)
11.8 Dispute Resolution ……(26)
11.9 Governing Law ……(27)
11.10 Cumulative Remedies ……(27)
11.11 Counterparts ……(27)
11.12 Headings ……(27)
11.13 No Third Party Beneficiaries ……(28)
11.14 Language ……(28)
11.15 No Partnership ……(28)
11.16 No License ……(28)
11.17 No Change ……(28)

Representation & Warranty条項は、「第II部 第1章」で見たように、典型的には「represents」（あるいは名詞形で「representation」）又は「warrant」（あるいは名詞形で「warranty」）といった文言が使用されている規定です。これ以外に、

「assure」という単語が使われる例もあります。これらの単語を探し、使用されている条項を見つければ、それは十中八九 Representation & Warranty 条項です。

英文契約サンプルを見ると、Article V では「REPRESENTATIONS AND WARRANTIES」とそのものの表題になっており、特に5.1条では「…each Party represents to…」、5.2条では「Seller warrants to…」となっているため、Representation & Warranty 条項だとわかります。また、きちんと探してみると、8.1条は「Seller warrants and assures to…」としており、ここにも Representation & Warranty 条項があることがわかります。

Representation & Warranty 条項は後で見るようにリスクの高い特殊な規定なので、見落とさないように特徴的な単語を探して特定しておくことが必要です。

英文契約サンプルでは、上記でハイライトされている条項と特定できましたので、どのようにレビューすべきか見ていきましょう。

2 レビューの視点

Representation & Warranty 条項をレビューする際の目標は、保証する内容を、自身が理解しているもの、あるいは、自身で確認・コントロールできるものに限定し、それ以外のものは保証の対象から外すことです。

大きな方針

表明保証条項において保証する事項は、できるだけ自身で理解・コントロールできる内容に限定し、自身が知らないことについて保証しないようにする。

たとえば、自社に関する事項（きちんと適法に設立し存続しているか、当該取引を行う権限があるか等）や、契約の目的物となる自社製品に関する事項であれば、その情報の正確性は自身でわかるはずですし、少なくとも確認することはできるため、保証しても問題ありません。一方、他社に関する事項や他社が製

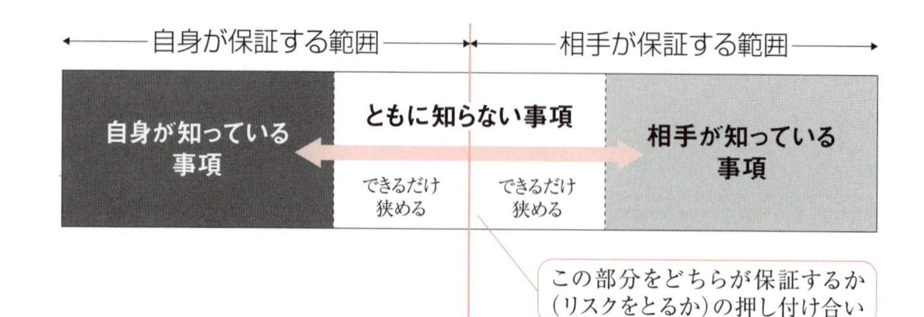

造した製品に関する事項については、その正確性を確かめようがありません。したがって、保証することにはリスクがあるといえます。ただし、自身が理解し、あるいは確かめることができる事項かそうでないかという見極めは、単純なように見えて実際にはなかなか難しい判断になります。

レビューした結果、自身がその内容を知らない、あるいは、確かめようがない事項が保証対象に含められていた場合には、それを保証の対象から外すか、あるいは、自身の知っている限度に制限を加えるように交渉することになります。

とはいえ、保証の範囲を狭めることは、相手方がその分のリスクを負うことを意味しますので、すんなりとは受け入れられないのが通常です。特に、自身が保証から外そうとした事項について、相手方もまたその内容を知らない、あるいは、確かめようがないという場合には紛糾します。両当事者がともにわからない事項に関しては、どちらがリスクを負うかについて利害が激しく対立するためです。

このように、Representation & Warranty 条項の機能の一つは、契約当事者がともにわからない事項に関するリスクを割り振るという点に見い出せます。M&A 等では、自身も"そのすべてを知らない"「事業」というものが対象となるため、保証を引き受ける範囲をめぐって紛糾しますが、自社の製品やサービスを提供するといった一般的な契約においては、自身が"十分に知っている"「製品等」が取引対象であるため、激しい交渉がなされることはありません。

3 Representation & Warranty 条項の意味

Representation & Warranty条項は、契約の対象である取引に関連する事項（「契約者自身に関する事項」と「契約において取引される物やサービスに関する事項」）について一定の事実を保証するものですが、その性質上、契約における他の義務とは異なる効果があります。

(1) 無過失責任としての性格

契約における通常の義務は、過失責任の原則により、誠実に履行しさえすれば義務違反を問われることはありません。すなわち、義務に違反しないようにコントロールすることが可能ですし、また、結果として義務違反となった場合でも、それが自らの帰責性によるものではないとき（たとえば不可抗力による場合等）は、責任を問われない可能性もあります。一方、Representation & Warranty条項で求められるのは一定の事実の保証ですから、「A」という事実を保証し、実際には「A」ではなかった場合には、それだけで責任が発生します。「A」ではなかったことに関して、保証者の帰責性の有無（きちんと誠実に調べたけどわからなかった、自身がまったくあずかり知らぬことにより「A」でなくなってしまった等）は考慮されないのです。つまり、同条項は無過失責任であるといえます。

また、Representation & Warranty条項における保証は、「特定の時点」における事実の保証です。典型的には、契約締結時点あるいは物・サービスの引渡し時点において保証します。そのため、「A」という事実を契約締結時点で保証した場合、「A」という事実が正しくなくなったのが契約締結時点より後であれば責任は問われませんが、逆に、契約締結時点で「A」という事実が正しくない場合には、その後適切に対応することにより「A」という状態に戻したとしても、表明保証違反の責任自体は発生することになります（ただし、賠償額の算定においては事情が考慮される場合がある）。このように、本条項の怖さは、自らの行動によって違反を避けることができない（＝コントロールできない）無過失責任規定であるという点にあります。

そうした性格ゆえに、訴訟において実際に違反責任を問うのに使い勝手がよいともいえます。通常の義務について違反を立証するのは、義務内容の確定や帰責性など法的な「評価」が必要になるため難しいですが、表明保証違反の場合には、保証した「事実」が誤っているという、シンプルで客観的な事実の有無の立証だけで原則として足りるため、義務違反を立証しやすいといえるからです。実際の訴訟でも使いやすいというのが、Representation & Warranty 条項の怖さの一つです。

(2) 違反の効果

Representation & Warranty 条項違反に対する責任規定が契約に含まれていない場合において、同条項での保証内容が誤っていたときには、いかなる責任が発生するのでしょうか。通常は、Indemnity 条項（補償条項）等で補償責任を追及できる旨記載されることが多いですが、そうした記載がない場合にいかなる法的責任が発生するかです。

結論としては、Representation & Warranty 条項における保証も契約上の義務ですので、それに対する違反は特段の定めがなくても契約違反となり、損害賠償責任が発生します。

日本において、2020年改正前の民法では、Representation & Warranty 条項に似た概念として瑕疵担保責任（改正前民法570条）がありましたが、瑕疵担保責任は通常の債務不履行責任とは異なる条項として存在していたことから、特別な責任として整理されており、その違反に対する損害賠償の範囲は信頼利益に限定され、通常の債務不履行責任において認められる履行利益までは及ばないと考える余地がありました。したがって、民法上の瑕疵担保責任は、少なくとも違反に対する救済手段としての損害賠償の点では、Representation & Warranty 条項の代替にはならないものと理解されていました。

この点、2020年の改正により、瑕疵担保責任は、契約不適合責任（改正後民法562条〜564条）となり、通常の債務不履行責任の一形態として整理されました。これにより、その違反に対する損害賠償の範囲は履行利益を対象とするようになったため、違反に対する救済手段としての損害賠償の点では、契約不適合責任は、Representation & Warranty 条項に近い性格のものになったといえます。

一方で、実際には何をもって「契約に不適合」なものであるかに関しては明確に定められておらず、それぞれの契約ごとに合理的な社会通念で判断することになります。その意味で、上記の「黙示の保証」に近い概念であるといえます。Representation & Warranty は、何をもって「契約に不適合」に該当するかを具体的かつ詳細に記載する点において、民法上の契約不適合責任とはまた別の目的と機能があります。

(3) 典型例

Representation & Warranty 条項にはいろいろなパターンがありますが、たとえば、単純な製品売買契約に含まれる品質保証などの場合には、典型的に以下のような規定が入ります。

> The Seller warrants that the Goods conform in all respects with the specifications contained in the Purchase Order and that the Goods are of good and merchantable quality and free from defects in design, materials, and workmanship.

あるいは、M&A 契約において売却される企業に関して、多岐にわたる事実を保証するような場合には以下のような文言が使用されます。

> The Seller represents and warrants to the Buyer, as of the date hereof, as follows:
> 1. …….
> 2. …….

このような形式をとる場合、例文内「1.　…….」以下にその内容が正確であることを保証する事実が記載されます。M&A 契約等ではこの Representation

& Warranty条項が数ページにわたることも珍しくありません。

形式は異なりますが、上記2つはいずれもRepresentation & Warranty条項であり、「represents」あるいは「warrants」の後に記載される事実の内容が正しいことを保証する義務を規定しています。

4 英文契約サンプルをレビューしてみる

Representation & Warranty条項は、厳格な責任であり、実際に違反を問われやすいという意味でリスクの塊です。したがって、それを念頭に置き、慎重に検討することが求められます。

レビューの手順は、以下のとおりです。

① 表明保証している内容が、自身が了知しない、あるいは、確かめようがない事項であるかどうかの確認
② もし、自身が了知しない、あるいは、確かめようがない事項である場合には、表明保証の範囲を制限する条件の検討
③ 表明保証の期間の確認
④ 違反に対する責任の内容の確認
⑤ ④の責任に制限がついているかの確認

特に重要なのは、1つ目です。

Representation & Warranty条項は、自身が保証する事実の内容が、自身が了知しない、あるいは、確かめようがない事項である場合にのみ、「怖い条項」になります。一方で、自身で確認できるような事実についてのみ保証するのであれば、リスクは小さいといえます。

Representation & Warranty条項は、契約者自身に関する事項と契約の目的物となる物やサービスに関する事項の2つに大別できますが、前者はさほど問題になりません。契約者自身に関する事項には、契約者が適法に設立・存続していること、当該契約を締結する権限があり必要な授権手続を完了していることなどの基本事項から、法令順守をしていること（最近では、「贈賄禁

止関連法令を遵守していること」＝「公務員への賄賂等を行っていないこと」の保証を求められることが多い）といった事項まで様々ありますが、いずれにせよ自身に関することなので、内容の正確性を確認することは容易だからです。

一方、契約の目的物となる物やサービスに関する事項についても、通常は自身が製造している製品に関する保証（品質保証あるいは法令や他人の権利を侵害していないこと等）に限定されていることが多く、それらの内容は自身で確認できるため、基本的にはそれほど気をつけるべきケースは多くないと思われます。ただし、M&A契約のように、目的物が別の会社や事業あるいは不動産のように自身で製造したものではなく、また、その関連する事実が多岐にわたるような場合には、内容の正確性を確認することが困難になります。このような場合には、表明保証条項が怖い規定となりますので、その範囲や条件に関して激しい交渉が行われます。

手順①をチェックした結果、保証する内容が自身で容易に確認できる事実である場合には、あとは、表明保証の期間（上記③）及び違反の際にいかなる対応をする必要があるか（上記④）を確認するだけでレビューは十分です。

一方、自身が了知しない、あるいは、確かめようがない事項が含まれている場合には、違反の責任を問われるリスクが出てくるため、保証の内容を限定する条件（上記②）及び責任の制限（上記⑤）の検討が重要になります。

以下では、英文契約サンプルにおけるRepresentation & Warranty条項を見ていきます。5.1条と5.2条で表明保証の対象を規定し、5.3条と5.4条で表明保証の期間と違反の場合の措置が規定されていますので、順に検討してみましょう。

1 当事者に関する表明保証

Article Vは5.1条と5.2条に分けられており、5.1条では当事者双方に適用される表明保証を、5.2条では売主の買主に対する表明保証を規定しています。

まず、5.1条について確認していきます。

5.1　General Representations and Warranties.

On the Effective Date of this Agreement and the date of entering into each Individual Agreement, each Party represents to the other Party that:

(a) It is duly organized and validly existing under the Applicable Laws of the jurisdiction of its organization or incorporation and, if relevant under Applicable Laws, in good standing;

(b) Such Party has the corporate power and authority to execute, deliver and perform its obligations under this Agreement and each Individual Agreement, and the execution, delivery and performance of this Agreement and each Individual Agreement have been duly authorized by such Party;

(c) This Agreement and each Individual Agreement constitute a legal, valid and binding obligation of such Party, except as the enforceability of this Agreement and each Individual Agreement may be limited by the effect of any applicable bankruptcy, insolvency, reorganization, moratorium or similar laws affecting creditor's rights generally and by general principles of equity;

(d) Neither the execution or delivery of this Agreement nor the consummation of the Individual Agreements contemplated hereby causes or will cause such Party to be in violation of any Applicable Laws, regulation, administrative or judicial order, or process or decision to which such Party is subject or by which such Party or its properties are bound or affected;

(e) All governmental and other authorizations, approvals, consents, notices and filings that are required to have been obtained or submitted by such Party with respect to this Agreement or any

Individual Agreement or other document relating hereto or thereto to which it is a party have been obtained or submitted and are in full force and effect and all conditions of any such authorizations, approvals, consents, notices and filings have been complied with;
(f) There are no bankruptcy, insolvency, reorganization, receivership or other arrangement proceedings pending or being contemplated by such Party, or threatened against it; and
(g) There is no pending or threatened against such Party or any of its Affiliates any action, suit or proceeding at law or in equity or before any court, tribunal, governmental body, agency, official or any arbitrator that is likely to affect the legality, validity or enforceability against it of this Agreement or any Individual Agreement or other document relating hereto or thereto to which it is a party or its ability to perform its obligations under the same.

5.1　一般表明保証

契約効力発生日及び各個別契約の締結日において、当事者は他方当事者に対して以下の事項を表明し保証する。
(a) 設立地の適用法令に基づき適法に設立されかつ有効に存続しており、(当該法令において関連する場合には) 適用法令上問題のない状態であること
(b) 本契約及び各個別契約における自身の義務を締結、実施及び履行する法的能力と権限を有しており、本契約及び各個別契約の締結、実施及び履行について適法に授権されていること
(c) 本契約及び各個別契約は、破産、倒産、会社更生、支払不能その他債権者の権利を制限する類似の法令あるいは衡平法による制限を除けば、自身に対する法的に有効かつ拘束力のある義務を構成すること

(d) 本契約の締結又は実施あるいは個別契約の実施が、自身が適用を受ける法令、規則、行政ないし司法の命令・手続、又は、自身あるいは自身の資産に対して下された判決に抵触せず、また、抵触することにならないこと

(e) 本契約あるいは個別契約その他自身が当事者となっているこれらに関連する書類に関して、取得あるいは届出をすべき政府その他の機関の許可、同意、通知あるいは届出は完了しており有効であること、また、それらの許可、同意、通知あるいは届出に条件が付されている場合、それが充足し遵守されていること

(f) 破産、倒産、会社更生、私的整理その他の取り決めの手続が継続中ないし準備されておらず、そのようなおそれもないこと

(g) 自身あるいは関係会社に対する法律あるいは衡平法に基づく訴訟、訴えあるいは手続であって、本契約、個別契約あるいは自身が当事者となっているこれらに関連する書類の合法性、有効性あるいは執行可能性並びに自身による履行能力に影響を与える可能性が高いものが、裁判所、裁決機関、行政機関あるいは仲裁機関に係属しておらず、あるいは、そのおそれもないこと

(1) 表明保証している内容が、自身が了知し、あるいは、確かめることができるもの

5.1条は「each Party represents to the other Party」となっていますので、売主・買主が相互に行う共通の表明保証です。内容を見ると、いずれも当事者自身に関する事項であることがわかります（**図表4**参照）。したがって、このように容易に確認ができる事項の表明保証は引き受けても問題ないといえます。特に、(a)～(e)は、契約の種類を問わず典型的に求められる表明保証事項ですので、リスクはほとんどありません。言い換えると、これらの表明保証事項は契約の基礎をなすものであり、問題があれば契約の有効な成立すら危うくなり、表明保証違反に対する責任どころでは済みません。

図表4

(a) It is duly organized and validly existing under the Applicable Laws of the jurisdiction of its organization or incorporation and, if relevant under Applicable Laws, in good standing	当事者が適法に成立し存在していることの保証。これが誤っている場合、そもそも当事者不在になるので契約が成立しない。したがって、この表明保証も成立しない(違反を問えない)。
(b) Such Party has the corporate power and authority to execute, deliver and perform its obligations under this Agreement and each Individual Agreement, and the execution, delivery and performance of this Agreement and each Individual Agreement have been duly authorized by such Party	当事者が当該契約を締結し実行する法的能力を有し、また、必要な授権がされていることの保証。これが誤っている場合、契約を適法に締結していないことになるので、適用法令によっては無効・取消等の対象になり得る。その場合、この表明保証も成立しない(違反を問えない)。
(c) This Agreement and each Individual Agreement constitute a legal, valid and binding obligation of such Party, except as the enforceability of this Agreement and each Individual Agreement may be limited by the effect of any applicable bankruptcy, insolvency, reorganization, moratorium or similar laws affecting creditor's rights generally and by general principles of equity	当該契約が当事者に対して法律上執行可能あることの保証。もしこれが誤っている場合、そもそもこの契約が法的に相手方に対して執行できないため、無意味になる。その場合はこの表明保証も法的効果を持たない(違反を問えない)。
(d) Neither the execution or delivery of this Agreement nor the consummation of the Individual Agreements contemplated hereby causes will cause such Party to be in violation of any Applicable Laws regulation, administrative or judicial order, or process or decision to which such Party is subject or by which such Party or its properties are bound or affected	当該契約の締結や実施が法令や裁判所命令に違反しないことの保証。これが誤っている場合、そもそもこの契約は法令上無効になるか執行できないことになる。その場合、この表明保証も成立しない(違反を問えない)。
(e) All governmental and other authorizations, approvals, consents, notices and filings that are required to have been obtained or submitted by such Party with respect to this Agreement or any Individual Agreement or other document relating hereto or thereto to which it is a party have been obtained or submitted and are in full force and effect and all conditions of any such authorizations, approvals, consents, notices and filings have been complied with	当該契約の実施に必要な法令上の手続がすべて完了していることの保証。これが誤っている場合、この契約は法令違反であり執行できない可能性がある。その場合、この表明保証も成立しない(違反を問えない)。

(2) 自身が内容を知らない、あるいは、確かめようがない事項かどうかの確認ができない場合の対応

では、(g) はどうでしょうか。

(g) There is no pending or threatened against such Party or any of its Affiliates any action, suit or proceeding at law or in equity or before any court, tribunal, governmental body, agency, official or any arbitrator that is likely to affect the legality, validity or enforceability against it of this Agreement or any Individual Agreement or other document relating hereto or thereto to which it is a party or its ability to perform its obligations under the same.

(g) 自身あるいは関係会社に対する法律あるいは衡平法に基づく訴訟、訴えあるいは手続であって、本契約、個別契約あるいは自身が当事者となっているこれらに関連する書類の合法性、有効性あるいは執行可能性並びに自身による履行能力に影響を与える可能性が高いものが、裁判所、裁決機関、行政機関あるいは仲裁機関に係属しておらず、あるいは、そのおそれもないこと

これは、自身に訴訟が係属していないこと、あるいはそのおそれがないことを保証するものです。

このような場合、「There is no pending...any action…」という「係属していないこと」の保証と、「There is no threatened…any action…」という「おそれがないこと」は、分けて考えるのが鉄則です。なぜなら、前者は自身で了知できる事項であるのに対して、後者は第三者が訴訟提起の準備をしている可能性もあるため、自身では確かめようのない事項だからです。

自身では確認できない事実をそのまま保証するのはリスクが高いため、この場合は内容に制限を加えることを検討します。具体的には以下のとおりです。

(g) There is no pending or, to its knowledge, threatened against such Party or any of its Affiliates any action, suit or proceeding at law or in equity or before any court, tribunal, governmental body, agency, official or any arbitrator that is likely to affect the legality, validity or enforceability against it of this Agreement or Individual Agreement or other document relating hereto or thereto to which it is a party or its ability to perform its obligations under the same.

(g) 自身あるいは関係会社に対する法律あるいは衡平法に基づく訴訟、訴えあるいは手続であって、本契約、個別契約あるいは自身が当事者となっているこれらに関連する書類の合法性、有効性あるいは執行可能性並びに自身による履行能力に影響を与える可能性が高いものが、裁判所、裁決機関、行政機関あるいは仲裁機関に係属しておらず、あるいは、自身の知る限り、そのおそれもないこと

表明保証条項における保証の範囲を限定するうえで強い効果をもつのが、このように、保証する当事者の知っている範囲に限定する方法です。これにより、「自身の知っている限りにおいて」当該事実が正しいと保証すればよいことになり、裏を返せば、たとえ保証した事実が誤っていても、保証した当事者がそのことを知らないのであれば違反の責任を問われないことになります。こうした制限を加えることができれば、表明保証条項におけるリスクのほとんどを遮断できるといえます。

次に、(f) はどうでしょうか。

(f) There are no bankruptcy, insolvency, reorganization, receivership or other arrangement proceedings pending or being contemplated by such Party, or threatened against it

(f) 破産、倒産、会社更生、私的整理その他の取り決めの手続が継続中ないし準備されておらず、そのようなおそれもないこと

ここでは、破産等の手続及びそのおそれがないことを保証していますが、破産等の要件は法令上一義的に決まらず事例判断による部分が大きいため、当事者が予測することは困難です。したがって、これも、自身が了知しない、あるいは、確かめようがない事項であるということができます。

また、「or threatened against it」という文言により破産手続の「おそれ」がないことまで保証している点については、上記 (g) 同様、「or, to its knowledge, threatened against it」と修正することが考えられます。

ただし、そもそも破産等が決定した場合には、こうした契約上の規定のほとんどが手続の中で強制的に効力を制限されます。したがって、若干乱暴な考え方をすれば、実質的にはリスクの低い規定として、(f) をそのまま受け入れることも十分考えられます。

2 製品に関する表明保証

続いて、5.2条を見ていきます。

5.2 Product Related Warranties.

Seller warrants to Buyer with respect to any Product at the time such Product is delivered to Buyer hereunder:

(a) Seller has good and marketable title to such Product and at the time of delivery such Product is transferred to Buyer free and clear of any liens, security interest or other encumbrances or any defects of title;

(b) Such Product conforms with the applicable terms as set forth in the relevant Individual Agreement (except as otherwise provided to the contrary herein);

(c) There is no infringement or misappropriation of legal rights of any third party in relation to such Product;

(d) Such Product materially complies with the Specifications;

(e) Such Product is free from Defects in materials, workmanship and design; and

(f) The price or other terms of such Product purchased hereunder are at least as favorable as those charged to other customers of Seller purchasing products that are substantially the same or similar to such Product.

5.2　本製品に関する表明保証

売主は、買主に対して、本製品の納入日において、以下の事項を表明保証する。

(a) 売主は、本製品に関して良好で販売可能な所有権を有しており、納入時点において、本製品は抵当権、質権その他の担保権等あるいは権利に対する瑕疵なく買主に移転すること

(b) 本製品が個別契約に規定されている適用のある条件（本契約で別段の定めのあるものを除く）に適合していること

(c) 本製品に関して第三者の法的権利の侵害や不正使用がないこと

(d) 本製品が要求される仕様を重要な点において満たしていること

(e) 本製品はその材料、仕上がりあるいはデザインにおいて瑕疵がないこと

(f) 本契約に基づき購入される本製品の価格及びその他の条件は、本製品と実質的に同じか類似している製品を購入する売主のその他の顧客に対して提示されているものと同じ程度の条件以上であること

5.2条は、売主が買主に対して行う製品に関する表明保証です。自身で製造している製品である以上、それが性能や品質に関する保証であれば基本的に問題ありません。契約で要求される性能や品質に合致したものを販売するのは、表明保証するまでもなく契約上の当然の義務といえるからです。したがって、ここでは、品質や性能以外の事実に関する表明保証がされていないかをチェックすれば足りることになります。

列挙されている表明保証事項を見ると、(a) ～ (e) はいずれも製品の性能あるいは品質に関するものであることがわかります（**図表5**参照）。

図表5

(a) Seller has good and marketable title to such Products and that at the time of delivery such Products transferred to Buyer free and clear of any liens, security interest or other encumbrances or any defects of title	担保等の制限なく売却可能な商品性のあることの保証。商品として売れるだけの最低限の品質を保証するものなので問題ない。
(b) Such Products conforms with the applicable terms as set forth in the relevant Indi-vidual Agreement (except as otherwise provided to the contrary herein)	契約書の条件に適合していることを保証するもの。契約書は両者の同意により作成されるものであり、そこで売主が充足可能か確認できるので保証は問題ない。
(c) There is no infringement or misappropriation of legal rights of any third party in relation to such Products	第三者の権利を侵害するものではないことの保証。
(d) Such Product materially complies with the Specifications	仕様書で要求される条件を備えていることを保証するもの。仕様書は両者の同意により作成されるものであり、そこで売主が充足可能か確認できるので保証は問題ない。
(e) Such Product is free from Defects in materials, workmanship and design	欠陥がないことの保証。「Defect」の定義を見ても仕様書に反する品質になっていないことのほか、一般的な意味での欠陥を超える意味はないので問題ない。

このうち、(e) は「Defect (瑕疵)」という定義語を使用しているので、念のため確認してみましょう。

"Defect" means any one or a combination of the following, or items of a similar nature:
(a) when used with respect to Products (including work by any Seller personnel), items that are not: (i) in accordance with the Specifications; or (ii) free from errors and omissions in Product workmanship or design which materially impair the functionality of the Product; or
(b) in general: (i) work (including work by any Seller personnel) that does not conform to the Specifications or requirements of this Agreement or both; or (ii) any design, engineering, materials, products, tools, supplies or training that does not conform to the Specifications.

「瑕疵」とは、次の一ないし複数の組み合わせ、あるいはこれらに類似するものをいう。
(a) 本製品 (売主の人員による成果物を含む。) に関連して使用された場合において、(i) 仕様に適合していない物品、又は、(ii) 本製品の機能に重大な弊害となるような製品の仕上がりやデザインに欠陥や不備があるような物品
(b) 一般的に、(i) 仕様や本契約で要求されている事項に適合しない作業 (売主の人員による作業を含む。)、又は、(ii) 仕様に適合していないデザイン、加工、原料、製品、工具、供給品、訓練

ここでいう「瑕疵」とは、「両者の合意で作成される仕様書 (Specification) に適合していないこと」((a) (i)、(b) (i) (ii)) 及び「欠陥がないこと」((a) (ii)) とされています。

後者については、「(ii) free from errors and omissions in Product workmanship or design which materially impair the functionality of the Product（製品の機能に重大な弊害となるような製品の仕上がりやデザインにかかる欠陥や不備）」となっていますが、これはDefect（瑕疵）を辞書的に言い換えたにすぎず、結局どの程度の欠陥や不備を指すのか明確ではありません。

ただ、見方を変えれば、明確な基準がないということは、抽象的である分主張する余地があるといえます。本来ならば責任を問われるリスクをゼロにするのが望ましいですが、そこまで望めない場合には、責任がないことを主張をする余地があるというレベルで妥協することも一つの重要な考え方です。このように考えて、この表現のまま受け入れるという選択も十分にあります。

では、5.2条に戻って（f）を検討してみましょう。（a）～（e）のように品質や性能に関するものではなく、この契約で買主に販売される製品の価格やその他の条件が、他の第三者に売却する場合と比べて悪い条件ではないことを保証しています。これは、「第Ⅱ部 第3章」で見たMost Favored Status条項（最恵国待遇条項）と同じであるといえます。したがって、以下のように修正することが考えられます。

(f) The price or other terms of such Product purchased hereunder are at least as favorable as those charged to other customers of Seller purchasing products that are substantially the same or similar to such Product and of same or similar volumes.

(f) 本契約に基づき購入される本製品の価格及びその他の条件は、本製品と実質的に同じか類似している製品について同じか同程度の量を購入する売主のその他の顧客に対して提示されているものと同じ程度の条件以上であること

これにより、似たような条件で販売する顧客との関係でのみ最安値を保証すればよいことになり、保証内容をかなり限定することができます。

3「表明保証の期間」と「違反に対する責任内容」の確認

次に、英文契約サンプルの5. 2条後段と5. 3条を見ていきます。

5. 2　Product Related Warranties.

If there is a breach of Seller's warranties to Buyer under this Section 5. 2, or if any defect or fault in connection with the design, materials or workmanship of a Product arises anytime within either eighteen (18) months after the date when such Product is placed in use or operation or thirty-six (36) months after the date on which such Products are properly delivered pursuant to this Agreement, whichever period ends later, Seller shall, at Buyer's option, repair or replace such Product, or otherwise make such Product no longer in breach of the foregoing warranties.

5. 3　Survival.

This Article V shall survive expiration or termination of this Agreement.

---

5. 2　本製品に関する表明保証

5. 2条で規定されている売主の保証内容の違反、あるいは、デザイン、材料又は仕上がりに関する瑕疵や欠陥が、本製品が使用ないし稼動がされるようになった日から18か月あるいは本製品がこの契約に従い適切に納入された日から36か月のいずれか後に経過した日までの間に発生した場合、売主は、買主の選択に応じて、本製品を修理ないし交換し、あるいはその他の方法で本製品が表明保証違反にならないような措置をとる。

5. 3　存続

本第5章は本契約が失効しあるいは終了した場合でも効力を失わない。

(1) 保証期間

5. 2条後段は、表明保証違反に対する責任を追求できる期間に制限を設けるものです。このような制限を設けるのは、表明保証条項が事実に関する保証であり厳格な義務であるためと考えられます。また、表明保証違反に関しては、金銭賠償ではなく、契約で特殊な救済手段が規定されることが多いですが、こうした特殊な対応をする義務を前提にすることも、違反を追求できる期間を限定している理由であると考えられます。

責任追及期間は、数か月から数年まで、契約の対象である取引の性質・内容に応じて設定されます。ここで重要なのは、その期間の起算日です。起算日をどの時点にするかによっては、期間自体は短く設定されたとしても、結果として長期間にわたり責任追及が可能となってしまうこともあります。

◆ 起算日を確かめる

5.2条後段では、「製品の使用ないし稼動がされるようになった日」、あるいは「製品がこの契約に従い適切に納入された日」が起算点として規定されています（この保証期間がどの保証違反について適用されるのか、このままだと不明確であるため修正したほうがよいことにつき第Ⅰ部 第2章①参照）。

後者の「製品がこの契約に従い適切に納入された日」がいつになるかは、自身が納入した日に確定的に決まります。一方、「製品の使用ないし稼動がされるようになった日」は、納入先がいつ製品を使用するかどうかで変わってきます。極端にいえば、納入先が受け取った後3年間倉庫で放置すれば、その間「製品の使用ないし稼動がされるようになった日」は到来せず、18か月という期間のカウントは進行しないことになります。特に、本件では「いずれか後に経過した日」が保証期間の終期とされているため、倉庫に放置された場合、保証期間が不当に長くなってしまいます。

そこで、以下のように修正することが考えられます。

If there is a breach of Seller's warranties to Buyer under this Section 5. 2, or if any defect or fault in connection with the design, materials or workmanship of a Product arises anytime within either eighteen (18) months after the date when such Product is placed in use or operation or thirty-six (36) months after the date on which such Product is properly delivered pursuant to this Agreement, whichever period ends ~~later~~ first, Seller shall, at Buyer's option, repair or replace such Product, or otherwise make such Product no longer in breach of the foregoing warranties.

5. 2条で規定されている売主の保証内容の違反、あるいは、デザイン、材料又は仕上がりに関する瑕疵や欠陥が、本製品が使用ないし稼動がされるようになった日から18か月あるいは本製品がこの契約に従い適切に納入された日から36か月のいずれか~~後~~先に経過した日までの間に発生した場合、売主は、買主の選択に応じて、本製品を修理ないし交換し、あるいはその他の方法で本製品が表明保証違反にならないような措置をとる。

このようにすれば、たとえ倉庫で放置されても、「この契約に従い適切に納入された日から36か月」が先に到来すれば、その時点で保証期間が終わるため問題ありません。このように、保証期間はできるだけ自身でコントロールできるような起算点とすることが重要です。

さらにもう一歩

契約によっては、保証期間・保証責任期間と異なる概念として、「保証の時点をどのように設定するか」ということにも留意が必要です。

通常の取引契約では、「The Seller warrants that the Goods conform in all respects with the specifications contained in the Purchase Order and that the Goods are of good and merchantable quality and free from defects in design, materials, and workmanship for twelve (12) months from the date on which the Buyer deliver the Goods」として、どの時点の事実を保証するかは記載せず、単に保証期間(ここでは「for twelve (12) months from the date on which the Buyer deliver the Goods」)のみを明記することが多いです。

このような場合は、契約で定めた保証責任期間中、常にその保証事実が正しいものであることが求められ、「保証対象の事実の時点(=いつの時点の事実が保証対象になっているか)」と「保証責任期間」が一致しています。上記の例では、製品が仕様書どおりであること及び欠陥がないことを保証していますが、たとえば、仕様書に「防水機能付き」となっていた場合には、販売時点で防水機能を有しているだけでは不十分なのは言うまでもありません。買主は、保証期間中は防水機能がきちんと機能していることを期待しますし、売主もそのように保証することが合理的だからです(もちろん、販売後に買主の責めに帰すような理由で防水機能が失われた場合には、そもそも保証の対象ではありません。あくまで「仕様書」どおりに機能することが保証の内容となります)。したがって、通常の契約では「保証責任期間」とは別に「保証対象の事実の時点」が意識されることは少ないのです。

一方で、表明保証条項では、「一定の時点」に限定して事実を保証するものがあります。典型的には、「The Seller represents and warrants to the Buyer, as of the date hereof, as follows…」のように、「契約締結日時点で当該事実が正しいことを保証する」と明確に記載することで時点を特定します。これは、M&A契約等で保証の対象が複雑多岐にわたる場合に多く使用される方法です。たとえば、M&A契約において売却対象の会社が法令違反をしていないということを保証する場合、過去すべての期間において違反がないことを保証するのは難しいため、「契約締結時において売却対象企業は法令違反をしていない」などという形で時点を特定して保証します。買収する側としても、対象企業において現時点（＝契約締結時点）で法令違反がないことが確認されれば十分であることが多いからです。

ここで注意が必要なのは、表明保証の時点を一時点で固定した場合、それ以降の事実の変化は保証の対象外となることです。たとえば、M&A契約で契約日と買収実行の間にタイムラグがある場合、「契約締結時において売却対象企業は法令違反をしていない」としてしまうと、契約締結後買収実行日までの間に売却対象企業に法令違反が発生しても表明保証には違反しないことになります。そこで、このような場合には、「and such representations shall be deemed to be repeated on the Closing Date」（そして、その表明保証は買収実行時でも繰り返されるものとする）として、買収実行時点においても同じ内容で表明保証がなされるように規定します。

なお、「一定の時点」における事実を保証する表明保証条項の場合でも、保証責任期間は別途規定されます。この場合の保証責任期間は、「一定の時点」以後の事実についても保証するという趣旨ではなく、当該「一定の時点」における事実が誤っていることがその期間内に判明した場合にのみ責任が発生するという意味で機能します。

〈「一時点」における事実の保証〉

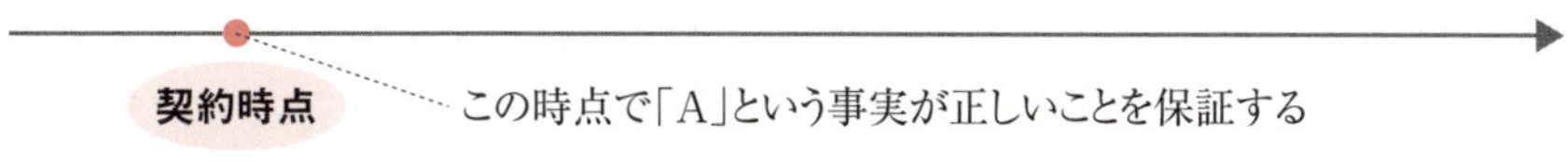

契約時点
この時点で「A」という事実が正しいことを保証する

〈「一定の時点」における事実の保証〉

保証責任期間
契約時点
期間中ずっと「A」という事実が正しいことを保証する

◆ 契約終了時の扱い

ここで、5.3条も見ておきましょう。

5.3 Survival
This Article V shall survive expiration or termination of this Agreement.

5.3 存続
本第5章は本契約が失効しあるいは終了した場合でも効力を失わない。

この規定は、表明保証条項が契約終了後も残ることを明確にするものです。これは、保証期間が数か月に及んでいることから、契約終了間際に納入された製品に関する表明保証が契約終了後も有効であることを確認するだけであり、特段問題のない規定です。

(2) 違反に対する責任内容の確認

Representation & Warranty 条項に違反した場合には、通常の契約違反責任として損害賠償の対象になります。一方で、通常の製品の売買契約における Representation & Warranty 条項の違反に対しては、単なる損害賠償に加えて(あるいは、代えて)他の救済手段がいくつか規定されることが多いです。それらに関しては、対応可能なものかどうか念のため確認が必要です。

英文契約サンプルの5. 2条は、以下のように規定されています。

Seller shall, at Buyer's option, repair or replace such Product, or otherwise make such Product no longer in breach of the foregoing warranties.

売主は、買主の選択に応じて、本製品を修理ないし交換し、あるいはその他の方法で本製品が表明保証違反にならないような措置をとる。

「修理ないし交換」という記述は具体的ですが、「otherwise make such Products no longer in breach of the foregoing warranties（その他の方法で製品が表明保証違反にならないような措置をとる）」という部分はどうでしょうか。

この点、表明保証違反の内容が「仕様書に合っていない」など物理的な瑕疵であれば、とるべき措置は「修理ないし交換」になるため問題ありません。しかし、5.2条(c)での保証である「There is no infringement or misappropriation of legal rights of any third party in relation to such Products（本製品に関して第三者の法的権利の侵害や不正使用がないこと）」との関係では厄介です。たとえば、当該製品が第三者の知的財産権を侵害している場合には、一般的には、第三者の知的財産権を買い取るか、あるいは使用ライセンスを受ける以外に、違反状態を解消する方法はありません。しかし、そのためには、第三者と極めて困難な交渉をしなければならず、単に金銭賠償をするのに比して過大な時間的・場所的負担がかかります。

このように、とるべき措置のレビューにおいては、表明保証の内容に照らして負担が過大となり得るものになっていないかを検討する必要があります。また、「otherwise make such Products no longer in breach of the foregoing warranties（その他の方法で製品が表明保証違反にならないような措置をとる）」のように内容が特定されていないものは、具体的状況下でどのような対応を求められるか規定しきれないため、避けたほうが無難です。

(3) 違反の責任に制限がついているかの確認

Representation & Warranty 条項との関係で最後に確認すべきは、同条項の保証に違反した場合に発生する責任（特に金銭賠償責任）に制限が設けられていないかです。金銭賠償責任に関する制限は、多くの場合、Indemnity 条項（補償条項）の中で規定されます。そのため見落としがちですが、必ず確認すべき重要な点です。特に、金銭賠償責任額について下限が定められている場合、その額によっては賠償責任のすべてもしくはその多くが切り捨てられることになり、実質的に表明保証条項を無意味な規定にしてしまう可能性があるからです。詳しくは、「第II部　第5章」で見ることにします。

4 個別条項内の表明保証

Representation & Warranty条項は、独立した章が置かれている場合であっても、それとは別に個別の条項内でも規定されていることがあります。

英文契約サンプルの8. 1条がこれにあたります。

8. 1　No Infringement.

Seller warrants and assures to Buyer that the Products or any other goods sold or delivered by Seller to Buyer under this Agreement shall not infringe or violate the intellectual property rights of a third party. Seller shall save, indemnify, defend and hold harmless Buyer from all claims, losses, damages or cost (including attorney's fees) arising out of, any alleged infringement of any intellectual property of a third party except where such infringement arises from Buyer's instruction.

8. 1　侵害のないこと

売主は、買主に対して、本製品又は本契約に基づき売主が買主に販売し納入したその他の物品が第三者の知的財産権を侵害していないことを保証する。売主は、買主に対して、第三者の知的財産権を侵害したとの主張に起因するすべての請求、損失、損害、又は費用（弁護士費用を含む。）につき補償し防御し保護する。ただし、かかる侵害が買主の指示によって生じた場合はこの限りではない。

同条項はArticle Vとは別に規定されています。Article Ⅷの表題は「Intellectual Property Rights」となっていますが、その中の8. 1条は「No Infringement」とされています。また、規定を見ると「Seller warrants and assures to Buyer…」という文言があり、表明保証の規定であることがわかります。

ちなみに、表題で「No ......」となっている場合には、表明保証の規定であることが多いです。具体的には、「No Payments to Government Body」として政府機関への贈賄を行っていないことの表明保証が規定される場合があります。

(1) 8.1条の問題点

問題は、ここでの表明保証の内容です。規定を見ると、「Seller warrants and assures to Buyer that the Products or any other goods sold or delivered by Seller to Buyer under this Agreement shall not infringe or violate the intellectual property rights of a third party」とされており、製品に関して第三者の知的財産権を侵害していないことを保証していることがわかります。この点、当該製品のすべてを自社で製造している場合には、これを保証することに問題はないはずです。一方、製品の一部に他社の製品が組み込まれているような場合には、どのような知的財産権が使用されているかわかりません。したがって、自身では確かめようのない事実について保証するというリスクを負うことになります。

(2) 対応策のオプション

この場合、下記のように修正することが考えられます。

Seller warrants and assures to Buyer that, to its actual knowledge, the Products or any other goods sold or delivered by Seller to Buyer under this Agreement shall not infringe or violate the intellectual property rights of a third party.

売主は、買主に対して、売主が実際に知る限り、本製品又は本契約に基づき売主が買主に販売し納入したその他の物品は第三者の知的財産権を侵害していないことを保証する。

上記では、「to its actual knowledge（自身が知る限りにおいて）」という文言（knowledge qualifier（主観による制限））を入れることでリスクを限定しています。

あるいは、少し妥協して「so long as Seller would have been aware」を入れ、「自身が知り得る限りにおいて」第三者の知的財産権を侵害していないとすることも考えられます。この場合は、「知り得る」としており、「単に知っている」かどうかではなく「知ることができる立場にいる」かどうかが基準になっているため、相手方に安心感を与えることができます。

さらに、自身で製造している部分に関しては表明保証するものの、第三者の部分だけは除外するという提案も考えられます。たとえば、以下のような修正です。

Seller warrants and assures to Buyer that the Products or any other goods (in each case excluding the portion or the parts manufactured by a third party) sold or delivered by Seller to Buyer under this Agreement shall not infringe or violate the intellectual property rights of a third party.

売主は、買主に対して、本製品又は本契約に基づき売主が買主に販売し納入したその他の物品（ただし、いずれの場合も第三者が製造した部分は除く。）は第三者の知的財産権を侵害していないことを保証する。

ただし、M&A契約のような特殊な取引でない通常の製品売買契約などでは、こうした制限を付すことはあまり受け入れられない傾向があります。

「第三者から知的財産権侵害のクレームが出て使用できなくなる可能性があります」というような製品を市場で売ることは困難だからです。したがって、通常の取引契約においては、知的財産権の不侵害に関する表明保証を弱める修正をすることは難しく、売主はリスクを引き受けざるを得ない場合が多いでしょう。

(3) リスクを供給元に転嫁する

では、何の対応もできないのでしょうか。一つは、他社から自社製品に組み込む一部を購入する際に、知的財産権の不侵害について、自身が買主に対して引き受けるのと同レベル以上の表明保証をもらっておくことが考えられます。このようにしておけば、当該他社製品部分による第三者の知的財産権侵害を理由として買主から訴えられた場合、賠償額をそのまま当該他社に請求することができるからです。ただし、この場合でも、当該他社に支払能力がない場合には請求の実効性がないため、当該他社の信用リスクだけは負わざるを得ないことになります。

ここでは、自社製品に他社製品が組み込まれている場合について述べましたが、販売する製品の全部が自社製でないようなケース(たとえば、輸入代理店が輸入したものを販売するようなケース)にも、同様の対応が有効です。

なお、本条項には保証期間の定めがありません。したがって、基本的は期間の制限なく、第三者の知的財産権不侵害を保証することになります。品質や性能といった点に関する保証であれば、劣化等を考えて保証期間を設けるのが通常ですが、第三者の知的財産権の不侵害は、法的権利の侵害時期を問わない事項だからです。

5 他のパターンのレビュー

1 表明保証の内容を限定していく方法例

以下のような Representation & Warranty 条項には、どのように対応すべきでしょうか。

The Seller represents and warrants to the Buyer that there has been no violation of any laws, regulations and orders by the Company or any of its Affiliates.

売主は、買主に対して、対象会社あるいはその関係会社が、いかなる法令、規則及び命令にも違反をしていないことを表明保証する。

これは、M&A 契約で典型的に規定される Representation & Warranty 条項です。M&A で売却予定の会社（対象会社）やその関係会社に関して訴訟提起等がないことを表明保証するものですが、自身とは別の会社についてこれらの事情の有無を確かめるには限度があるため、これを表明保証するにはリスクがあり、保証の内容を限定することが必要になってきます。

では、どのように保証の範囲を限定すべきでしょうか。基本的な方法としては、以下の事項を検討します。

① 保証の内容を重要なものに限定する
② 自身が知っている範囲の保証に限定する（knowledge qualifier）
③ 相手が知っている事実は保証の範囲から除く

以下、順番に見ていきましょう。

(1) 保証内容を重要なものに限定する

保証の内容を重要なものに限定するには、「material」や「significant」といった重要性を示す語句を追加することで軽微なものを排除する方法があります。

The Seller represents and warrarts to the Buyer that there has been no violation of any laws, regulations and orders by the Company or any of its Affiliates that would materially impair the value of the Company and any of its Affiliates, on the whole.

売主は、買主に対して、対象会社あるいはその関係会社が、いかなる法令、規則及び命令に関しても、対象会社及びその関係会社の全体の価値に重大な毀損を生じさせるような重要あるいは重大な違反をしていないことを表明保証する。

しかし、「material」や「significant」では基準が明確でないため、金額などの具体的かつ客観的な数値の基準を入れて保証の範囲を明確に限定する場合もあります。たとえば、以下のように使用されます。

The Seller represents and warrants to the Buyer that there has been no violation of any laws, regulations and orders by the Company or any of its Affiliates, except for any matter that would not reasonably be expected to result in damages exceeding $50, 000.

売主は、買主に対して、対象会社あるいはその関係会社が、いかなる法令、規則及び命令にも違反（ただし、それによる損害が50, 000ドルを超えないものは除く。）をしていないことを表明保証する。

たとえば、M&A契約において、「売却対象企業は法令違反をしていない」という保証を求められた場合、細かい行政法令も含めてすべて完璧に遵守していることまでは確証がない場合もあります。そのような場合に何の基準も設けず表明保証をしてしまうと、たとえば「行政窓口に出す書類の提出期限が少し過ぎていた」、「法令上求められる自動車の必要な法定点検を失念していた」といったことも、形式的には当該表明保証違反になり得ます。そのような場合にも、「material」や「significant」といった文言を付すことで、軽微な違反に対してまで責任を問われないように修正します。

ただし、これらの方法は、あくまで細かい違反に煩わされるのを避けることが主眼であり、本当に危ない法的なリスクを軽減するものでないことには留意が必要です。

(2) 自身が知っている範囲の保証に限定する (knowledge qualifier)

保証の範囲を限定するうえで最も強い効果を持つのが、「自身の知っている限りにおいて」当該事実が正しいことを保証する方法です。つまり、たとえ保証した事実が誤っていた場合でも、保証した当事者がそのことを知らないのであれば、違反の責任を問われません。こうした制限を加えることができれば、表明保証条項におけるリスクのほとんどを遮断できます。

この方法には、何をもって「知っている」とするかによって様々なバリエーションがあり、「actual knowledge」(実際に知っていたことに限定)と「constructive knowledge」(知ることができたことに限定)の2つに大別されます。

前者の場合は、以下のような文章になります。

The Seller represents and warrants to the Buyer that, as far as the Seller is aware, there has been no violation of any laws, regulations and orders by the Company or any of its Affiliates.

売主は、買主に対して、売主が知る限り、対象会社あるいはその関係会社が、いかなる法令、規則及び命令にも違反をしていないことを表明保証する。

この場合、たとえば、本来当事者がすべき調査・確認をせずに気づかなかった場合にも、調査・確認を怠ったこと自体が別の契約上等の違反になるかどうかは別にして、保証した事実が正しくないことを結果的に知らなかったのであれば表明保証違反にはなりません。本条項により担保されるのは、保証する側が当該事項に関して隠し事をしていない、嘘をついていないという限度にとどまります。特に、「知らなかった」というのは主観的な問題であるため、しらを切られてしまうと訴訟で責任を追求することは実際上難しいです。そのため、「当事者が知らない隠れたリスクの配分」という表明保証条項の本来の目的は大きく損なわれることになります。

一方、「constructive knowledge」(知ることができたことに限定) を使用すると以下のようになります。

The Seller represents and warrants to the Buyer that, as far as the Seller should have been aware, there has been no violation of any laws, regulations and orders by the Company or any of its Affiliates.

売主は、買主に対して、売主が知り得る限り、対象会社あるいはその関係会社が、いかなる法令、規則及び命令にも違反をしていないことを表明保証する。

過去完了形を使用していることからもわかるように、保証した事実が誤っていた場合、当事者がそれを実際に知っていたかどうかは関係なく、当事者の立場からして知ることができたといえれば表明保証違反となります。この場合には、本来当事者がすべき調査・確認をしていなかったことために気づかなかったときも、表明保証違反となる可能性があります。また、当該当事者の立場に照らして適切な調査や確認をしていたか、当該事実の性質や状況に照らして発見しやすい事実であったかという点は、客観的要素であるため、訴訟における立証も「actual knowledge」(実際に知っていたことに限定) よりハードルが下がります。

「constructive knowledge」(知ることができたことに限定) と「actual knowledge」

（実際に知っていたことに限定）の違いは実務上極めて大きく、このどちらで制限するかが交渉の争点になることも少なくありません。

上記で説明したのはそれぞれの典型例ですが、実際には多様なバリエーションがあり、目の前の契約書で使用されている「knowledge qualifier」がどちらであるか（あるいは、どちらに近いのか）を判断することが容易でない場合もあるため留意が必要です。

（3）相手が知っている事実は保証の範囲から除く

保証の範囲を限定する方法として、保証を受ける側が知っている事実に関しては責任を免除する（＝保証の範囲から除外する）というものがあります。規定方法は様々なパターンがありますが、典型的には、以下のような形になります。

The Seller represents and warrants to the Buyer that there has been no violation of any laws, regulations and orders by the Company or any of its Affiliates, provided, however, that Seller shall not be liable or responsible for breach of the representation and warranty if the Buyer is aware of such breach at the time such representation and warranty were given or the existence of any facts or circumstances that would result in the breach of or inaccuracy in any such representation and warranty.

売主は、買主に対して、対象会社あるいはその関係会社が、いかなる法令、規則及び命令にも違反をしていないことを表明保証する。ただし、当該事項に違反する事実があったとしても、買主が、当該表明保証の時点においてその違反の事実あるいは違反になるであろう事情を知っていた場合には売主はその責任を問われない。

本条項の根拠は、保証を受ける側が、保証内容に違反していること知りながら黙って契約したにもかかわらず、あとからその違反を主張して責任を問うのは不誠実という点にあります。これは、判例でもある程度認められている考え方なので、契約書にそうした文言を入れずとも免責される可能性が高いです。そのため、実際において問題になるのは、保証を受ける側が「知り得た事実」まで保証から除外するかどうかという点になります。「知り得た事実」まで免責されるかは英米の判例上明確でないため、これを保証の範囲から除外するには契約書でその旨を規定することが必要です。たとえば、以下のような形で規定されます。

The Seller represents and warrants to the Buyer that there has been no violation of any laws, regulations and orders by the Company or any of its Affiliates, provided, however, that Seller shall not be liable or responsible for breach of the representation and warranty if the Buyer should have been aware of such breach at the time such representation and warranty were given or the existence of any facts or circumstances that would result in the breach of or inaccuracy in any such representation and warranty.

売主は、買主に対して、対象会社あるいはその関係会社が、いかなる法令、規則及び命令にも違反をしていないことを表明保証する。ただし、当該事項に違反する事実があったとしても、買主が、当該表明保証の時点においてその違反の事実あるいは違反になるであろう事情を知り得べきであった場合には売主はその責任を問われない。

「知ることができた事実」を保証の範囲から除外することは、「実際に知っている事実」だけを除外する場合に比べて、免責の範囲が大きく広がります。これは、M&A契約では保証の対象となる取引の目的物が会社あるいは不動産など当事者において関連事実を把握することが難しいものであることから、実際の契約にあたっては保証を受ける側（買主）が調査・確認作業（一般的に

「Due Diligence」と呼ばれます）を実施していることが多く、そうした作業を通じて「知ることができた事実」の範囲が拡大し、免責される範囲もまた広くなるためです。

「知ることができた事実」まで免責しようとする規定には極めて多くのバリエーションがあり、また、一見しただけではそのような効果があるとはわからない形で規定されることもあるため、慎重な対応が必要になります。

なお、ここで免責されるのは、保証を受ける側が当該表明保証された時点で「知っていた」か「知ることができた」事実であって、表明保証がされた後において「知った」か「知ることができた」としても、当該事実は免責されません。

(4) 結　論

以上を踏まえると、冒頭の表明保証条項は、以下のように修正することが考えられます。

The Seller represents and warrants to the Buyer that, as far as the Seller is aware, there has been no violation of any laws, regulations and orders by the Company or any of its Affiliates, except for any matter that would not reasonably be expected to result in damages exceeding $50, 000, provided, however, that Seller shall not be liable or responsible for breach of the representation and warranty if the Buyer should have been aware of such breach at the time such representation and warranty were given or the existence of any facts or circumstances that would result in the breach of or inaccuracy in any such representation and warranty.

売主は、買主に対して、売主が知る限り、対象会社あるいはその関

係会社が、いかなる法令、規則及び命令にも違反（ただし、それによる損害が50,000ドルを超えないものは除く。）をしていないことを表明保証する。ただし、当該事項に違反する事実があったとしても、買主が、当該表明保証の時点においてその違反の事実あるいは違反になるであろう事情を知り得べきであった場合には売主はその責任を問われない。

実際には、これら全部の条件を付すことは難しく、条件ごとに取捨選択しながら検討することになります。

2 完全開示の表明保証

以下のような事項がRepresentation & Warranty条項の中で表明保証の対象になっていた場合はどうでしょうか。

The Seller has provided to the Buyer complete and all materials and information that would be reasonably necessary to valuate, understand, examine and assess the Company and the Seller has not failed to provide or omitted to provide any material or important information in relation to the Company to the Buyer.

売主は買主に対して、対象会社を評価、理解し、そして査定するうえで合理的に必要となる完全かつすべての資料及び情報を提供済みであり、対象会社に関する重大又は重要な情報を提供していなかったり、あるいは省略しているということはない。

これは「Complete Disclosure（完全な開示）」と呼ばれる表明保証です。M&A契約でよく規定されます。M&Aにあたっては、売買の対象会社等について確認すべき関連事実があまりに広いことから、前述のとおり事前にデュー・ディリジェンスと呼ばれる調査・確認作業が行われますが、このComplete Disclosure（完全な開示）は、デュー・ディリジェンスにおいて売主から十分な情報が出されたことを確認しようとする趣旨のものです。

売主が買主の求めに応じて、できるだけ対象会社に関する資料や情報を出すのは当たり前ですので、このような表明保証は一見問題ないように思えます。しかし、内容をよく見ると、当該条項は非常に問題のある表明保証であることがわかります。具体的に説明すると、まず、「対象会社に法令違反責任がないこと」の表明保証に関して、「売主の知る限り」あるいは「売主の知り得る限り」という制限をつけることに成功したケースを想定してください。そのうえで契約締結後に法令違反が判明した場合、それが売主が知らなかった事項であれば、「売主の知る限り法令違反責任がない」という表明保証条項との関係では違反は生じていません。しかし、ここで問題になるのが、このComplete Disclosure（完全な開示）の表明保証です。「法令違反があった」とう情報は「重要な情報」ですが、これを提供していなかった以上、この表明保証には抵触します。そして、同条項には「売主の知る限り」という条件がついていません。したがって、そのような法令違反があったことを知らなかった以上買主に提供できなくても仕方がないという言い訳が通用しないのです。

つまり、Complete Disclosure（完全な開示）の表明保証は、個別の表明保証条項でせっかく制限を設けたとしても、それを無意味にしてしまうことがあるのです。したがって、Complete Disclosure（完全な開示）の表明保証に関しては、削除してしまうのが基本的な対応になります。

あるいは、以下のように修正することができます。

The Seller has, to its actual knowledge, provided to the Buyer complete and all materials and information that would be reasonably necessary to valuate, understand, examine and assess the Company and the Seller has not intentionally or knowingly failed to provide or omitted to provide any material or important information in relation to the Company to the Buyer.

売主は、売主が実際に知る限り、買主に対して対象会社を評価し理解しそして査定するうえで合理的に必要である完全かつすべての資料及び情報を提供済みであり、対象会社に関する重大又は重要な情報を意図的にあるいはそうと知りつつ提供していなかったりあるいは省略しているということはない。

このように限定しておけば、前述の例でもComplete Disclosure（完全な開示）の表明保証違反を問われることはありません。上記はいわば、重要情報をあえて隠していることがないよう保証するにすぎなくなり、リスクは大幅に削減されます。

第5章 補償条項（Indemnity 条項）の注意点

この章では、補償条項（Indemnity 条項）を扱います。これは、契約の相手方に対して、一定の場合に「補償する」責任を定めたものです。

1 Indemnity 条項を見つける

「第II部 第1章」で見たように、契約書の中で「indemnity」「defend」あるいは「hold harmless」という文言がある規定は、Indemnity 条項です。しばしば、「save」という文言が使用されることもあります。これらの単語が使用されている条項を見つければ、それは十中八九 Indemnity 条項です。

英文契約サンプルでは Article VIIの表題が「INDEMINIFICATION」となっているので、すぐにわかります。また、実際に7.1条は「…shall indemnify, hold harmless and defend…」という典型的な用語を使用しています。また、よくみれば、8.1条でも後半の文章で「…save, indemnify, defend and hold harmless…」という用語を使用しているため、やはりIndemnity条項であるとわかります。

Indemnity条項は、後で見るように法的リスクの高い条項であるため、レビューの漏れがないようにピックアップしておくことが重要になります。

それでは、どのようにレビューすべきかを見ていきましょう。

2 レビューの視点

まずは、レビューの目標を確認しましょう。

大きな方針

Indemnity条項による自身の責任を、自身がミスをしたときに、それによって相手方（及び相手方と同視できる者）に生じた損害のみを賠償する責任に限定する。言い換えれば、日本の契約書における損害賠償責任規定と同じレベルのものにする。

Indemnity条項におけるレビューの目標は、日本の契約書でよく見かける損害賠償責任と同じレベルの内容にすることに尽きます。

日本の契約書で見られる損害賠償の規定は、「当事者は、この契約の履行にあたって、相手方に損害を被らせた場合には、その損害を賠償する責任を負う」というものが典型であり、①自身の義務違反あるいは過失といった帰責性により契約の相手方に損害を与えた場合に、②契約の相手方に対してその損害を賠償するという責任を負うことになります。この内容であれば、「怖い規定」ではありません（「怖い規定」の意味に関しては48ページ「さらにもう一歩」参照）。自身が約束したことをきちんと履行すれば責任を問われることはない、すなわち「自身でコントロールできるリスク」だからです。

なお、この例文の文言には、①の「自身の義務違反あるいは過失といった帰責性により」という部分は入っていませんが、日本法の下では、賠償責任の発生には原則として帰責性が必要とされていることから、当該規定にそうした文言が入っていなくても、解釈により同要件が当然に読み込まれます。この点がIndemnity条項との大きな違いです。

Indemnity条項のレビューでは、その内容が、日本の契約書における損害賠償責任規定と同じく、①自身の義務違反あるいは過失といった帰責性により契約の相手方（及び相手方と同視できる者）に損害を与えた場合に、②契約の相手方（及び相手方と同視できる者）に対してその損害を賠償するという責任になっているかを確認し、なっていなければ修正することが主たる目的になります。

3 Indemnity条項の意味

Indemnity条項は、「相手方の損害を補償する」という内容であるものの、日本の損害賠償責任規定とはまったく異なるものです。この点を誤解しているとリスクを見逃す可能性が高く危険です。

日本の契約でよく見られる損害賠償責任規定の内容は、民法上の債務不履行責任あるいは不法行為責任と同質のものであり、これら法令上の責任を拡張するのものではありません。誤解を恐れずにいえば、個別の契約に損害賠償責任規定を設けなくても、一般法たる民法に基づいてほぼ同じ責任が発生するため、結果はそれほど変わりません。

一方、Indemnity条項は、様々な考え方がありますが、契約レビューの実務では「危険の配分」を目的とした契約上の特別の義務・責任と捉えておくべきです。英米法でも、「breach of contract」及び「tort」という帰責性を要件とする責任規定は別にあり、Indemnity条項はこれらとは別の機能・目的を有する特別の責任と位置付けられています。

Indemnity条項のレビューにあたっては、以下の3点に留意が必要です。

1 必ずしも帰責性を前提にすると考えるべきではない

日本の損害賠償責任規定は、「契約当事者がミスをして相手方に損害を与えた場合に、その賠償責任を負わせる」というペナルティー的な性格の強い規定ですが、これに対してIndemnity条項の目的は、「ペナルティー」ではなく「危険の配分」と考えるほうが適切です。

一般的に、「indemnity」は、「a right which inures to a person who has discharged a duty which is owned to him but which, as between himself and another, should have been discharged by the other」*（相手方との間で相手方が負担すべきと合意した義務を履行した場合に当該履行した当事者に生じる権利）あるいは「the shifting of responsibility, or risk, or loss, or liability, or a portion of liability unfairly borne by one tortfeasor, from the shoulders of one person to another」*（責任、リスク、損失、負担あるいは不法行為者の一が不公平に負担した責任の一部について、一方から他方へと転嫁させること）と説明されます。これは、極端にいえば、当事者に生じた損害・損失等を契約当事者のどちらが負担するのかを定めるものであり、義務違反といった「帰責性」は必ずしも前提にしていません。

したがって、文言上、契約当事者の帰責性を求める規定になっていない場合には、その記載どおり、帰責性の有無にかかわらず補償責任を問われることになるおそれがあります。なお、日本の損害賠償責任規定のように、明確な文言がなくても当然に「自身の義務違反あるいは過失といった帰責性」の要件が読み込まれるわけではないということに注意が必要です。

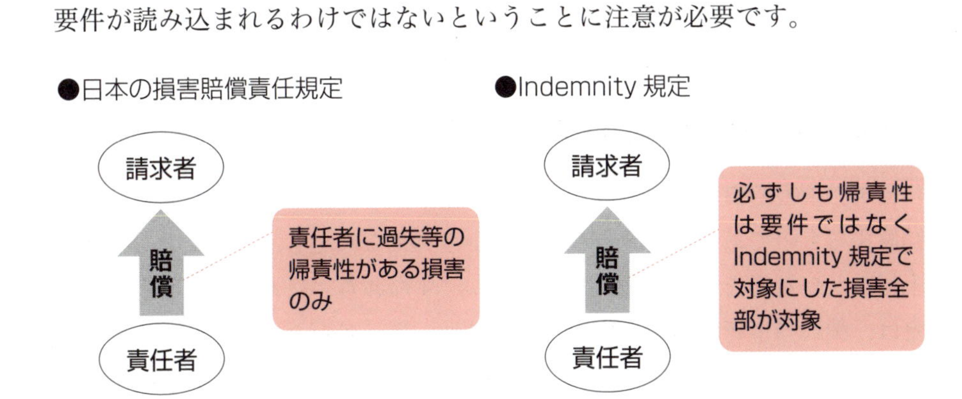

＊ **Paul M. Coltoff,** ***Corpus juris silundum : a contemporary statement of American law as derived from reported cases and legislation, Volume 42, 2017 edition*** **(St. Paul, Minnesota, West Publishing Company, 2017), section §1, pp. 108**

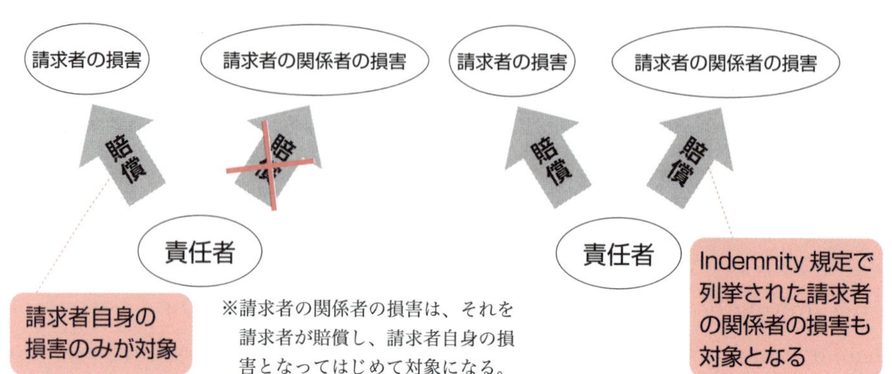

2 契約の相手方以外の者の損害も対象になる

日本の損害賠償責任では、「契約の相手方」に発生した損害のみが対象となり、契約に関連して契約の相手方以外の第三者（たとえば、契約の相手方の従業員や顧客といった契約の相手方の関係者）に損害が発生しても、責任を負いません。この場合には、当該第三者が契約の相手方に対してその損害の賠償を請求し、相手方がその支払いをすることで相手方自身の損害となってはじめて損害賠償責任が問題になります。これに対して、Indemnity 条項では、契約の相手方以外の第三者に発生した損害も補償の対象になり得ます。

3 第三者からの請求・訴訟も対象になる

日本の損害賠償責任規定は、あくまで相手方に損害が発生した場合に金銭補償するものであり、相手方が第三者から訴えられても、それに対して契約上何らかの対応をする義務はありません。すなわち、日本の損害賠償責任規定は、契約当事者間の紛争にのみ適用され、第三者からの請求に直接対応する義務は生じないのです。これに対して Indemnity 条項では、契約の相手方が第三者から請求された場合に、当該請求につき直接対応する責任が発生し得ます。

そもそも、「Indemnity」は、第三者からの請求に関して契約当事者のどち

●日本の契約の損害賠償規定

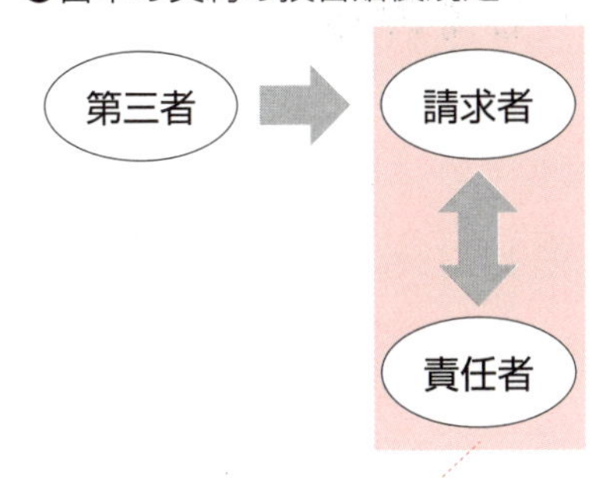

あくまで契約当事者である請求者と責任者の間にのみ適用され、第三者からの請求等は範囲外。

●Indemnity 規定

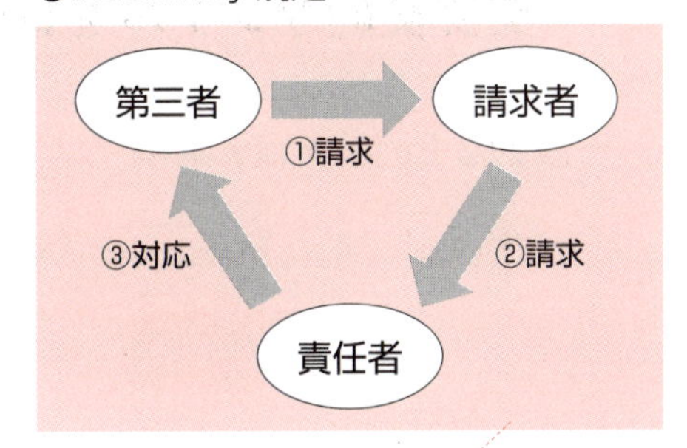

第三者からの請求が対象であり、Indemnity 規定が適用される場合、典型的に 3 者間で請求が 3 すくみ状態になる。

らが責任を引き受けるかという「危険の配分」を目的としたものであるため、むしろ第三者からの請求に対する責任がその本来的機能といえます。近時のIndemnity 条項は、当事者間の紛争にも適用されるように書かれており、第三者からの請求に関する部分は付属的な扱いになっているものも多いですが、米国の判例等では当事者間の紛争でなされる損害賠償請求は Indemnity 条項の行使ではないとする立場をとるものもあり、このことからも Indemnity 条項の本質が第三者からの請求を対象にしたものであることがわかります。

実際のケースとしては、契約の当事者が第三者から訴えられた場合に、当該当事者（補償請求者）が Indemnity 条項を根拠に契約の相手方（補償責任者）に訴えを起こし、第三者が求める損害の補償やその訴訟費用等を請求する形で使用されます。そのため、多くの場合、補償請求者及び補償責任者の間でどのように対応するのか（どちらが第三者からの訴訟を担当するか、訴訟をどのよう進めるか、訴訟費用はどちらが負担するか等）に関して詳細な手続規定が設けられるのも Indemnity 条項の特徴です。

4 英文契約サンプルをレビューしてみる

1 一般的なIndemnity条項

英文契約サンプルのIndemnity条項は以下のようになっています。

補償対象者　補償行為

7.1 General Indemnification.

Each party (the **"Indemnitor"**) shall indemnify, hold harmless and defend the other Party, its Group and their respective directors, officers, employees, agents, customers, suppliers and representatives (each, an **"Indemnitee"**) from and against any and all claims, demands, damages, losses, liabilities, costs, expenses and reasonable attorneys' fees due to, arising out of, caused by or in connection with the performance of this Agreement, regardless of negligence of the Indemnitee.

関連性・因果性　補償対象損害

7.1 一般補償規定

当事者（以下「補償責任者」という。）は、他方当事者、そのグループ、並びに、これらの取締役、役員、従業員、代理人、顧客、供給者及び代表者（以下「補償対象者」という。）に対して、補償対象者の過失の有無にかかわらず、本契約の履行を理由として、起因して、原因としてあるいは関連して発生した、請求、要求、損害、損失、責任、経費、費用及び合理的な弁護士費用について、補償し、保護し、防御する。

それでは、英文契約サンプルのIndemnity条項を見ていきましょう。一見して、Article VIIがIndemnity条項であることがすぐわかります。なぜなら、7.1条は「indemnity」「defend」あるいは「hold harmless」という語句を使用し、典型的なIndemnity条項の構成をとっているからです。

レビューの手順は、まず、Indemnity規定自体の構成要素である①補償行為、②補償対象者、③補償対象損害、④関連性・因果性が適切に選択・設定されているかを確認し、次に、⑤第三者請求に関する手続規定、及び、⑥補償責任の限定といった付属する規定を確認することになります。⑤及び⑥はあくまでIndemnity規定により補償責任が発生した場合にはじめて問題となる規定ですから、①ないし④が適切に選択・設定されており、補償責任が発生する要件が適切になっていれば（＝自身がミスをしたときに、それによって相手方（及び相手方と同視できる者）に生じた損害をのみを賠償する責任に限定されていれば）、⑤及び⑥自体はそれほどリスクのある規定ではありません。

上記のように、Indemnity条項は、自身に帰責性がない損害も補償の対象になり（補償対象損害の無制限性）、かつ、相手方以外の第三者に生じた損害も補償の対象になり（補償対象者の無制限性）、加えて、相手方以外の第三者からの請求も補償の対象になる（補償対象となる請求提起者の無制限性）という意味で、適切に対応しないとまったく予期しないような損害に対して補償責任を負わせられることになりかねません。そこで、レビューにおいては、「自身がミスをしたときに、それによって相手方に生じた損害をのみを賠償する責任」と限定的に修正することが極めて重要です。以下、問題となる部分を具体的に検討していきます。

(1) 補償行為

7.1条では、補償行為として、「indemnify」「hold harmless」「defend」が列挙されています。これはこのままでいいのでしょうか。

> Each party (the **"Indemnitor"**) shall indemnify, hold harmless and defend the other Party, its Group and their respective directors,

officers, employees, agents customers, suppliers and representatives (each, an **"Indemnitee"**) from and against any and all claims, demands, damages, losses, liabilities, costs, expenses and reasonable attorneys' fees due to, arising out of, caused by or in connection with the performance of this Agreement, regardless of negligence of the Indemnitee.

当事者（以下「補償責任者」という。）は、他方当事者、そのグループ、並びに、これらの取締役、役員、従業員、代理人、顧客、供給者及び代表者（以下「補償対象者」という。）に対して、補償対象者の過失の有無にかかわらず、本契約の履行を理由として、起因して、原因としてあるいは関連して発生した、請求、要求、損害、損失、責任、経費、費用及び合理的な弁護士費用について、補償し、保護し、防御する。

補償行為に関しては、「indemnify」「hold harmless」「defend」などの文言がよく使用されます。どれか一つだけの場合もあれば、これらが併記される場合もあります。問題は、これらの用語がそれぞれ異なる法的意味を有するかです。

この点に関しては、米国各州によって様々な判例や議論がありますが、一般的には「indemnify」と「hold harmless」は同じ意味であり、「defend」はこれらとは異なる法的意味を有すると理解されています。実務的にもこの理解で問題ありません。

「indemnify」及び「hold harmless」と「defend」の違いは、第三者から訴えが提起された場合に生じます。誤解を恐れずにわかりやすくいえば、文言上の手当てを特段しない場合、「indemnify」及び「hold harmless」は、第三者から訴えが起こされ、その結果（補償責任者の責めに帰すべき事由等により）補償対象者が敗訴して賠償義務を負うという損害を受けた場合に、補償責任者が当該損害を補償する責任を負うものです。一方、「defend」は、上記の損害を賠償することはもちろん、さらにその訴訟の帰趨にかかわらず、当該第三者からの訴えにかかる費用（具体的には弁護士費用等）を補償することを求められると理解されています（つまり、補償対象者が勝訴した場合にも、補償対象者が第三者から訴訟費用を回収できないときは、その費用について補償責任が発生すると考えられています）。つまり、Indemnity条項の規定ぶりにもよりますが、「defend」のほうが、補償対象者に対する第三者からの訴訟提起があった時点で当該訴えの帰趨にかかわらず訴訟費用の負担が発生するという厳しい責任であるといえます。特に米国では弁護士費用は巨額になることも珍しくないため注意が必要です。

図表6：defendとindemnify/hold harmlessの相違点

	defend, protect	indemnify, hold harmless, save
第三者が補償対象者に対して訴訟提起	訴訟費用負担の義務が発生。また、当該訴訟に関して補償対象者に代わって対応する義務が発生し得る。	—
補償対象者が訴訟で敗訴し支払義務を負う	適用なし	適用なし（ただし、hold harmlessの場合にはこの時点で支払義務が発生する可能性がある。以下「さらにもう一歩」参照）
補償対象者が敗訴による賠償額を実際に支払う	当該出損額や訴訟費用等を補償	当該出損額や訴訟費用等を補償

※ただし、実際には、Indemnify条項の規定内容によって、上記と異なる場合もある。たとえば、「defend」が使用されていても、補償対象者が第三者からの訴えで勝訴したときには責任が発生しないと規定すれば、責任は生じない。

さらにもう一歩

前述のとおり、一般的には「indemnify」と「hold harmless」は法的に同じ意味とされていますが、米国の州によっては、「hold harmless」のほうが「indemnify」よりも広いという解釈がとられる可能性があります。

すなわち、第三者からの請求等がされた時点で対応措置をとる責任が発生する「defend」と異なり、「indemnify」と「hold harmless」は、第三者による請求等の結果敗訴により生じた金銭的な負担を賠償するという点は共通であるものの、「hold harmless」のほうは前払いの義務まで含むという考え方です。

具体的にいうと、補償対象者において補償対象範囲内の損害として1万ドルの支払義務が発生した場合、支払期限到来前で実際に補償対象者が出損していない段階では何の義務も発生しませんが（あくまで補償対象者が支払いをした時点でそれを補償する義務であるため）、「hold harmless」の場合には当該1万ドル分を前払いする義務があると考えるのです。

もっとも、これはあまり一般的な考え方ではないとされていますし、補償のタイミングの問題にすぎないので、通常の実務ではそれほど気にする必要はありません。しかし、補償責任が実際に発生するリスクが高いような契約では留意しておくとよいでしょう。なお、「hold harmless」を「免責」と訳す例を見かけますが、「hold harmless」には「免責」の効果はなく、この訳は誤りです。

このように、「indemnify」に加えて「hold harmless」が記載されていても、両者は同じ意味なので、後者をあえて削除する必要はないと考えられます。

一方「defend」は、米国の州によっては、第三者から補償対象の損害を対象にする訴えがされた場合にその帰趨にかかわらず訴訟費用の補償が求められると解釈される可能性があります。

そこで、自身が補償責任を追及される立場（たとえば「売主」）であれば、以下のように修正することが考えられます。

Each party (the **"Indemnitor"**) shall indemnify, hold harmless ~~and defend~~ the other Party, its Group and their respective directors, officers, employees, agents, customers, suppliers and representatives (each, an **"Indemnitee"**) from ~~and against~~ any and all claims, …….

当事者（以下「補償責任者」という。）は、他方当事者、そのグループ、並びに、これらの取締役、役員、従業員、代理人、顧客、供給者及び代表者（以下「補償対象者」という。）に対して……について、補償し、保護~~し、防御~~する。

なお、併せて「against」を削除するのは、同文言が「defend」にかかっているからです。

また、「defend」を削除して、第三者からの訴えの訴訟費用負担を回避しようとする場合には、同時に第三者からの訴えにかかる手続規定も削除することが必要になります。なぜなら、第三者からの訴えにかかる手続規定には、同訴訟の帰趨にかかわらず、補償責任者が訴訟費用等を負担すべきとする規定が盛り込まれていることが多いためです。

さらに慎重を期して、以下のような文言を追加することも考えられます。

Each party (the **"Indemnitor"**) shall indemnify, hold harmless ~~and defend~~ the other Party, its Group and their respective directors, officers, employees, agents, customers, suppliers and representatives (each, an **"Indemnitee"**) from ~~and against~~ any and all claims,…… The parties agree that this indemnity provision does not include any obligation or duty to defend any claims, demands, cause of action, lawsuit or proceeding due to, arising out of, caused by…….

当事者（以下「補償責任者」という。）は、他方当事者、そのグループ、並びに、これらの取締役、役員、従業員、代理人、顧客、供給者及び代表者（以下「補償対象者」という。）に対して……について、補償し、保護~~し、防御~~する。当事者は、本補償条項が、……を原因とし、起因し、あるいは関連する請求、要求、訴え、訴訟あるいは手続に関してこれを防御し引き受ける義務を含まないことに合意する。

米国の州によっては、Indemnity条項が、単に第三者からの訴えによって生じた賠償額や訴訟費用の補償のみならず、第三者からの訴えを補償責任者が引き受けて自ら防御する義務まで含むと解される可能性があります。

これを回避したい場合は、上記文言により防御の引受けを明確に義務から排除することができます。この場合、第三者からの訴えにかかる手続規定において補償対象者が防御を義務付けられている場合には、これも削除する必要があります。

一方、自身が補償責任を追及する側（たとえば「買主」）に立つのであれば、特段修正せず、補償行為に関してはそのままでよいということになります。

なお、「indemnify」「hold harmless」「defend」以外にも、「save」や「protect」という文言が使用されることがあります。「save」は「indemnify」と同じ意味であり、「protect」は「defend」と同じ意味と考えて、通常の実務では差支えありません。

また、「indemnify」と似たものとして「release」という用語が、Indemnity条項の中で「indemnify」「hold harmless」「defend」と併記されていることがあります。

「release」と「indemnify」は機能がまったく異なり、「indemnify」が契約の相手方の損害を補償するもの（相手の損害に対してお金を払う義務）であるのに対して、「release」は相手方に対する自身の権利を放棄・免責するもの（自身の損害についてお金を請求できなくなるもの）です。つまり、後者の場合、契約の相手方が自身に対して損害を生じさせたとしても、それに対する損害賠償請求権・補償請求権を行使することができなくなるのです。

ですから、もし「indemnify, hold harmless, defend and release the other Party…」という文言を受け入れた場合には、自身は相手の損害に関して補償する責任を負う一方で、自身の損害に関しては相手に何も請求できないという「泣きっ面に蜂」のような状態になりますので、慎重に対応することが必要です。なお、「release」以外にも「discharge」や「relinquish」も「release」と同じ意味で使用されます。

(2) 補償対象者

次に、7.1条では補償対象者に契約の相手方以外の者が多く含まれていますが、これにはどのように対応すべきでしょうか。

Each party (the **"Indemnitor"**) shall indemnify, hold harmless and defend the other Party, its Group and their respective directors, officers, employees, agents, customers, suppliers and representatives (each, an **"Indemnitee"**) from and against any and all claims, demands, damages, losses, liabilities, costs, expenses and reasonable attorneys' fees due to, arising out of, caused by or in connection with the performance of this Agreement, regardless of negligence of the Indemnitee.

当事者(以下「補償責任者」という。)は、他方当事者、そのグループ、並びに、これらの取締役、役員、従業員、代理人、顧客、供給者及び代表者(以下「補償対象者」という。)に対して、補償対象者の過失の有無にかかわらず、本契約の履行を理由として、起因して、原因としてあるいは関連して発生した、請求、要求、損害、損失、責任、経費、費用及び合理的な弁護士費用について、補償し、保護し、防御する。

本条項を見ると、補償対象者には契約の相手方だけでなく、その関係者も列挙されていることがわかります。このように、Indemnity条項では、一般的な損害賠償責任規定とは異なり、補償対象者が契約の相手方だけではなく、その関係者まで含まれていることが多いです。これはIndemnity条項が「危険の配分」を目的にしているためです。

どこまでを補償対象者に含めるかは当該契約の取引内容や相手方との関係を考慮して決めることになりますが、補償対象者を無制限に広げるとリスクが無限に拡大し、想定外の場面で補償を求められる可能性もあります。

そのため、原則として補償対象者は契約の相手方に限定し、広げても契約の相手方のグループ（group）及び役員（director , officer）、従業員（employee）といった社内関係者に限定すべきでしょう（ただし、ここでのグループ（group）が本当に適切かについては第Ⅱ部 第7章②**3**参照）。

グループ及び役員、従業員は契約の相手方と同じ利害関係・目的意識を持っており、いわば運命共同体として行動・活動範囲等が契約の相手方と同視できるため、想定外の状況で補償を求められる可能性は低いためです（逆にいえば、グループ及び役員、従業員が損害を受けて補償を求めるような状況では、契約の相手方自身も同様に損害を受けている可能性が高く、いずれにせよ補償対応が必要になる状態に陥っていると思われます）。また、「危険の配分」という観点からも、当該契約関係に入った以上は、相手方と利害を共通にする運命共同体であるこれら第三者を補償対象に含めることは、合理的な危険の引受けと考えることができます。

一方、相手方のグループ及び役員や従業員以外の第三者は、よほどの理由がない限り、補償対象者から外したほうがよいです。契約の相手方の代理人（agents）、顧客（customers）、取引先や材料・サービスの供給者（suppliers）、代表者（representatives）といった第三者がこれに該当します。

これらの者は相手方の関係者であって、自身とは接点すらないことも多く、どのように取引に関わるのかわからないばかりか、契約の対象となる取引に関して契約の相手方と必ずしも利害関係等が一致しないこともあるため、どのような状況で補償を求められるか予測できないからです。たとえば、契約の相手方の顧客は、その属性だけでなく人数（契約の相手方の顧客の数）も含めて何の情報もないことが多く、このような部外者を補償対象者に入れることはリスクが高く避けるべきです。特に、小売業などでは契約の相手方の顧客は不特定多数の一般消費者であり、これを補償対象者に含めることが極めて危険であることはわかりやすいでしょう。また、そもそも、こうした無関係の第三者の危険を引き受けることの合理性も見い出しにくいといえます。

以上より、原則として補償対象者は契約の相手方に限定し、広げてもグループ及び役員、従業員といった社内関係者にとどめ、それ以外の第三者（契約の相手方の代理人、顧客、取引先や材料・サービス供給者、代表者）は削除すべきでしょう。

そこで、自身が補償責任を追及される立場（たとえば「売主」）であれば、以下のように修正することが考えられます。

【修正パターン①】

Each party (the **"Indemnitor"**) shall indemnify, hold harmless and defend the other Party its Group and their respective directors, officers, and employees, ~~**agents, customers, suppliers and representatives**~~ (each, an **"Indemnitee"**) from and against any and all claims,……

当事者（以下「補償責任者」という。）は、他方当事者、そのグループ、並びに、これらの取締役、役員及び従業員~~**、代理人、顧客、供給者及び代表者**~~（以下「補償対象者」という。）に対して……

ただし、例外的に、社内関係者以外の第三者を補償対象者に含めるべき場合もあります。

たとえば、自身が建設工事の下請業者として元請業者と契約する場合、発注元である注文者は、ここでいう契約の相手方（元請業者）の顧客にあたりますが、この注文者を補償対象者に含めることは通常よく行われています。注文者は、下請業者にとっても顔が見える存在であり、当該取引における重要な利害関係人として危険の引受けを行うことは合理的と考えられるからです。

また、製造チェーンが確立されており、一つの完成品を製造するのに特定の川上企業から川下企業までが組み込まれている場合に、川下企業が自身の直接の納入先ではない川上企業まで補償対象者にすることも、同様の理由からよく行われます（特に川下企業のミスにより製造チェーン全体に影響が出ることを考えれば、こうした補償はある程度必要性が認められます）。

このようなケースでは、例外的に社内関係者以外の第三者を補償対象者に含めざるを得ないことが多いですが、その場合でも、単に「顧客（customer）」という一般用語を使用して補償対象者に含めるのは避けるべきです。「顧客（customer）」だけでは用語として特定に不十分であり、想定外の第三者が含まれてしまう可能性があるからです。

そこで、もし補償対象とすべき顧客が名称等で特定できる場合には、可能な限りその名称を記載して特定すべきです。具体的には、以下のような修正になります。

【修正パターン②】

Each party (the **"Indemnitor"**) shall indemnify, hold harmless and defend the other Party and the Customer, and their ~~its~~ Group and their respective directors, officers, and employees~~, agents, customers, suppliers and representatives~~ (each, an **"Indemnitee"**) from and against any and all claims,……

The Customer shall mean XXXX Co., Ltd.

当事者（以下「補償責任者」という。）は、他方当事者及び本顧客、それらのグループ、取締役、役員及び従業員~~、代理人、顧客、供給者及び代表者~~（以下「補償対象者」という。）に対して……

本顧客とは、XXXX株式会社をいう。

なお、補償対象者のうち契約の相手方ではない（契約書に署名していない）第三者は、補償対象者に列挙されている場合でも、原則として当該補償を補償責任者に対して直接請求できる権利は有しないとされています。この場合、これら第三者が補償の請求を契約の相手方に対して行い（これはしばしば、契約の相手方に対する損害賠償請求という形になります）、これを受けて契約の相手方がIndemnity規定に基づき（これら第三者に代わって）請求することになります。ただし、ごく稀に、あえて補償対象者に列挙されている第三者が直接補償請求できるという規定を入れている場合もあり、その場合には直接権利行使されてしまいますので注意が必要です。

(3) 補償対象損害の範囲

次に、7.1条が規定する補償の対象となる損害の範囲を見てみましょう。

Each party (the **"Indemnitor"**) shall indemnify, hold harmless and defend the other Party its Group and their respective directors, officers, employees, agents, customers, suppliers and representatives (each, an **"Indemnitee"**) from and against any and all claims, demands, damages, losses, liabilities, costs, expenses and reasonable attorneys' fees due to, arising out of, caused by or in connection with the performance of this Agreement, regardless of negligence of the Indemnitee.

当事者(以下「補償責任者」という。)は、他方当事者、そのグループ、並びに、これらの取締役、役員、従業員、代理人、顧客、供給者及び代表者(以下「補償対象者」という。)に対して、補償対象者の過失の有無にかかわらず、本契約の履行を理由として、起因して、原因としてあるいは関連して発生した、請求、要求、損害、損失、責任、経費、費用及び合理的な弁護士費用について、補償し、保護し、防御する。

補償対象となる損害に関しては、本条のように「any and all claims, demands, damages, losses, liabilities, costs, expenses and reasonable attorneys' fees」という形で複数列挙されるのが通常です。

一般的にはあまり意識されませんが、これら列挙事由には、第三者によるclaims(訴訟)やdemands(請求)のように、まだ手続の段階にあるもの(以下「手続型補償対象」と呼びます)と、damages(損害)、losses(損失)、liabilities(責任)、

costs（経費）、expenses（費用）あるいはreasonable attorneys' fees（合理的な弁護士費用）といった、すでに金銭的な負担になっているもの（以下「損害型補償対象」と呼びます）の2種類が混在しています。

「手続型補償対象」は、第三者からの訴え等があれば、それに対して対応措置をとる義務である「defend」に結びつくものであり、「損害型補償対象」は、第三者からの訴え等の結果生じた金銭的な負担に対して賠償する「indemnify」あるいは「hold harmless」に結びつくものです。よって、本来の意味に忠実な記載にすると、「defend ……against all claims and demands and indemnify and hold harmless ……from all damages, losses, liabilities, costs, expenses and reasonable attorneys' fee」になりますが、実務上は混在させてもそれほど問題はありません。

「損害型補償対象」には、damages（損害）、losses（損失）、liabilities（責任）、costs（経費）、expenses（費用）あるいはreasonable attorneys' fees（合理的な弁護士費用）が典型的に列挙されます。この中で一番多額になり得るという観点から重要なのはdamages（損害）です。

ところが、「damage」はあいまいな文言であるため、含まれる損害の種類や範囲の決定が難しく、特に、懲罰的損害、結果損害、間接的損害あるいは機会損失損害までが含まれるかといった点が問題になります。何も記載しない場合には、予測可能性の有無という観点から補償対象となる損害の範囲が決められることになると思われますが、実際の裁判では個別具体的な事情に応じて判断されるため、どのくらいの額になるのかを事前に知ることが難しくなります。

そのため、「damages」に懲罰的損害、結果損害、間接的損害あるいは機会損失損害までが含まれるか否かを明確に規定する例が多くみられます。

また、costs（経費）、expenses（費用）あるいはreasonable attorneys' fees（合理的な弁護士費用）は、実際の金銭的な支払いがなされた場合の額であり、概念的な文言ゆえ法的解釈を必要とするdamages（損害）、losses（損失）及びliabilities（責任）に比べて、その範囲が問題になることは少ないといえます。このうち、reasonable attorneys' fees（合理的な弁護士費用）は、indemnity条項で明確に規定しておかなければ米国等における訴訟で勝訴しても賠償の対象にならないことが多いので、補償対象者からすれば入れておいたほうがよいでしょう。

また、マイナーな点ですが、costs（経費）とexpenses（費用）では、expenses（費用）のほうが広いと一般的に理解されています（たとえば訴訟を前提にした場合、costsは裁判所の訴訟費用等の外部サービスに対して支払った費用に限定されますが、expensesは訴訟のための旅費や専門家証人報酬費用、人件費といった本来勝訴した側が自身で負担しなければいけないような費用一般が含まれると考えられているようです）。ただ、実際には、costs（経費）とexpenses（費用）は併せて列挙されていることが多いため、実務上はあまり気にする必要がないといえます。

なお、一般的には、第三者からの訴えとの関係において、「damages」は賠償額を指し、訴訟費用（costs、expenses）や弁護士費用（reasonable attorneys' fees）は含まれないと考えられています。したがって、これらを補償対象にするには、「damages」と分けて入れておくことが重要です。

さらにもう一歩

Indemnity条項による補償について、「liability」に対する補償なのか、「damages」に対する補償なのかという分析がされることがあります。

「damages」に対する補償である場合には、補償対象者が実際に出損した場合にその出損額を賠償するものであって、補償対象者が自ら実際に支払いをするまで補償義務は発生しないとされます。

これに対して「liability」に対する補償である場合には、補償対象者において支払義務が確定した時点で補償義務が発生する（つまり、前払いをする義務が発生する）と考えます。感覚的には、damages、losses、costs、expensesあるいはreasonable attorneys' feesは「damages」に対する補償であり、judgmentsあるいはliabilitiesは「liability」に対する補償と整理できます。

補償責任者からすれば、「damages」に対する補償に限定したほうが有利になるとも考えられますが、通常のIndemnity条項ではliabilitiesが補償対象損害として列挙されており、この中からliabilitiesだけを削除するのは難しく、また、実際には「補償時期」の相違でしかないので、区別することにそれほど大きな意味はありません。したがって、通常の実務ではあまり意識しなくてもよいでしょう。

以上を踏まえると、自身が主に補償責任を追及される立場(たとえば「売主」)であれば、以下のように修正することが考えられます。

【補償責任を追及される立場からの修正：パターン①】

……from and against any and all claims, demands, damages, losses, liabilities, costs, expenses and reasonable attorneys' fees due to, arising out of, caused by or in connection with the performance of this Agreement, regardless of negligence of the Indemnitee, provided, however, that the Indemnitor shall not be liable for special, punitive, consequential, incidental or indirect damages, lost profit or business opportunity and internal administrative and overhead costs.

……補償対象者の過失の有無にかかわらず、本契約の履行を理由として、起因して、原因としてあるいは関連して発生した、請求、要求、損害、損失、責任、経費、費用及び合理的な弁護士費用について〔、補償し、保護し、防御する。〕ただし、補償者は、特別、懲罰的、結果、偶発的あるいは間接的損害、利益損失あるいは機会損失、内部的事務コストや人件費に関しては責任を負わないものとする。

あるいは、よりシンプルに以下のようにすることも考えられます。明確さという点では上記例のほうがよいですが、少なくとも間接損害や機会損失のような相手方が実際に出損したわけではない損害を排除するという議論を可能にするための最低限の修正と考えてください。

【補償責任を追及される立場からの修正：パターン②】

……from and against any and all claims, demands, and direct and actual damages, losses, liabilities, costs, expenses and reasonable attorneys' fees, in each case actually paid or payable by the Indemnitee, due to, arising out of, caused by or in connection with the performance of this Agreement, regardless of negligence of the Indemnitee.

……補償対象者の過失の有無にかかわらず、本契約の履行を理由として、起因して、原因としてあるいは関連して発生した、請求、要求、並びに、直接かつ実際の損害、損失、責任、経費、費用及び合理的な弁護士費用であって実際に補償対象者が支払ったかあるいは支払義務のあるものについて〔、補償し、保護し、防御する。〕

一方、自身が補償責任を追及する側（たとえば「買主」）に立つのであれば、あえて「damages」の範囲を限定する必要はありませんので、本条は当初のままでよいことになります。もっとも、「damages」とは別に訴訟費用（costs、expenses）や弁護士費用（reasonable attorneys' fees）がきちんと列挙されていることを確認するのは重要です。加えて、以下の文言を追加することも考えられます。

【補償を請求する立場からの修正：パターン①】

……from and against any and all claims, demands, settlement (including any payment funding and other expenditures in settlement), damages, losses, liabilities, costs, expenses and reasonable attorneys' fees due to, arising out of, caused by or in connection with the performance of this Agreement, regardless of negligence of the Indemnitee.

……補償対象者の過失の有無にかかわらず、本契約の履行を理由として、起因して、原因としてあるいは関連して発生した、請求、要求、和解（和解にかかる支払債務用の調達費用やその他の費用を含む。）、損害、損失、責任、経費、費用及び合理的な弁護士費用について〔、補償し、保護し、防御する。〕

これは、和解で支払われる額や費用を含める趣旨です。和解は訴訟での判決と異なり、当事者の交渉により内容が決まるものであるため、「補償責任の範囲ではない」と主張されるのを防ぐ必要があります。

また、取引の性質上、行政による調査など特殊な手続を補償対象にしたい場合には、その旨を明確にし、補償対象の損害に列挙することが重要です。一般的に補償対象として想定されているのは裁判所に実際に提訴された訴訟だけであり、裁判外の請求や、政府による調査・捜査といった行政手続は補償の対象外と解釈される可能性があるためです。この場合には、以下のように修正し、補償対象となる損害の範囲を広げるよう検討することになります。

【補償を請求する立場からの修正：パターン②】

……from and against any and all Claims~~claims, demands,~~ and damages, losses, liabilities, costs, expenses and reasonable attorneys' fees due to, arising out of, caused by or in connection with the performance of this Agreement, regardless of negligence of the Indemnitee. "Claims" shall mean all claims, requests, allegations, assertions, complaints, petitions, demands, actions, litigations, proceedings, governmental inquiries and investigations of any nature, and cause of action of any kind and description, including but not limited to any and all claims arising, in whole or in part, in tort, contract, statute, equity or strict liability.

……補償対象者の過失の有無にかかわらず、本契約の履行を理由として、起因して、原因としてあるいは関連して発生した、本請求、要求、損害、損失、責任、経費、費用及び合理的な弁護士費用について〔、補償し、保護し、防御する。〕「本請求」とは、すべての請求、要請、申立て、主張、上申、請願、要求、法的措置、訴訟、手続、その根拠を問わず政府によるすべての質問及び調査、すべての種類及び性質の法的措置をいい、これには不法行為法、契約法、成文法、衡平法及び厳格な責任にその全部又は一部を根拠とするすべての請求を含むが、これに限られない。

もっとも、政府の調査や第三者からの訴え、干渉があまり想定されないような取引であれば、このように修正する必要性は小さいといえます。

(4) 因果性

次に、7.1条では、下記のとおり補償対象となる損害等の範囲を決定する因果性に関して、「due to」「arising out of」「caused by」「in connection with」が使用されていますが、どう対応すべきでしょうか。また、単に「performance of this Agreement」としている点は問題ないでしょうか。

Each party (the **"Indemnitor"**) shall indemnify, hold harmless and defend the other Party, its Group and their respective directors, officers, employees, agents, customers, suppliers and representatives (each, an **"Indemnitee"**) from and against any and all claims, demands, damages, losses, liabilities, costs, expenses and reasonable attorneys' fees due to, arising out of, caused by or in connection with the performance of this Agreement, regardless of negligence of the Indemnitee.

当事者（以下「補償責任者」という。）は、他方当事者、そのグループ、並びに、これらの取締役、役員、従業員、代理人、顧客、供給者及び代表者（以下「補償対象者」という。）に対して、補償対象者の過失の有無にかかわらず、本契約の履行を理由として、起因して、原因としてあるいは関連して発生した、請求、要求、損害、損失、責任、経費、費用及び合理的な弁護士費用について、補償し、保護し、防御する。

因果性（関連性）とは、補償対象損害としてIndemnity条項で挙げられたもののうち、実際に補償の対象にするものを限定する要件です。通常は、「どのような理由によって生じた補償対象損害であるか」によって限定することになります。たとえば、「damages（損害）」であれば、それが、契約に関連して発生したdamageであればよいのか、あるいは、相手方の義務違反や過失行為によって生じたdamageであることが必要であるのかという基準です。

こうした因果性は、2つの点を確認することが必要です。一つは、因果性の対象となる原因事実が何か、すなわち、「何から発生した損害であれば補償対象になるか」（以下、便宜的に「原因事実の設定」と表現します）です。そして、もう一つは、どの程度強い因果性を求めるか（以下、便宜的に「因果性程度の設定」と表現します）、すなわち、原因事実に対してどの程度の因果性があれば補償対象になるのか（特定された原因事実が主たる要因であることが必要か、特定された原因事実とは別の事実が主たる要因であったとしても原因事実から派生して発生していれば足りるのか等）という点です。

「因果性程度の設定」には、「arising out of」「resulting from」「due to」「caused by」など様々な表現が使用され、このうち何が選択されているのかで判断することになります。また、「原因事実の設定」は、因果性を表す用語の後に続く原因事実として何が記載されているかで判断することになります。

【因果性程度の設定】
ここでどの用語が使用されているかで判断する

【原因事実の設定】
ここでどのような事実が記載されているかで判断する

……due to, arising out of, caused by or in connection with the performance of this Agreement……

……本契約の履行を理由として、起因して、原因としてあるいは関連して生じた……

a) 因果性の程度

「因果性程度の設定」では、補償対象の損害を特定するために、損害の原因となる行為とその結果である損害との関係性を説明する「due to」「arising out of」「caused by」「in relation to」「in connection with」といった語句が使用されます。あるいは、これらが並列的に記載されている場合もあります。

問題は、これらに違いがあるかです。一般的に、「due to」「arising out of」「caused by」は「～に起因して生じた」「～を原因として発生した」、「in connection with」「in relation to」は「～に関連して生じた」と訳されます。

後者の「in connection with」と「in relation to」は、損害等が原因となる行為等と「関連して」生じていれば補償対象とするものであって、両者の間に「因果性があること」を文言上厳密には求めておらず、補償対象を拡大させるものであるといえます。そのため、補償義務者になる可能性の高い契約の対象となる取引における物やサービスの提供者からすれば、できるだけ使用を避けるべきであるということになります。

では、前者の「due to」「arising out of」「caused by」はどうでしょうか。いずれも、「～に起因して生じた」「～を原因として発生した」と訳され、原因となる行為等と損害等との間に「因果性があること」を求めるという点では同じです。しかしながら、法律用語として見た場合、米国の判例等では、「arising out of」は「due to」や「caused by」に比べて要求される因果性が緩く、原因となる行為と結果である損害との間に直接的な因果性がない場合であっても要件を満たすと理解されています。すなわち、「arising out of」の場合には、原因となる行為等が損害等発生の端緒となっていれば足り、「due to」や「caused by」のように、どれだけ損害の発生に寄与したかという点は問われないと区別できます。したがって、「due to」や「caused by」に比べて補償対象を拡大するリスクのある「arising out of」は、補償責任を追及される側からすれば、できるだけ避けるべきということになります。

以上より、自身が補償責任を追及される立場（たとえば「売主」）であれば、次のように修正することが考えられます。

Each party…… shall indemnify, hold harmless and defend the other Party…… against any and all claims…… due to or, ~~arising out of~~, caused by or ~~in connection with~~ the performance of this Agreement.

当事者……は、他方当事者……に対して、補償対象者の過失の有無にかかわらず、本契約の履行を理由として、あるいは、~~起因して、~~原因として~~あるいは関連して~~発生した……

なお、実際には、因果性の語句の選択でここまで細かく吟味して修正する必要があるケースはそれほど多くないと考えます。

b) 原因事実

因果性の要件で重要なのは、「原因事実の設定」です。すでに述べたように、Indemnity条項は、日本の損害賠償責任規定が「契約当事者がミスをして相手方に損害を与えた場合に、その賠償責任を負わせる」というペナルティーの規定であるのと異なり、「危険の配分」を目的としているため、そもそも帰責性といった要素を当然には前提としていません。

したがって、記載されている条件を満たせば、当然に補償責任が発生するというのが原則であり、「原因事実の設定」において、補償責任者の帰責性が認められない事実が記載されている場合や補償責任者がコントロールできない事実が規定されている場合には、自身にまったく落ち度がない損害についても補償責任を負わされるリスクがあります。ですから、「原因事実の設定」には、必ず、自身に帰責性が認められる事実を入れ、「怖くない」規定にすることが重要になります。

たとえば、以下のような記載を加えることで、この目的が達成できます。

例1：過失行為等を記載する

……due to……any negligent act or omission by the Indemnitor……
(補償責任者の過失による行為ないし不作為を原因として……)

例2：契約義務違反行為を記載する

……due to……breach or violation by the Indemnitor of its obligation under this Agreement……
(補償責任者の本契約における義務違反を原因として……)

例3：法令違反行為を記載する

……due to any violation of the applicable laws by the Indemnitor……
(補償責任者による法令違反を原因として……)

例4：自身が供給する製品の瑕疵を記載する

……due to any defects in the Product supplied by the Seller under this Agreement……
(売主が本契約に基づき供給した製品の瑕疵を原因として……)

他にもパターンはありますが、重要なのは、「自身に帰責性がある事項」＝「自身がコントロールできる事項」に限定した内容にしておくことです。

なお、米国の州によっては、「negligence」などの帰責性文言が原因事実に入っていなくても、事実上その要素を読み込むような解釈がされることがありますが、英文契約では原則そこに記載されている文言が重視されること（特に企業間の契約の場合）を考えれば、実務上は、裁判所による解釈を期待するのではなく、あらかじめ明確な文言で、原因事実を補償責任者に帰責性がある場合に限定すべきです。

また、「regardless of negligence of the Indemnitee」という文言をこのまま残しておくと、補償対象者に過失があるようなケースでも補償責任を負うことになり得るため、併せて削除すべきです。

そこで、自身が補償責任を追及される立場（たとえば「売主」）であれば、以下のように修正することが考えられます。

……with breach or violation of the Indemnitor of its obligation under ~~the performance of~~ this Agreement, ~~regardless of negligence of the Indemnitee.~~

~~補償対象者の過失の有無にかかわらず、~~補償責任者の本契約における義務違反~~本契約の履行~~を理由として……

2 責任限定

(1) 英文契約サンプルの責任限定規定

7.2条には責任限定の規定が置かれています。そこでは、詳細に間接損害等を責任の範囲から除外していますが、こうした規定は必要でしょうか。

7.2 Limitation on Liability.

NOTWITHSTANDING ANYTHING TO THE CONTRARY SET FORTH HEREIN, IN NO EVENT WILL EITHER PARTY

BE LIABLE TO THE OTHER PARTY UNDER ANY THEORY OF TORT (INCLUDING NEGLIGENCE) , CONTRACT, STRICT LIABILITY OR OTHER LEGAL THEORY FOR PUNITIVE, SPECIAL, INCIDENTAL, INDIRECT OR CONSEQUENTIAL DAMAGES OR LOST PROFITS, LOST REVENUES, LOST BUSINESS OPPORTUNITIES OR LOST GOODWILL, IF THESE DAMAGES ARISE OUT OF OR IN RELATION TO THIS AGREEMENT. EACH OF THESE DAMAGES IS EXCLUDED BY THIS AGREEMENT, REGARDLESS OF WHETHER THE DAMAGES WERE FORESEEABLE OR WHETHER ANY PARTY OR ANY PERSON HAS BEEN ADVISED OF THE POSSIBILITY OF THE DAMAGES.

7.2　責任の限定
本契約における別段の定めにかかわらず、当事者は、他方当事者に対して、不法行為法（過失による不法行為を含む）、契約法、厳格責任又はその他の法的根拠に基づき、本契約に起因してあるいは関連して、懲罰的損害、特別損害、偶発損害、間接損害又は結果損害、利益損失、売上損失、機会損失、営業権の毀損が発生したとしてもこれらに関して一切の責任を負わない。これらの損害に対する責任は、それらが予測可能であったかどうかを問わず、あるいは、これらの損害の可能性についていずれかの当事者や人員が知らされていたかにかかわらず、本契約により排除される。

責任限定規定は重要な効果を有するため、上記のようにすべて大文字かつ太字にするなど特殊な文体で記載して強調するケースも多いですが、企業間の契約では通常の文体で記載しても問題ありません。なお、重大な過失(gross negligence)による損害や人身損害等に関しては、これらの責任制限は有効ではないと考えられているので注意が必要です。

レビューの際に悩ましいのは、こうした責任限定自体を設けるかどうかです。特に、自身が補償請求を受ける可能性が高い立場である場合（契約の対象となる取引において対価を受けて物やサービスを提供する売主等）に問題となります。

この点、責任限定規定がないとしても、ここで記載された「punitive, special, incidental, indirect or consequential damages or lost profits, lost revenues, lost business opportunities or lost goodwill」等が当然に補償の対象になるわけではないからです。あくまで、実際に何が補償対象になるかは裁判等を通じて判断されることになります。米国でも、補償責任における補償対象は契約時点で予測可能性のあった損害に限定されます（逆にいえば、「予測可能性」のあった「punitive, special, incidental, indirect or consequential damages or lost profits, lost revenues, lost business opportunities or lost goodwill」だけが補償の対象になります）ので、この責任限定規定がない場合でも、莫大な賠償責任が当然に発生するという事態にはなりません。また、米国での賠償責任を多額なものとする大きな理由の一つは、いわゆる懲罰的賠償責任（punitive damage）ですが、これは一般的に不法行為による損害に適用されるものであり、通常の取引契約における義務違反には（意図的な違反行為や重過失による違反行為といった悪質なケースを除き）原則適用されることがないため、契約によっては責任限定規定で排除しなくてもよいと割り切るのも一つの選択肢です。そもそも、懲罰的賠償責任（punitive damage）が適用されるような極端なケース（たとえば、品質に瑕疵があり、それにより一般消費者に傷害を負わせたケース等）では、こうした責任限定規定が有効に働かないという可能性が高いです。

このように考えると、発生する可能性のある損害を慎重に吟味することはもちろん必要ですが、責任限定規定がないような契約でも合意するという判断も十分にあり得ます。

なお、補償責任の限定に関しては、上記のように補償対象となる損害の性質に限定を加えるものと、具体的に補償金額に限定を加えるものがあり、両者の限定の仕方は異なります。

補償金額に限定を加えるパターンの責任限定規定でよく見られるのは、責

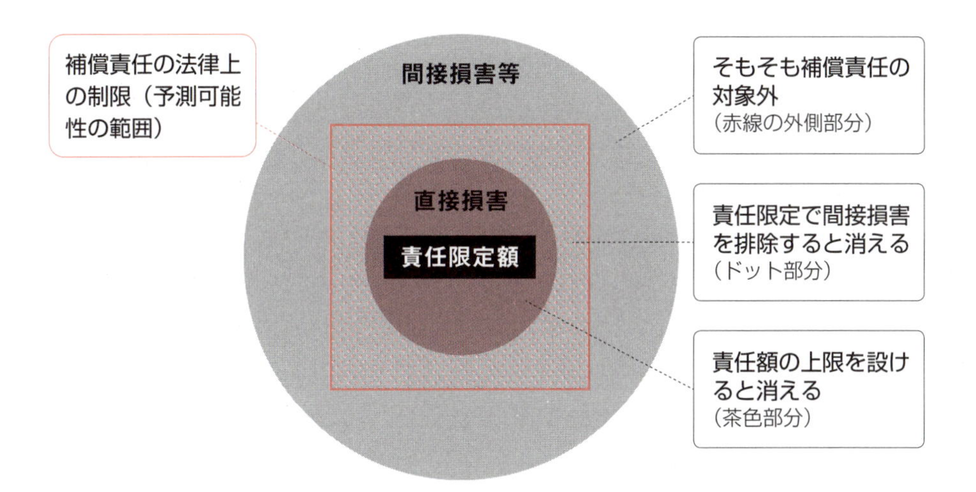

任の上限額（Capと呼ばれることが多いです）を定めるケースです。上限額の設定は、その対象となる損害の種類等にかかわらず、責任の範囲を明確に額で区切るため強い効果を持ちます。すなわち、補償責任の対象となる損害を直接損害に限定せず、間接的損害や機会損失等を排除しなかった結果、間接的損害として多額の損害が補償対象として認定されたとしても、上限額が定められていれば、それ以上は責任を負うことはありません。

どのような額を上限額として設定するのかは、取引の内容や当事者の交渉力によって決まります。なお、上限額規定による責任限定も、重大な過失（gross negligence）による損害や人身損害等については有効ではないと考えられています。

(2) 下限額の設定

上記とは反対に、補償責任に下限額（Basketと呼ばれることが多いです）が設定されることがあります。通常の取引契約ではあまり見られませんが、M&Aの売収契約など一部の特殊な契約で設けられます。

【1.1】 Indemnitor is not required to indemnify any Indemnitee

from any Losses until and unless the amount of all Loss alleged to be arising out from an individual claim exceeds $10, 000, in which case, Indemnitor shall be required to indemnify only for such amount of the Losses that exceeds $10, 000, but subject to Section 1. 2.
【1. 2】 Indemnifying Party shall not be required to indemnify Indemnitee from any Losses unless and until the aggregate amount of all Losses that would otherwise be indemnified pursuant to this Section 1. 1, exceeds $100, 000, in which case Indemnifying Party shall be obliged to indemnify Indemnitee only for such Losses exceeding $100, 000.

【1. 1】 補償責任者は、補償対象者に対して、個別の請求から生じていると主張される損害の額が10, 000ドルを超えない限り、補償する責任を負わず、各損害の額の総額が10, 000ドルを超えた場合、10, 000ドルを超えた部分についてのみ責任を負うが、ただし、1. 2条の制限が適用されるものとする。
【1. 2】 補償責任者は、1. 1条で補償対象となる損害の総額が100, 000ドルを超えない限り補償対象者に対して補償する責任を負わないが、100, 000ドルを超えた場合、その損害のうち100, 000ドルを超えた部分についてのみ補償する責任を負う。

これにより、補償対象の損害額が当該下限額に達しない限り、実際に補償を受けることはできないことになります。

下限額の規定にはいくつかの種類があります。

第一に、設定された下限額を超えた場合（たとえば、下限額を10, 000ドルに設定し、補償対象の損害が15, 000ドルであった場合）、①その全額を請求できるか（15, 000ドル請求できることになる）、それとも、②超えた額しか請求できないか（5, 000ドルのみ請求でき10, 000ドルは切り捨てられる）の2パターンに大別されます。

前者は一般的に First Dollar Basket（補償基準額）あるいは Tipping Basket（責任発生基準額）などと呼ばれ、後者は Basket Deductible（控除額）と呼ばれます。

【First Dollar Basket の例】

Indemnitor is not required to indemnify any Indemnitee from any Losses until and unless the aggregate amount of all Losses exceeds $10, 000 ("Thresholds"), in which case Indemnitor shall be required to indemnify for the aggregate amount of all such Losses, regardless of Thresholds.

補償責任者は、損害の総額が10, 000ドル（以下「下限額要件」という。）を超えない限り補償対象者に対して補償する責任を負わないが、10, 000ドルを超えた場合、下限額要件にかかわらず、その損害の全額につき補償する責任を負う。

【Basket Deductible の例】

Indemnitor is not required to indemnify any Indemnitee from any Losses until and unless the aggregate amount of all Losses exceeds $10, 000 ("Deductible"), in which case Indemnitor shall be required to indemnify only for such amount of the Losses that exceeds the Deductible.

補償責任者は、損害の総額が10, 000ドル（以下「控除額」という。）を超えない限り補償対象者に対して補償する責任を負わないが、10, 000ドルを超えた場合、その損害のうち控除額を超えた部分についてのみ補償する責任を負う。

第二に、複数の請求がある場合（1, 500ドルの請求が5個及び1, 000ドルの請求が

5個の合計12,500ドルの場合)、①下限額が各請求に個別に適用されるのか(下限額が1,500ドルに適用される基準として働き、たとえば、下限額が1,200ドルに設定されている場合は1,500ドルの請求はこの基準を満たし補償の対象になりますが、1,000ドルの請求はいずれも補償対象から外れることになります)、それとも、②請求の合計額に対して適用されるのか(下限額が請求の合計額である12,500ドルに対する基準として働き、下限額が10,000ドルに設定されていれば10個の請求全部が補償の対象になりますが、下限額が15,000ドルに設定されていれば10個の請求はすべて補償対象から外れることになります)という2通りの設定の仕方があります。

もしくは、この2つが重畳的に適用されるような規定の方法もあります。これは、まず各請求に個別に適用される下限額を設定し、それを超えた請求の合計額についてさらに別の下限額を設け、それを超えないと補償請求の対象にならないとするものです。

【個別の請求に対する基準額として使用される下限額の例】

Indemnitor is not required to indemnify any Indemnitee from any Losses until and unless the amount of all Loss alleged to be arising out from a Claim exceeds $10, 000, in which case ……

補償責任者は、補償対象者に対して、個別の請求から生じていると主張される損害の額が10,000ドルを超えない限り、補償する責任を負わないが……

【全部の請求に対する基準額として使用される下限額の例】

Indemnitor is not required to indemnify any Indemnitee from any Losses until and unless the aggregate amount of all Losses exceeds $10, 000, in which case ……

補償責任者は、補償対象者に対して、全損害の総額が10,000ドルを超えない限り、補償する責任を負わないが……

下限額の規定は通常の取引契約ではあまり見かけることはありませんが、もし契約に盛り込まれていたら要注意です。少なくとも一定の補償を受けられる上限額と異なり、下限額はその設定の水準が不適切に高い場合に一切の補償を受けられなくなる可能性があるからです。したがって、設定された下限額が契約の対象である取引から想定される損害額の水準に照らして適切なものかはもちろん、下限額の規定内容が上記いずれのパターンになっているかについても慎重に確認することが必要になります。

本問の条項を見ると、1.1条は「各損害の額の総額が10,000ドルを超えた場合、10,000ドルを超えた部分についてのみ責任を負う（in which case, Indemnitor shall be required to indemnify only for such amount of the Losses that exceeds $10,000）」となっており、Basket Deductibleタイプであることがわかります。

また、「個別の請求から生じていると主張される損害の額が10,000ドルを超えない限り（amount of all Loss alleged to be arising out from an individual claim exceeds $10,000）」とされていることから、下限額が各請求に個別に適用されていることがわかります。

さらに、10,000ドルを超えてもただちには補償請求できず、1.2条が重畳的に適用されることになります。そして、1.2条は、1.1条で補償請求できる額の合計額が100,000ドルを超えた場合に、その超過部分についてのみ補償対象になるとしています。すなわち、請求の合計額に対して適用するもので、1.2条もBasket Deductibleタイプであることがわかります。このように組み合わせで使用されると下限額の効果は大きくなります。

図表7は、1.1条と1.2条をFirst Dollar BasketもしくはBasket Deductibleのどちらにするかで場合分けし、それぞれの場合で控除がどのように働くかを整理したものです。

このように見ると、上記のケースでBasket Deductibleを使用すると補償額が大幅に減ることがわかります。したがって、自身が補償責任を追及する側に立つのであれば、以下のように修正することが考えられます。

図表7

1.1条	1.2条	例：個別で11,000ドルの訴訟が101件(総額1,111,000ドル)
〔First Dollar Basket〕補償責任は、一件あたり10,000ドルを超える場合その全額について請求でき、	〔First Dollar Basket〕かつ、当該請求の対象となる額が総額で100,000ドルを超えることを条件に、その全額について負うものとする。	補償額：1,111,000ドル (1件ごとで10,000ドルの条件をクリアしているため、11,000ドル全額が請求対象であり、かつ、その総計1,111,000ドルは総額の条件である100,000ドルを超えているため、その全額が補償対象)
〔First Dollar Basket〕補償責任は、一件あたり10,000ドルを超える場合その全額について請求でき、	〔Basket Deductible〕ただし、当該請求の対象となる額が総額で100,000ドルを超えることを条件に、その超過額部分についてのみ負うものとする。	補償額：1,011,000ドル (1件ごとで10,000ドルの条件をクリアしているため、11,000ドル全額が請求対象であり、総計1,111,000ドルとなるものの、総額で100,000ドルまでは控除されるため)
〔Basket Deductible〕補償責任は、一件あたり10,000ドルを超える場合にその超過額についてのみ責任の対象とし、	〔First Dollar Basket〕ただし、当該請求の対象となる額が総額で100,000ドルを超えることを条件に、その全額について負うものとする。	補償額：101,000ドル (1件ごとでは10,000ドルを超える1,000ドル部分のみが請求対象であり、かつ、その総計101,000ドルは総額の条件である100,000ドルを超えているため、その全額が補償対象)
〔Basket Deductible〕補償責任は、一件あたり10,000ドルを超える場合にその超過額についてのみ責任の対象とし、	〔Basket Deductible〕かつ、当該責任の対象となる額が総額で100,000ドルを超えることを条件に、その超過額部分についてのみ負うものとする。	補償額：1,000ドル (1件ごとでは10,000ドルを超える1,000ドル部分のみが対象。しかも、1件あたりの責任対象となる額1,000ドルの総計は101,000ドルであり、総額での足きり額100,000ドルで全額控除される結果、残るのは1,000ドルとなる。)

【1.1】 Indemnitor is not required to indemnify any Indemnitee from any Losses until and unless the amount of all Loss alleged to be arising out from an individual claim exceeds $10, 000, in which case ~~**Indemnitor shall be required to indemnify only for such amount of the Losses that exceeds $10, 000**~~ Indemnitor shall be required to indemnify for the aggregate amount of all such Losses, but subject to the Section 1. 2.

【1.2】 Indemnifying Party shall not be required to indemnify Indemnitee from any Losses unless and until the aggregate amount of all Losses that would otherwise be indemnified pursuant to this Section 1. 1, exceeds $100, 000, in which case ~~**Indemnifying Party shall be obliged to indemnify Indemnitee only for such Losses exceeding $100, 000**~~ Indemnitor shall be required to indemnify for the aggregate amount of all such Losses.

【1.1】 補償責任者は、補償対象者に対して、個別の請求から生じていると主張される損害の額が10,000ドルを超えない限り、補償する責任を負わず、各損害の額の総額が10,000ドルを超えた場合、~~**10,000ドルを超えた部分についてのみ責任を負う**~~その損害の全額につき補償する責任を負うが、ただし、1.2条の制限が適用されるものとする。

【1.2】 補償責任者は、1.1条で補償対象となる損害の総額が100,000ドル（以下「控除額」という。）を超えない限り補償対象者に対して補償する責任を負わないが、100,000ドルを超えた場合、~~**その損害のうち100,000ドルを超えた部分についてのみ補償する責任を負う**~~その損害の全額につき補償する責任を負う。

このようにすれば、上記のケースで補償責任額が控除されることはありません。もちろん、10,000ドルや100,000ドルといった下限額がそもそも適切なのかは、契約の対象となっている取引のリスクに照らして慎重に検討することが必要です。

この場合、下限額は取引自体の規模ではなく、取引にかかるリスクの規模・種類と比べることが重要です。取引規模が1億ドルであれば下限額10,000ドルは少額なので問題ないと考えるのは誤りです。1億ドルの取引でも、その取引でのリスク（製品の瑕疵など補償請求が発生する可能性が高いリスク）を考慮する必要があります。たとえば、「1件あたり5,000ドル程度の請求が多数発生する」というような場合には、1億ドルの取引でも下限額は5,000ドル以下に設定すべく検討する必要があります。

逆に、想定される請求が1,000,000ドル程度の大きな訴訟1件のみということであれば、下限額はFirst Dollar Basket、Basket Deductibleいずれであってもさほど影響はないことがわかります。

さらにもう一歩

補償額の限定のうち、「上限額」はその趣旨・目的が明確です。契約違反に対する責任に関して青天井とするのではなく、上限額を設けることで当事者が当該取引で負う可能性のある最大限のリスクを判然とさせ、当事者に安心感を与えるためのものです。つまり、その目的は「リスクの分担」です。補償を受ける側としても、限定的ではあるものの、設定額までは補償を受けられることが前提になっているため、上限額に納得感があればそれほど不合理なものではありません。

一方、「下限額」の場合は、設定額に達するまでは補償対象の損害といえども一切補償を受けられないため、補償を受ける側としては、損害を負っても諦めることを強要されるのであって、そこに合理性を見い出すことは難しいといえます。実際、下限額規定の趣旨・目的は明確ではありません。一般的には、少額の補償請求にいちいち対応することのコストと手間、及び、こうした請求の乱発による無駄の防止が目的と説明されますが、これは補償責任を負う側の手間だけを考慮したものであり、あまり筋の通った目的とは思えません。また、このような少額補償請求の煩雑さを避けることが趣旨であれば、下限額規定のうち、下限額以下の額を自動的に補償対象から控除するBasket Deductibleは、本来の趣旨から外れているといえます。細かい請求を防止するために設定された基準である下限額を超えれば、当該請求は防止すべき「細かい請求」ではなくなるため、その全額を請求できるのが筋といえるからです。下限額という基準を超えた場合に、当該額以下の額を補償対象から控除することに論理的な理由を見い出すことは困難です。

それにもかかわらず、M&A契約等で下限額が設定される場合は、Basket Deductibleとして定められることが多いように思われます。本来の趣旨から離れて機能だけが独り歩きしているわけです。現在ではBasket Deductibleが下限額のスタンダードになりつつありますが、本来の趣旨を念頭に置けば、下限額規定をBasket DeductibleではなくFirst Dollar Basketに変えるよう交渉することにも十分な意味があるでしょう。

3 第三者の訴え規定

英文契約サンプル7.3条には、第三者が契約の当事者を訴えた場合の規定が入っています。第三者による訴えの提起によりどのような責任が発生するかというのは、日本にはあまりない概念です。

重要なのは、自身がどこまでコントロール・関与する権利を持っているかを押さえることです。以下、具体的に見ていきます。

7.3　Indemnification Procedure.

Whenever any claim shall arise for indemnification under this Section 7:

(a)　the Indemnitee shall promptly notify the Indemnitor in writing of the claim and, when, known, the facts constituting the basis for such claim provided, however, that the failure to timely provide such notice shall not release the Indemnitor from its obligations under this Section 7 except to the extent that the Indemnitor is actually prejudiced by such failure. The notice shall specify the amount or an estimate of the amount of the claim (if known or capable of estimation at such time);

(b) in connection with any claim by a third party giving rise to or the commencement of any proceeding that may give rise to indemnity under this Section 7, the Indemnitor may, upon written notice to the Indemnitee, assume the defense of any such third party claim or proceeding, and thereafter conduct the defence thereof at its own expense. If the Indemnitor elects to defend such third party claim or proceeding, the Indemnitee shall make available to the Indemnitor or its representatives all records and other materials reasonably required by them for use in contesting such third party claim or proceeding and shall cooperate fully with the Indemnitor in the defence thereof. No Indemnitee will be liable with respect to any compromise or settlement of any third party claims or proceedings effected without its consent;

(c) if the Indemnitor does not assume the defense of such third party claim or proceeding within 30 days after giving notice under Section 7.2 (a) or does not thereafter conduct such defense, the Indemnitee may defend against such third party claim or proceeding in such manner as it may deem appropriate.

7.3 補償手続

第7条による補償請求が発生した場合、

(a) 補償対象者は、補償責任者に対して速やかに、当該請求があったこと及び当該請求を基礎付ける事実についてはそれが確認できた時点でその内容を書面で連絡する。ただし、速やかにこれらを連絡しなかった場合でも、それにより補償責任者の権利が実際に害されるような場合を除き、補償責任者は第7条に基づく義務を免れない。当該連絡にあたっては当該請求で求める賠償額あるいはその見積りを（わかった時点あるいは見積りができるようになった時点で）記載する。

(b) 第7条による補償の対象となり得る第三者による請求や手続の開始がなされた場合、補償責任者は、補償対象者に書面で通知することで、自身の負担において、当該請求や手続に対する防御を引き受けて遂行することができる。補償責任者が第三者の請求や手続で防御することを選択した場合、補償対象者は補償責任者あるいはその代表者に対して当該請求あるいは手続で争ううえで合理的に必要になると考えられるすべての記録その他の資料を利用可能にし、当該防御において補償責任者に対して全面的に協力する。補償対象者は、これらの第三者の請求や手続に関する和解や示談について自身の同意なく行われた場合には一切責任を負わない。

(c) 補償責任者が第三者による請求や手続について7.2条 (a) の通知がされてから30日以内に防御することを引き受けなかった場合、あるいは、防御を実際に行わなかった場合、補償対象者は当該請求や手続について自ら適切と考える方法で防御をすることができる。

Indemnity条項では、第三者からの補償対象者に対する訴え等も補償の対象になりますが、第三者からの訴え等の「結果」として発生した損害を補償する責任だけではなく、第三者からの訴え等がなされた場合の対応ルールについて、長く複雑な手続規定が設けられることが多いです。

この場合には、第三者から訴えが起こされた時点で何らかの対応義務が発生することになりますので、慎重な対応が必要です。補償義務の対象となる

図表8

補償対象行為	第三者の訴え手続規定	補償責任の範囲
indemnifyやhold harmlessのみでdefendはなし	なし	補償対象者が第三者の訴えで「敗訴」した「その判決の後」で、それにより負担した額の「賠償責任」。
	あり	第三者から補償対象者に対して「訴えがあった時点」で「防御する義務」が発生。訴訟遂行費用の負担に関しては第三者の訴え手続規定次第。
defendあり	なし	第三者から補償対象者に対して「訴えがあった時点」で「結果にかかわらず」訴訟遂行費用の「賠償責任」が発生。実際に自ら防御する義務まではない可能性大。
	あり	第三者から補償対象者に対して「訴えがあった時点」で「防御する義務」が発生。「結果にかかわらず」訴訟遂行費用の負担が発生する可能性大。

原因事実を自身に帰責性があるものに限定したとしても、第三者が補償対象者に対して訴えを起こし、その訴えの中で補償責任者自身の帰責性に関する事実が「主張」されていた場合には、第三者の訴えにかかる手続規定により、対応を強いられる（対応義務が生じる）可能性があるためです。すなわち、補償責任者は、第三者の補償対象者に対する訴えの結果を待ってから対応するということはできず、自身に帰責性があるか否かの判断がなされる前に巻き込まれ得るということです。これは、補償行為に「defend」や「protect」が含まれていなくても同様です。

補償行為と第三者の訴えにかかる手続規定の組み合わせは様々なパターンがあり、また、一律には論じえない部分も多いですが、大まかに整理すると、**図表8**のようになると考えて実務上は差支えないでしょう。

また、第三者の訴えにかかる手続規定には半ページ程度のシンプルなものから数ページに及ぶかなり作り込まれたものまでありますが、一般的には**図表9**に示した項目が盛り込まれます。

図表9

① **第三者から訴えがあった場合の補償責任者への通知**
② **防御責任者の決定手続** 第三者からの訴えについて補償責任者と補償対象者のどちらが防御を引き受けるかを決める手続です。これには、補償責任者が引き受けて防御する義務を負い、かつ、権利もあるとするパターンと、補償対象者が防御を自ら行う権利を有し、かかる権利を行使しない場合には補償責任者が防御を行う義務を負う（この場合でも補償対象者が参加権を有する場合が多いです）とするパターンがあります。
③ **弁護士の選任手続** 防御を担当する当事者が選ぶ弁護士に対して、もう一方の当事者が意見を述べる権利等が規定されます。
④ **和解手続** 第三者との訴えに関して和解をするにあたって、防御を担当していない当事者が同意する権利等が規定されます。和解は、紛争当事者でその内容をある程度自由に決めることができますが、これを防御を担当している当事者が一方的に決めると、他方当事者が予期しない不利益を受ける可能性があるため、通常は他方当事者の同意を求められることが多いです。
⑤ **その他** 第三者からの訴えに対する補償責任者と補償対象者の協力義務や、手続で規定されている義務に違反した場合の効果（たとえば、補償責任者に防御する義務が規定されていたにもかかわらずこれを拒否した場合の効果など）等が規定されます。

(1) 第三者の訴えに対する自身のコントロール・関与する権利を確認する

これらの規定に対してどのように対応するかは、具体的な状況に応じて判断せざるを得ません。特に重要なのは、**図表9②**の補償責任者と補償対象者のどちらに第三者に対する防御を引き受ける権利・義務があるかという点と、④の和解の同意権です。

前者に関しては、第三者から補償対象者に対する訴えの防御について、補償責任者が自らの負担で引き受ける権利があるとされるケースが多いです。裏を返せば、補償責任者が防御することを選択した場合、補償対象者は第三者からの請求があっても自ら防御する機会がないという結果になります。

もっとも、訴訟費用及び敗訴した場合の賠償責任までを防御を担当する補償責任者が負担するため、補償対象者は金銭的な負担がなく、このようなアレンジでも問題ないことが多いです。ただし、実際には、訴訟での責任原因は様々な要因が絡まりあうことが多く、完全に補償責任者による防御に任せてしまってよいか微妙なケースもあるので、補償対象者において自ら防御を担当する権利も確保し、その訴訟の帰趨に応じて、訴訟費用と敗訴時の賠償金を補償責任者に請求するほうがよい場合もあり得ます。また、日本企業ではたまに見られますが、自らに対して起こされた訴訟を自身で防御できないという状況は受け入れにくいという事情もあります。そのため、第三者から補償対象者に対して訴えがあった場合、補償対象者が自ら防御するかどうかを決定する権限を持ち、自ら防御しないと判断した場合にのみ、補償責任者が防御を引き受ける義務が発生するという内容に修正することが考えられます。

次に、後者の和解に関しては、第三者からの訴えに対応するのが補償対象者か補償責任者であるかを問わず、実際に防御をしていない当事者に和解に対する同意権があることを確認しなければなりません。なぜなら、訴訟における裁判所あるいは仲裁人による判断（敗訴・勝訴）は、中立的な第三者により訴えの中で特定された請求の範囲内でのみ行われるため、敗訴したときにどのような責任を負うことになるのかについて予測可能性がある一方、和解の場合には、当事者の合意でいかようにも内容を決められるため、結果に対する予測が難しいからです。

補償対象者からすると、訴えの結果がどのような内容になっても、補償責任者がそのすべてを負担するのであればリスクがないように思えますが、たとえば、補償責任者が謝罪広告を行う和解に応じ、補償対象者が知らないうちに自分の名前で謝罪広告が出てしまう場合など、想定を超える非金銭的な負担を受けることがあります。こうしたことがないように、第三者の訴えにおける和解については、補償対象者と補償責任者のどちらが防御を担当しているかにかかわらず、両者の合意を求める内容になっているかを確認することが重要なポイントになります。

この点、英文契約サンプルの7.3条を見ると、第三者からの請求があった場合、(b) 項により補償責任者に防御を引き受ける権利が付与されているのがわかります。そして、(c) 項を見ると、補償対象者は補償責任者が防御を引き受けなかった場合に限り自ら防御をすることになっています。

(2) 7.3条の文言を確認する

上記の手続を順にレビューしていきましょう。

まず、(b) 項で補償責任者が防御を引き受けた場合の手続が記載されており、その際に補償対象者が協力すべきこと、そして、補償対象者が和解をする際には補償対象者の同意を得るべきことが規定されています。これで大体のことはカバーされていますが、一点、補償責任者が遂行する訴訟での防御活動に対して補償対象者が参加する権利が抜けています。これは最低限入れておいたほうがよい規定です。すなわち、補償対象者が基本的にその費用や結果としての賠償責任を負担するとしても、当該訴訟の名宛人はあくまで補償対象者である以上、手続に参加できる権利は手続の監視という意味でも重要だからです。

したがって、(b) 項は以下のように修正することが考えられます。

【(b) 項の修正パターン①】

(b) in connection with any claim by a third party giving rise to or the commencement of any proceeding that may give rise to indemnity under this Section 7, the Indemnitor may, upon written notice to the Indemnitee, assume the defense of any such third party claim or proceeding, and thereafter conduct the defense thereof at its own expense. If the Indemnitor elects to defend such third party claim or proceeding, the Indemnitee shall make available to the Indemnitor or its representatives all records and other materials reasonably required by them for use in contesting such third party claim or proceeding and shall cooperate fully with the Indemnitor in the defense thereof. Notwithstanding such election, the Indemnitee may participate in any proceedings with counsel of its choice at its own expense. No Indemnitee will be liable with respect to any compromise or settlement of any third party claims or proceedings effected without its consent.

(b) 第7条による補償の対象となり得る第三者による請求や手続の開始がなされた場合、補償責任者は、補償対象者に書面で通知することで、自身の負担において、当該請求や手続に対する防御を引き受けて遂行することができる。補償責任者が第三者の請求や手続で防御することを選択した場合、補償対象者は補償責任者あるいはその代表者に対して当該請求あるいは手続で争ううえで合理的に必要になると考えられるすべての記録その他の資料を利用可能にし、当該防御において補償責任者に対して全面的に協力する。補償責任者によるかかる選択にかかわらず、補償対象者は自身で選んだ弁護士により自身の負担で当該手続に参加することができる。補償対象者は、これらの第三者の請求や手続に関する和解や示談について自身の同意なく行われた場合には一切責任を負わない。

また、細かい点になりますが、本条では、防御を引き受けた補償責任者が和解をしようとした場合に補償対象者の同意を必要としています。しかし、すべてのケースで補償対象者の同意を要求するのは過剰であると主張されることも考えられます。補償責任者が金銭的責任を負うのであれば、そうした和解によって補償対象者に不利益はないはずであり、逆に補償対象者が同意を留保することで紛争解決がいたずらに引き延ばされるのは避けたいからです。

この場合、「which shall not be unreasonably withheld」を末尾の「consent」の後ろに追加することで妥協を図ることもありますが、実際に懸念されるのは、和解の内容が謝罪広告のような非金銭的義務を内容にしている場合であるため、以下のように同意を要する和解を特定するという修正方法も考えられます。

【(b) 項の修正パターン②】

No Indemnitee will be liable with respect to any compromise or settlement of any third party claims or proceedings effected that includes any obligations of the Indemnitee other than the payment of money by the Indemnitor on its behalf without its consent.

補償対象者は、これらの第三者の請求や手続に関する和解や示談であって、補償責任者が補償対象者に代わって支払いを行うという内容の金銭支払債務以外の義務を内容とするものについて自身の同意なく行われた場合には一切責任を負わない。

では、(c) 項はどうでしょうか。ここでは、補償責任者が防御を引き受けず、補償対象者が防御を遂行する場合を規定しています。

この場合、補償責任者が訴訟費用を負担すべき旨を明記することが考えられます。確かに、7.1条で訴訟費用も補償対象になっていますが、訴訟の結果勝訴した場合（特に、補償責任者の帰責性が認められなかった場合）にまで訴訟費用を補償責任者に請求できるか、7.1条の記載だけでは不明確だからです。

また、補償対象者主導の和解については、補償責任者の同意を要件としないと補償対象者がすべての責任を補償責任者に押し付けられるというモラルハザードが生じます。そこで、補償責任者の最低限の同意を要件とする修正を行うことが考えられます。

【(c) 項の修正パターン】

(c) if the Indemnitor does not assume the defense of such third party claim or proceeding within 30 days after giving notice under Section 7. 2 (a) or does not thereafter conduct such defense, the Indemnitee may, at the Indemnitor's cost, defend against such third party claim or proceeding in such manner as it may deem appropriate; provided, that the Indemnitee shall not settle or compromise any third party claim or proceeding without the consent of the Indemnitor, whose consent shall not be unreasonably withheld or delayed.

(c) 補償責任者が第三者による請求や手続について7. 2条 (a) の通知がされてから30日以内に防御することを引き受けなかった場合、あるいは、防御を実際に行わなかった場合、補償対象者は、補償責任者の負担で、当該請求や手続について自ら適切と考える方法で防御をすることができる。ただし、補償対象者は当該請求や手続において補償責任者の同意なく和解ないし示談を行ってはならないものとし、この場合、補償責任者は不合理に当該同意を留保したり遅らせたりしてはならない。

4 個別条項内のIndemnity

英文契約サンプルを見ると、8. 1条は以下のような内容になっています。

8. 1 No Infringement.

Seller warrants and assures to Buyer that the Products or any other goods sold or delivered by Seller to Buyer under this Agreement shall not infringe or violate the intellectual property rights of a third party. Seller shall save, indemnify, defend and hold harmless Buyer from all claims, losses, damages or cost (including attorney's fees) arising out of, any alleged infringement of any intellectual property of a third party except where such infringement arises from Buyer's instruction.

8.1　侵害のないこと

売主は、買主に対して、本製品又は本契約に基づき売主が買主に販売し納入したその他の物品が第三者の知的財産権を侵害していないことを保証する。売主は、買主に対して、第三者の知的財産権を侵害したとの主張に起因するすべての請求、損失、損害、又は費用（弁護士費用を含む。）につき補償し防御し保護する。ただし、かかる侵害が買主の指示によって生じた場合はこの限りではない。

補償を規定したArticle Ⅶとは別に規定されていますが、後段を見ると「save, indemnify, defend and hold harmless」という文言が入っており、補償条項であることがわかります。このように、一般的なIndemnity条項とは別に、各条項の中にIndemnity規定が入っていることがあるので見逃さないようにすることが重要です。また、こうした個別条項に入っているIndemnity規定は、特定の義務に結びついていることが多く、また、特殊な形になっていることもあるので注意が必要です。なお、本条の前段は表明保証の条項です（第Ⅱ部 第4章参照）。

補償義務を負う可能性の高い売主の立場で検討すると、一般のIndemnity条項で説明したように、補償行為の「defend」は削除すべきか、補償対象損害のうち「attorney's fee」を「reasonable attorney's fee」にすべきか、「arising out of」をより強い因果性が求められる「due to」に変更すべきかといった細かい点は目につきますが、それほど大きな問題はなさそうです。

また、重要な要素である原因事実を見ると、単に契約に付随して発生した損害というリスクの高い記載ではなく、第三者の知的財産権の侵害もしくはこの契約での表明保証違反に限定されており、こちらも問題なさそうに見えます。

ただ、一点気になるのは「alleged」です。この「alleged」は「infringement of any intellectual property of a third party」にかかっているかどうかという問題はありますが、いずれにせよ、「alleged」は「主張されている」という意味であって、その主張が正しかったかどうかの判断が出る前の段階であることを示唆しています。

そうすると、ここでの補償責任は、契約の相手方が第三者から知的財産権侵害で訴えられて敗訴した場合にその損害等を補償するだけではなく、同訴えを提起された時点で責任が発生し、たとえば、契約の相手方が勝訴した場合でも訴訟費用を補償する責任を負う可能性が高くなります。実際には、本章で見たように、「defend」の文言解釈や補償手続規定(英文契約サンプル7.3条)があることをどのように解釈するかによりますが、知的財産権侵害等がなかった場合には責任を負わないことを明確にするには、「alleged」は削除したほうがよいということになります。

第6章 一般条項（Miscellaneous 条項）の注意点

この章では、一般条項（Miscellaneous 条項）を扱います。これは、どのような類型の契約にも共通する一般的なルール・手続を定めたものです。

1 Miscellaneous 条項を見つける

ARTICLE I：DEFINITIONS ……(4)
  1.1 Definitions ……(4)
ARTICLE II：
TERM OF AGREEMENT ……(9)
  2.1 Term ……(9)
  2.2 Early Termination ……(9)
ARTICLE III：INDIVIDUAL
AGREEMENTS ……(9)
  3.1 Scope of Agreement ……(9)
  3.2 Individual Agreement
    Procedures ……(10)
  3.3 Forecast ……(10)
  3.4 Capacity allocation ……(10)
  3.5 Similar Products ……(11)
  3.6 Most Favored Status ……(11)
ARTICLE IV：DELIVERY, TITLE
TRANSFER, ACCEPTANCE ……(11)
  4.1 Delivery ……(11)
  4.2 Acceptance ……(12)
  4.3 Late delivery ……(13)
  4.4 Delivery and Risks ……(13)
ARTICLE V：REPRESENTATIONS
AND WARRANTIES ……(14)
  5.1 General Representations and
    Warranties ……(14)
  5.2 Product Related Warranties ……(16)
  5.3 Survival ……(17)
ARTICLE VI：
BILLING AND PAYMENT ……(17)
  6.1 Price ……(17)
  6.2 Invoice ……(18)
  6.3 Funds ……(18)
  6.4 Past Due Payments ……(18)
  6.5 Disputed Invoices ……(19)
  6.6 Netting of Payments ……(19)
  6.7 Audit ……(19)
ARTICLE VII：
INDEMINIFICATION ……(20)
  7.1 General Indemnification ……(20)
  7.2 Limitation on Liability ……(20)
  7.3 Indemnification Procedure ……(21)
ARTICLE VIII：INTELLECTUAL
PROPERTY RIGHTS ……(22)
  8.1 No Infringement ……(22)
  8.2 Relevant Inventions ……(22)
ARTICLE IX：CONFIDENTIALITY …(23)
  9.1 Confidentiality ……(23)
  9.2 Return ……(23)
ARTICLE X：FORCE MAJEURE ……(23)
  10.1 Suspension of Obligations ……(23)
  10.2 Due Diligence ……(24)

ARTICLE XI：MISCELLANEOUS ……(24)
  11.1 Assignment (24)
  11.2 Severability (25)
  11.3 Amendment (25)
  11.4 Entire Agreement (25)
  11.5 Notice (25)
  11.6 Existing Agreements (26)
  11.7 No waiver (26)
  11.8 Dispute Resolution (26)
  11.9 Governing Law (27)
  11.10 Cumulative Remedies (27)
  11.11 Counterparts (27)
  11.12 Headings (27)
  11.13 No Third Party Beneficiaries (28)
  11.14 Language (28)
  11.15 No Partnership (28)
  11.16 No License ……(28)
  11.17 No Change ……(28)

Miscellaneous 条項の表題には、「Miscellaneous」や「Other Agreements」などがよく使用されます。

ほぼすべてのケースで契約の一番最後にくるので見つけるのは容易ですが、もう一つの特徴は、契約の両当事者双方に適用される内容になっているということです。契約中のその他の条項は、契約のどちらか一方のみを名宛人としているものがほとんどであり、たとえば、「Seller shall ...」や「Buyer shall

…」といったように当事者のどちらかのみが主語となっていますが、Miscellaneous条項では「Each party shall …」や「The party shall …」のように当事者双方に同じように適用される形（あるいは、主語に当事者を入れず受動態にする等）になっています。したがって、この点もMiscellaneous条項を見分けるうえで一つの基準になります。

英文契約サンプルでは、その表題が「Miscellaneous」となっていることから、上記ハイライト部分であるArticle XIがMiscellaneous条項とわかります。レビューの手順を見ていきましょう。

2 レビューの視点

Miscellaneous条項は、多くの場合、いくつかの条文から構成されています。どのような条文が盛り込まれるかは契約によって異なりますが、契約の複雑性や長短によって内容が左右されることはありません。これは、上記でも説明したとおり、Miscellaneous条項がどのような類型の契約にも共通する一般的なルール・手続を定めたものだからです。

また、準拠法や紛争解決手段あるいは言語といった一部のものを除き、当事者のどちらかに特に有利・不利になるというものはなく、無色中立的な条項といえます。したがって、Miscellaneous条項は基本的に法的リスクの少ない無害なものとして、レビューを後回しにされることが多いです。

こうした性格から、Miscellaneous条項をレビューする際の目標・視点は、以下のようになります。

大きな方針

Miscellaneous条項では、削除するか否かではなく、契約の性質・自身の立場に照らしてあったほうが有利になるものを追加できないかという視点でレビューする。

上記のとおり、Miscellaneous条項は法的リスクが少なく、当事者双方に中立的な内容であるため、当該条項の削除ないし修正が必要になることはほとんどありません。とはいえ、中には自身にやや有利になる可能性がある、もしくは便利になるといった性格のものもあるため、それが漏れている場合は追加を検討するといった程度の対応は必要になります。

また、目の前の契約書に規定されたMiscellaneous条項が、通常見られる一般的な内容のものであるかの確認だけはしましょう。Miscellaneous条項の中に紛れて本来規定されるべきでない条文が入っていたり、本来の無色中立的な内容が修正によって改変されたりしていないかを確認する作業です。ネガティブチェックにはなりますが、こうした確認をしておくと万が一の事態を回避できます。

3 Miscellaneous条項の意味

Miscellaneous条項には様々な種類がありますが、大きくは、①準拠法・紛争解決方法に関するもの、②契約の手続面に関するもの、③契約の読み方・解釈等に関するものに分類できます。一般的には**図表10**のような条文がよく使用されます。

Miscellaneous条項の中身は、それぞれの契約の対象となっている取引が何であるかによって影響を受けず、極端にいえば、ある契約のMiscellaneous条項をそのまま別の契約に流用することが可能です。

ただし、上記①の準拠法・紛争解決方法に関するものだけは、当該契約の取引内容に応じて変更が必要になります。当該契約に適用される契約法と、紛争が生じた場合にどのように解決するかというルールを定める重要な規定だからです。したがって、契約の対象となる取引の性質に応じて、適切な内容になっているかの慎重な検討が必要になります。

次に、②の手続面に関するMiscellaneous条項は、契約の内容自体に関するものではなく、契約の移転や修正あるいは連絡のとり方など契約成立後に関連する手続についての規定が中心です。

③の読み方・解釈等に関するMiscellaneous条項は、解釈によっては異なる法的効果をもたらす可能性がある事項に関して、あらかじめ当事者の合意

図表10

典型名称	内　容	重要度
Governing law (①)	準拠法	高
Dispute Resolution (①)	紛争解決方法・手続	高
Assignment (②)	契約上の権利義務の移転(相手の同意が必要であること)	中
Amendment (②)	契約の修正方法(合意+書面)	小
Notices (②)	契約上の事項の通知・連絡方法	小
Entire Agreement (③)	当該契約以外の合意の排斥	高
No Waiver (③)	黙示の権利放棄のないこと	高
Counterparts (②)	正本・副本について(特にサインを別の紙にすること等)	小
Severability (③)	契約一部の瑕疵は契約全体を無効にしないこと	小
Headings (③)	契約の各題名はその内容に影響を及ぼさないこと	小
Interpretation (③)	契約の解釈・読み方は合理的にされるべきこと	小
No Third Party Beneficiaries(③)	契約当事者以外の第三者に権利を付与しないこと	小
Expenses (②)	費用負担について	中
Independent Contractors; no agency/partnership (③)	契約により相手に代理権その他自分のために行動する権限を付与するものではないこと	小

＊ ①準拠法・紛争解決方法に関するもの、②契約の手続面に関するもの、③契約の読み方・解釈等に関するもの

内容を明示することで、裁判所の解釈に委ねることを避けようとする趣旨で規定されます。

Miscellaneous条項は、「通常どおりの内容」になっていれば、基本的にリスクがある規定ではありません。上記で注意が必要と述べた準拠法・紛争解決方法に関する条項も、一見してわからない法的リスクがあるわけではないので、自身の立場や取引の内容等に照らして適切なものを選択するという確認だけしておけば足ります。

したがって、Miscellaneous条項のレビューは、「通常どおりの内容」と異なるものになっていないかというネガティブチェック、及び、自身の立場で加えておくとよいと思われるものを追加すべきかの検討を中心に行います。

1 ネガティブチェック

ネガティブチェックは、①通常のMiscellaneous条項ではないものが紛れ込んでいないかと、②通常のMiscellaneous条項ではあるもの、その内容が特殊なものになっていないかの2つの観点で行います。いずれも、「通常のMiscellaneous条項」がどのようなものであるかを把握していれば、比較的簡単に見つけ出すことができます。

まず、①については、取引自体に関する条項、Covenants条項、Representation & Warranty条項、Indemnity条項などのどれにも分類できないために、Miscellaneous条項に押し込められてしまっているような場合です。これは、取引の内容に影響を及ぼすようなものであることが多いため、注意が必要になります。

また、②の場合には、Miscellaneous条項の通常の内容に続き、「except」や「provided」等の語句を使用して通常ルールの例外を設けるという内容になっていることが多く、見分ける手がかりの一つになります。

2 追加するかどうかの検討

上記ネガティブチェックで引っかかった規定を除き、条項自体を削除したり内容を修正したりといったことは基本的に行いません。前述のとおり、自身の立場あるいは契約の内容に鑑みて、追加するものがあるかどうかのみを検討することになります。

たとえば、競業避止義務のように規定の有効性が認められる範囲が不明確なものを定めている場合において、Miscellaneous条項の中にSeverability規定（分離可能性規定）がなければ、追加したほうがよいでしょう。なぜなら、当該競業避止義務条項が法で許容される範囲を超えて無効とされた場合でも、Severability条項があれば、裁判所の設定する「法で許容される範囲」内では有効とすることができるからです。

同様に、自身が責任を追及する側に立つ場合（すなわち、物やサービスの購入者である場合）には、No Implied Waiver規定（黙示免責の排除規定）、Time of Essence規定（適時履行の重要性確認規定）やSpecific Performance規定（特定履行規定）の追加を検討してもよいでしょう。

規定ごとの追加要否について、**図表11**に整理しました。もっとも、追加したほうがよいとされている場合でも、これらの規定はそもそも重要性の低いものであるため、さほどこだわる必要はありません（逆にいえば、これらの追加を依頼しても相手方が強く拒否することはないでしょう）。

図表11

典型名称	その他
Governing law	必ず入れる
Dispute Resolution	必ず入れる
Assignment	なくてもよい
Amendment	なくてもよい
Notices	なくてもよい
Entire agreement	なくてもよい
No waiver	買主の場合に入れたほうがよい
Counterparts	隔地の間の当事者の場合にはあったほうがよいかも
Severability	競業避止義務のように全部ないし一部無効になる可能性がある条項がある場合にはあったほうがよい
Headings	なくてもよい
Interpretation	なくてもよい
Third Party Beneficiaries	なくてもよい
Expenses	なくてもよい
Independent contractors; no agency/partnership	なくてもよい

4 英文契約サンプルをレビューしてみる

英文契約サンプルでは、Miscellaneous条項が11.1条から11.17条まで規定されています。それでは、上記レビューの手順に沿って見ていくことにします。

まず、ネガティブチェックを行います。

11.1条から11.17条のうち、11.6条（Existing Agreements）、11.10条（Cumulative Remedies）、11.16条（No License）及び11.17条（No Change）は通常あまり見られない規定です。その他は、題名から見る限り、一般的なMiscellaneous条項です。英文契約サンプルにある各条項を、①準拠法・紛争解決方法に関するもの、②契約の手続面に関するもの、③契約の読み方・解釈等に関するものに分類すると**図表12**のようになります。

図表12

標準的なもの	① 準拠法・紛争解決方法に関するもの	11.8, 11.9
	② 契約の手続面に関するもの	11.1, 11.3, 11.5, 11.11, 11.14
	③ 契約の読み方・解釈等	11.2, 11.4, 11.7, 11.12, 11.13, 11.15
あまり見かけないもの		11.6, 11.10, 11.16, 11.17

以下、順に見ていきましょう。

1 標準的なMiscellaneous条項

(1) 準拠法・紛争解決方法に関するもの

まず、準拠法・紛争解決方法に関する11.9条、11.8条を検討します。

◆ 11.9条 Governing Law（準拠法）

準拠法に関する規定は、このようになっています。

言わずもがなの内容なので気にしなくてよい。

This Agreement and any dispute related to or arising out of this Agreement shall be governed in all respects by the laws of the state of New York without reference to any choice of law principles.

本契約及び本契約に関連するあるいは起因するすべての争訟にはニューヨーク州法（ただし、準拠法選択にかかる規定を除く。）が適用される。

「without reference to any choice of law principles」の部分は、たとえば、A法を準拠法として定めた場合において、A法の中に「○○の場合にはA法以外のB法を適用する」と規定されていたとしても、その適用を排除するという意味であり、念のための確認にすぎません。

なお、準拠法の選択に関しては、当事者の国が異なる場合、それぞれ自国の法律を準拠法にしたいがゆえに綱引きになることがあります。この点については、2つの視点を念頭に置くとよいでしょう。

第一に、準拠法と紛争解決地の関係です。たとえば、準拠法をニューヨーク州法とする一方で、紛争解決地を東京地方裁判所にした場合、東京地方裁判所においてニューヨーク州法を適用しつつ裁判することになります。もちろん、それ自体は可能ですが、裁判官の知見を補うため、必要に応じてニューヨーク州法の専門家から意見書をもらったり、鑑定人等として意見を述べてもらったり、手間と負担がかかります。また、こうした手続を踏んでもなお、ニューヨーク州法の適用を誤り、本来出されるべき結果とは異なる判決になってしまう可能性もあります。したがって、準拠法と紛争解決地はできるだけ一致させたほうがよいでしょう。

もっとも、「訴訟」ではなく「仲裁」による紛争解決を望む場合には、準拠法の専門家を仲裁人に選ぶことで上記問題を避けることができます。したがって、この場合は準拠法と紛争解決地を一致させる要請はそれほど強くないと考えられます。

第二に、準拠法によって契約の解釈・適用がいかに変わるかを整理しておく必要があります。

この点、契約に大きな修正を加え、場合によってはその内容を無効にする法律は、下請法、労働基準法、労働契約法、消費者契約法、独占禁止法といった、いわゆる「強行法規」ですが、強行法規の適用は準拠法選択によらず、適用管轄内であれば契約の内容を無視してそのまま適用されます。たとえば、日本にいる個人と雇用契約を締結し、一方で日本の労働法令の適用を免れようと準拠法をニューヨーク州法にしても、当該契約は労働法令の管轄内であるため、同法令が強制的に適用され、これに反する規定は無効とされます。これは、他の国でも同様です。したがって、契約内容を最も変更する可能性がある法令に関しては準拠法の選択ができないということです。

実際に選択できるのは、契約法（契約の解釈に関する法律）です。ところが、通常どの国の法律によっても契約解釈の基本的な考え方は「契約に記載されたとおりに適用する」というものです。準拠法とされた契約法によって契約内容が変容を受けたり、あるいは、文言とは異なる意味で読まれたりすることは通常考えられません。したがって、一部解釈に差異のあるIndemnity条項（補償条項）やRepresentation & Warranty（表明保証条項）条項、あるいは、契約違反に関する損害の範囲などについて、当該準拠法での考え方を押さえておけば足りるでしょう。

11.9条の内容を見ると、上記で説明した一般的なものになっており、特段問題ないことがわかります。

◆ 11.8条 Dispute Resolution（紛争解決方法）

紛争解決に関する規定は、このようになっています。

Any disputes, controversies or differences which may arise between the Seller and the Buyer, in relation to this Agreement, shall be settled by the American Arbitration Association in accordance with the said Association's arbitration rules thereof. The award rendered by said Association shall be final and binding upon both parties. By agreeing to arbitration pursuant to this Section the parties do not intend to deprive any court or other governmental body or regulatory agency of its jurisdiction to issue an interim injunction or other interim relief or assistance in aid of the arbitration proceedings or for the enforcement of any arbitral award.

仲裁決定が最終判断であり、これに対して上訴等できないことを定めた規定。

仲裁決定の内容を執行するための強制執行や仮処分（財産の差押え等）を裁判所を通じて行うことを許容するもの。仲裁の場合には、特に仮処分との関係では入れておくと役に立つことが多い。

本契約に関する売主と買主間のすべての争訟、論争あるいは見解の相違は、アメリカ仲裁協会で同機関の仲裁規則に従って裁決される。当該仲裁機関による裁決の結果は両当事者に対して上訴不能の最終判断として拘束力を有する。本条項により仲裁に合意するものの、当事者は、管轄を有する裁判所、政府機関その他の規制機関により仮差押えや仮処分その他仲裁機関の手続や仲裁機関の裁決結果を執行するのに資する援助を求める権利を制限されることはない。

本条は、「仲裁」を紛争解決方法とし、仲裁人の選択を含めたすべての手続を仲裁機関のルールに委ねるというシンプルなものになっています。この点、使用する言語や、仲裁人の数・選任方法、費用負担等について、たとえば以下のような規定を追加することもできます。

Any disputes, controversies or differences which may arise between the Seller and the Buyer, in relation to this Agreement, shall be settled by the American Arbitration Association in accordance with the said Association's arbitration rules thereof. The number of arbitrators shall be three (3), one (1) of whom shall be selected by the Buyer, one (1) of whom shall be selected by the Seller and one (1) of whom shall be selected by the Buyer and the Seller (or by the other two (2) arbitrators if the parties cannot agree). The arbitration proceeding shall be conducted in the English language. Only documents directly relevant to the issue in dispute shall be produced in any such arbitration. The arbitration proceeding shall be brought in New York City, in the State of New York, unless the parties agree in writing to conduct the arbitration in another location. The arbitration decision shall be binding and shall not be appealable to any court in any jurisdiction. The prevailing party may enter and enforce such decision in any court having competent jurisdiction. Each party shall pay its own expenses of arbitration and the expenses of the arbitrators shall be equally shared except that if, in the opinion of the arbitrators, any claim by a party hereto or any defence or objection thereto by the other party was unreasonable, the arbitrators may in their discretion assess as part of the award any part of the arbitration expenses of the other party, including reasonable attorneys' fees, and expenses of the arbitrators against the party raising such unreasonable claim, defence or objection.

本契約に関する売主と買主間のすべての争訟、論争あるいは見解の相違は、アメリカ仲裁協会で同機関の仲裁規則に従って裁決される。仲裁人は3名とし、1名は買主が選び、1名は売主が選び、最後の1名は買主と売主が選ぶ（もし両当事者で合意できない場合にはそれ以外の2名の仲裁人が選ぶ）ものとする。仲裁手続は英語で行われる。争訟に直接関連する資料のみが証拠として仲裁手続に提出できる。仲裁手続は、両当事者が別途書面で別の場所で実施することに合意しない限り、ニューヨーク州ニューヨーク市で実施される。仲裁による判断は拘束力を有し、いずれの裁判所に対しても不服申立てできない。勝訴した当事者は管轄のある裁判所を通じてその判断内容を執行することができる。各当事者は仲裁にかかる費用を自弁し、仲裁人の費用に関しては均等に負担するが、ただし、仲裁人が当事者の主張や他方当事者の応訴や反訴内容が不合理であると考える場合、仲裁人はその裁量で、当事者の仲裁費用、合理的な弁護士費用及び仲裁人費用を、仲裁判断で決定する賠償額の判断において、かかる不合理な主張、応訴及び反訴を行った当事者に不利に考慮することができる。

各仲裁センターでは、それぞれ仲裁人の選任や費用負担等に関してルールがある場合が多いですが、自分たちで独自にルールを規定することで、より紛争解決を公正に行えるようにしようとするものです。また、こうした第三者の公的機関による紛争解決手段に持ち込む前に、当事者間で一定の協議期間を設けるケースも多いです。

もっとも、ここまで書き込むかどうかはケースバイケースです。よほど慎重な紛争解決が求められる重大なケースを除けば、各仲裁センターで定められたルールに則って解決すれば足り、こうした諸手続まで規定する必要性は一般に小さいと考えます。

11.8条は、上記のような細かい追記をすべきかについて検討の余地はあるとしても、内容自体は一般的であり、問題ないことがわかります。

一方、裁判所による紛争解決を定める場合には、以下のような記載になります。

exclusive jurisdiction なので、東京地方裁判所が専属的裁判管轄を有し、東京地方裁判所のみで訴えを提起できることになる。

Any disputes, controversies or differences which may arise between the Seller and the Buyer, in relation to this Agreement shall be subject to the exclusive jurisdiction of the Tokyo District Court.

本契約に関する売主と買主間のすべての争訟、論争あるいは見解の相違は、東京地方裁判所を専属的管轄とする。

このような専属的裁判管轄という形ではなく、より柔軟に、「訴えられる側の所在地の裁判所」とすることもあります。執行のことを考えれば被告の所在地の裁判所のほうが効率的ですし、また、訴えられた側に便宜な場所とすることで、嫌がらせ的な訴えがされることを抑止する効果が期待できるためです。具体的には、以下のように規定されます。

Any disputes, controversies or differences which may arise between the Seller and the Buyer, in relation to this Agreement, shall be subject to the exclusive jurisdiction of the court that has jurisdiction over the place where a prospective defendant locates.

本契約に関する売主と売主側のすべての争訟、論争あるいは見解の相違は、その被告の所在する地について管轄を有する裁判所が専属的管轄を有する。

紛争解決手段として、裁判所（費用は安いが時間がかかり、また、基本的に公開の場で行われる。裁判所によっては専門性・公平さを担保できない）と仲裁センター（費用が高いものの専門性や公平さが担保しやすく、また、非公開で進められる。時間は一般的に裁判所よりはかからない）のいずれが適しているかは、個別の案件により長所・短所を比較して決定することになります。

(2) 契約の手続面に関するもの

次に、契約の手続面に関する条項を検討します。

◆ 11.1条 Assignment（契約の移転）

契約上の地位あるいは権利義務の移転に関するルールを定める規定です。

Neither this Agreement nor any of the rights, interests or obligations hereunder may be assigned by either Party hereto (whether by operation of law or otherwise) without the prior written content of the other Party. Subject to the preceding sentence, this Agreement shall be binding upon, inure to the benefit of and be enforceable by the Parties hereto and their respective successors and permitted assigns.

前文に従い権利・義務を移転した第三者に対しても適用されるという慣用文であり、気にする必要はない。

当事者は本契約あるいは本契約の権利、利益及び義務を相手方当事者の書面による同意なく移転（法令による承継を含む。）することはできない。前文を条件として、本契約は本契約の当事者、その後継者あるいは認められた承継人についてのみ効力を有し執行可能である。

契約における権利・義務あるいは契約上の地位の移転には、相手方当事者の書面による同意が必要とされています。契約法においては、権利の移転には相手方当事者の同意は不要、義務の移転には相手方当事者の同意が必要、（当然に義務の移転を伴う）契約上の地位の移転には相手方当事者の移転が必要とされるのが一般的です。したがって、この規定の意味は、権利の同意にも相手方の同意を必要としたこと、及び、同意を書面で要求する点といえます。これらは手続規定であるため、一般的にリスクのある規定ではありません。

11.1条も標準的なものであり、特段問題ないことがわかります。

Question 1

Assignmentの条項に、以下のように、同意がなくても移転できるようなケースが入っているときはどうすべきでしょうか。

Neither this Agreement nor any of the rights, interests or obligations hereunder may be assigned by either Party hereto (whether by operation of law or otherwise) without the prior written content of the other party, except that each Party may assign, in its sole discretion, any or all of its rights and interests hereunder to any of its direct or indirect wholly owned subsidiary. Subject to the preceding sentence, this Agreement shall be binding upon, inure to the benefit of and be enforceable by the Parties hereto and their respective successors and permitted assigns.

ここでは当事者の直接ないし間接の完全子会社への移転を許容している。

当事者は本契約あるいは本契約の権利、利益及び義務を相手方当事者の書面による同意なく移転（法令による承継を含む。）することはできない。ただし、当事者はその裁量で本契約の権利ないし利益を自身の直接又は間接の完全子会社に移転することができる。前文を条件として、本契約は本契約の当事者、その後継者あるいは認められた承継人についてのみ効力を有し執行可能である。

契約の移転に関しては、移転先が相手方当事者の関係会社であれば基本的に問題ないケースが多いと思いますが、それでも移転先の財務状況によっては信用リスクを負う可能性は否定できません。そのような場合には、契約の移転は同意なく認めるものの、債務に関しては当初の契約当事者が移転後も負い続けると修正することが考えられます。

Neither this Agreement nor any of the rights, interests or obligations hereunder may be assigned by either Party hereto (whether by operation of law or otherwise) without the prior written content of the other party, except that each Party may assign, in its sole discretion, any or all of its rights and interests hereunder to any of its direct or indirect wholly owned subsidiaries, provided, that, such assigning Party will remain responsible for all liabilities and obligations of such assignees hereunder. Subject to the preceding sentence, this Agreement shall be binding upon, inure to the benefit of and be enforceable by the Parties hereto and their respective successors and permitted assigns.

当事者は本契約あるいは本契約の権利、利益及び義務を相手方当事者の事前の書面の同意なく移転（法令による承継を含む。）することはできない。ただし、当事者はその裁量で本契約の権利ないし利益を自身の直接又は間接の完全子会社に移転することができるが、移転した当事者は当該承継先の本契約における責任及び義務に関して引き続き責任を負う。前文を条件として、本契約は本契約の当事者、その後継者あるいは認められた承継人についてのみ効力を有し執行可能である。

◆ 11.3条 Amendment（契約修正）

契約の修正方法に関する典型的な規定です。

This Agreement may not be amended, changed, modified or altered unless such amendment, change, modification or alteration is in writing and signed by both Parties or their successors in interest or permitted assigns.

本契約は、両当事者あるいはその後継者あるいは認められた承継人が書面で署名するのでなければ、修正、変更あるいは改正することはできない。

色々列挙されることが多いが基本的にはあまり気にする必要はない。

書面で（in writing）要求する内容。ここでは署名（signed by）も要求している。

契約が第三者に承継・移転された場合を想定しての典型文言であり気にする必要はない。

この規定では、契約の修正・変更には両当事者の書面による合意が必要とされています。amendment、change、modification あるいは alteration 等の語句が列挙されますが、すべて既存の契約を何らかの形で変えることを意味していますので、あまり気にする必要はありません。

なお、一般的な契約法においても契約の修正には当事者の合意が要求されますので、当該規定がなくても当事者が一方的に契約の内容を変更できることにはなりません。したがって、この規定は「念押し」の規定であり、この規定自体が特殊な効果を有するものではないといえます。もっとも、変更のための合意に関して「書面」を要求することで、手続の明確化を図っています。

さらに、当事者の誰が署名しなければならないか（通常は代表者＝representative あるいは authorized person 等）まで定めることもありますが、基本的には手続の問題にすぎませんので、それほど気にする必要はありません。

なお、当事者が多数の集団的な取引では、契約の修正・変更に当事者全員の同意は不要となっているケースもあります。たとえば、組合契約などで無限責任組合員（General Partner）が全組合員の過半数の同意のみで修正権限を有するとする場合は、以下のように規定されます。

Except as otherwise provided in this Agreement, the provisions of this Agreement may be amended or waived at any time with the consent of the General Partner and of the Limited Partners holding in excess of fifty percent of the outstanding Units in the Partnership, provided, that, ……

本契約で別段の定めのある場合を除き、本契約の条項は無限責任社員及び本組合の出資の過半数を保有する有限責任社員の同意によりいつでも修正ないし放棄することができる。ただし……

第一文に続いて、様々な手続（たとえば、当該修正により特定の当事者が一定の権利に関して不利な影響を受ける場合には、当該当事者の同意を追加で要求する等）が続き、一般的には1ページから数ページに及ぶ長い内容になります。したがって、見逃す危険性は少ないでしょう。

◆ 11.5条 Notices（通知）

契約に関して相手方に正式に連絡をとる場合の方法を定める典型的な規定です。

All notices which either Party is required to provide to the other Party for exercising its rights or otherwise under or in connection with this Agreement shall be in writing and shall be sent by any of the following methods: hand delivery; reputable overnight courier; certified mail, return receipt requested; or, with respect to communications other than payments, by facsimile transmission, if the original communication is delivered by reputable overnight courier. The communications shall be sent to the following addresses:

If to Buyer:

Address:

Facsimile Number:

If to Seller:

Address:

Facsimile Number:

Any written communication made as provided in this Section shall be deemed given upon receipt by the Party to which it is addressed, which, in the case of facsimile, shall be deemed to occur on the date that

連絡方法の特定。いくつか列挙されることが多い。ここでは電子メールは含まれていない。

連絡の宛て先。異動の可能性を考えれば、個人の番号や住所ではなく、関係部署の代表等で記載しておくほうがよい。加えて、特定の担当者の役職をAttentionで加えると連絡ミスを防げる。

連絡が「された時点」を明確化する規定。ここでは受領時をもって連絡完了時点としているが、発信時点としたり、発信後一定期間経過をもって完了時点とするなど（deemed to occurやdeemed to be made等、deemを使用することが多い）様々なパターンがある。

transmission is received by the addressee in legible form.

本契約に基づき当事者が権利の行使その他の場合で他方当事者に対して送付する必要のあるすべての通知は、書面によるものとし、手渡し、翌日配送便、配達証明付郵便、あるいは、金銭支払い以外の通知である場合にはファックス（ただし別途翌日配送便で原本を送ることが必要）いずれかの方法で送付する。これらの通知は下記宛に送付する。

買主宛

住所：

ファックス番号：

売主宛

住所：

ファックス番号：

本契約における書面での連絡は、名宛人の当事者が受領した時点で通知されたとみなされるが、ファックスの場合には正式な形で名宛人が受信した日をもって通知されたとみなす。

契約においては、一定の権利行使に際して、連絡がされたか、いつされたかが重要になるため、この点を明確にする手続規定が必要になります。かかる規定がない場合、契約上の権利行使時期はそれぞれに適用される契約法に従って決められる（発信主義か到達主義かなど）ことになりますが、この場合、解釈にゆだねられてしまうケースもありますので、きちんと定めておくのが望ましいです。

本条はあくまで手続規定であって契約上の権利・義務自体を定めるものではなく、リスクのある規定ではありません。もっとも、そこで使用される連絡手段が実務面で問題ないかという点（特に電子メールが含まれているか）は、念のため確認しましょう。

◆ 11.11条 Counterparts（副本）

This Agreement may be executed in several counterparts, each of which is an original and all of which constitute one and the same instrument.

本契約は複数の副本で締結でき、そのそれぞれの原本は単一で同じ効力のある書面となる。

これは、契約締結の形式について、契約書原本1通に両当事者が署名する必要はなく、それぞれ別々に契約書を作成して署名すればよいとするものです。離れた場所にいる当事者が契約をする際には便利な規定ですが、日本では口頭による合意でも契約は成立しますし、現在ではそれぞれ別の書面に署名しても契約は有効に成立するというのが一般的になっているため、意味のある規定ではありません。したがって、準拠法が別々の署名を認めないものである場合に備えて、念のため追記されているケースが多いと思われます。

また、国際契約によく見られるのが、別々に署名した書面を交換することで契約が成立するとしたうえで、交換の方法に関してファックスで行うことも可能とまで記載する例です。この場合は、下記のように追記します。

This Agreement may be executed in several counterparts, each of which is an original and all of which constitute one and the same instrument and shall become effective when two or more counterparts have been signed by each of the parties and delivered to the other parties. A facsimile copy of an executed signature page shall be deemed an original.

本契約は複数の副本で締結でき、そのそれぞれの原本は単一で同じ効力のある書面となり、当事者が2以上の副本に署名し相手方に交付した際に有効になる。署名された用紙のファックスコピーは原本とみなす。

◆ 11.14条 Language（言語）

契約書に関して、一つの言語だけではなく、様々な言語で翻訳バージョンが作成されることがあります。特に日本企業の場合には、重要な案件の取引で役員や取締役会の承認が必要な場合、承認を受けるための参考資料として日本語バージョンを作成することが多いように思われます。この場合に、どの言語の契約が「オリジナル」になるのかを確定するのが本条項になります。

英文契約サンプルでは以下のような形で規定されており、これは一般的なものといえます。

The English language version of this Agreement shall be the controlling version. Any translations made of this Agreement shall be for the purpose of convenience only and shall have no legal effect.

本契約は英語版が適用される。本契約のその他の翻訳は便宜のために準備されるものであり法的効力を有しない。

実務上、どの言語のバージョンをオリジナルとするのかは重要です。オリジナルと翻訳バージョンで内容が異なっていた場合、オリジナルの内容が適用されてしまうからです。自分がまったくわからない言語で作成されたバージョンをオリジナルとすることは、そもそも契約書の内容確認ができないため論外ですが、悩ましいのは、自分でもある程度わかる言語をオリジナルとする場合です。英語と日本語ですら、同じ意味のつもりで作成された文章が語句のニュアンス等で微妙に意味が異なる場合がありますし、特に法律用語が使用される場合には、法的に特殊な意味が読み込まれる場合もあるからです。

Question 2

言語に関して、相手方が現地語を優先するように主張し、交渉が平行線となった場合、どのように対応すべきでしょうか。特に、現地語を完全に理解できるスタッフがおらず、現地語を優先言語にすることに不安がある場合はどうすべきでしょうか。

当事者がそれぞれ自分の言語を主張して平行線になることは往々にしてあります。また、国によっては、当局への届出等の関係で自国語の契約でなければならないと主張されるケースもあります。このような場合には、苦肉の策として、以下のように2つの言語をそれぞれオリジナルとする方法で対応することが考えられます。

This Agreement is written in both English and Chinese. Both language versions shall be authentic and have equal validity and legal effect.

本契約は英語と中国語で作成される。両言語のバージョンは真正であり同等に有効で法的効力を有する。

このような規定を設けることで、両言語バージョン間で矛盾があった場合、どちらかが一方的に優先されることなく、2つのバージョンを突き合わせて、誤記がないか、当事者の意図はどちらのバージョンにより反映されているかと検討される余地が生まれます。

(3) 契約の読み方・解釈等に関するもの

次に、契約の読み方・解釈等に関する条項を検討します。

◆ 11. 2条 Severability (分離可能性)

契約の一部が無効となった場合でも、その余の条項は効力を保持し続けるとするもので、一般的には以下のような内容になります。また、このほかにも Invalidity (無効) や Integration (契約の統合性) という題名が使用されることがあります。

If any provisions of this Agreement shall be held to be illegal, invalid or unenforceable, the Parties agree that such provisions will be enforced to the maximum extent permissible so as to effect the intent of the Parties, and the validity, legality and enforceability of the remaining provisions of this Agreement shall not in any way be affected or impaired thereby.

契約の条項が無効になった場合でも、「当該条項」は当然に全体として無効になるのではなく、可能な限度で効力を保持するとする規定。

契約の条項が無効になった場合、「それ以外の条項」は影響を受けず効力を保持するとする規定。

本契約の条項が違法、無効あるいは執行不能となった場合、当事者は、当該条項について当事者が意図した内容を、許容され得る限度で可能な限り達成できるよう適用することに合意し、本契約の残りの条項の有効性、合法性あるいは執行可能性は一切影響を受けず制限を受けることはない。

裁判所によって、契約の一部が無効にされるパターンとしては、労働法、利息制限法、下請法あるいは独占禁止法といった強行法規に反する条項が強制的に効力を失う場合や、あるいは、準拠法における解釈から契約の内容が制限される場合（典型的には競業避止義務の期間等）があります。本条は、このような場合に条項の一部を生かすために規定されます。たとえば、利息制限法により利息は20％と制限されている（強行規定）のに対して契約で25％と規定した場合、当該利息規定全体が無効になる（つまり、利息はなしとなる）のではなく、法令上許容される20％の限度では有効と扱うことを明確化するものです。

さらに、この点をより明確にするために、契約の文言が当然に法令上許容される「20％」と書き換えられる、あるいは、当事者で書き換えるという記載が追加される場合もあります。

If any provisions of this Agreement shall be held to be illegal, invalid or unenforceable, the Parties agree that such provisions will be enforced to the maximum extent permissible so as to effect the intent of the Parties, and the validity, legality and enforceability of the remaining provisions of this Agreement shall not in any way be affected or impaired thereby. If necessary to effect the intent of the Parties, the Parties will negotiate in good faith to amend this Agreement to replace the unenforceable language with enforceable language which as closely as possible reflects such intent.

無効とされた場合、当事者が元の意図をできるだけ反映できる（上記例では20％）形で当該条項を修正すると定めている。

本契約の条項が違法、無効あるいは執行不能となった場合、当事者は、当該条項について当事者が意図した内容を、許容され得る限度で可能な限り達成できるよう適用することに合意し、本契約の残りの条項の有効性、合法性あるいは執行可能性は一切影響を受けず制限を受けることはない。当事者の意図を実現するのに必要であれば、当事者は、執行不能とされた条項を、その意図をできるだけ従前どおり実現する内容であって執行可能な条項と入れ替えるために、本契約の修正について誠実に交渉する。

これは、契約の一部のみが法令に反している場合でも、裁判所が原則として関連する条項を全部無効とするケースがあるので、それに対応するための規定です。一部無効の際にどのように無効の範囲を定めるかに関してまでは、契約法上明確なルールがなく解釈に委ねられることが多いので、そうした解釈をできるだけ排除して明確なルールを規定するということがこの規定の目的になります。

◆ 11. 4条 Entire Agreement（完全合意条項）

完全合意条項は、契約の対象となっている事項に関しては、当該契約書に記載されている内容が当事者の合意のすべてであり、それ以外でなされたやり取りの一切を無視すると定めるものです。具体的には、以下のように規定されます。

This Agreement, the schedules, the exhibits and the transaction documents constitute the entire understanding and agreement of the Parties with respect to said transactions and the subject matter hereof, and all other prior or contemporaneous oral or written statements, understandings or agreements shall be of no effect.

本契約、別表、別紙あるいは取引書類は、その取引及び対象事項に関する当事者の理解及び合意のすべてを構成し、それ以外の従前・同時期の口頭ないし書面による言明、理解又は合意は一切の効力を有しない。

この場合、仮に交渉の過程で別途合意があったとしても、それらは無効とされます。また、契約の条項に関して、それが当事者の合意を正確に表したものではなく、別の意図が存在したという主張すらできないことになります。

注意が必要なのは、従前に締結した契約です。たとえば、本契約に入る前に準備作業のために守秘義務契約を締結していた場合、本契約の中で当該守秘義務の内容を包含するような守秘義務条項を入れていれば問題ありませんが、そうでない場合には、従前に締結した守秘義務契約がこの条項により無効になるのを防ぐ必要があります。そのような場合には、以下のような規定を入れて対応することになります。

This Agreement, the Confidentiality Agreement, the schedules, the exhibits and the transaction documents constitute the entire understanding and agreement of the Parties with respect to said transactions and the subject matter hereof, and all other prior or contemporaneous oral or written statements, understandings or agreements shall be of no effect.

単純に、契約書を完全合意を形成する書類に含めるパターン。ここで特定の締結日や当事者を入れないのであれば、別途Confidentiality Agreementの定義を設けることが必要。

本契約、守秘義務契約、別表、別紙あるいは取引書類は、その取引及び対象事項に関する当事者の理解及び合意のすべてを構成し、それ以外の従前・同時期の口頭ないし書面による言明、理解又は合意は一切の効力を有しない。

あるいは、より技巧的に以下のように規定することもあります。

This Agreement, the schedules, the exhibits and the transaction documents constitute the entire understanding and agreement of the Parties with respect to said transactions and the subject matter hereof, and all other prior or contemporaneous oral or written statements, understanding or agreements shall be of no effect; provided, however, that the terms and conditions of the Confidentiality Agreement shall remain in full force and effect.

完全条項の例外として定めるパターン。

本契約、別表、別紙あるいは取引書類は、その取引及び対象事項に関する当事者の理解及び合意のすべてを構成し、それ以外の従前・同時期の口頭ないし書面による言明、理解又は合意は一切の効力を有しない。ただし、守秘義務契約の条項は引き続き有効で適用がある。

いずれのパターンでも、基本的に効果は変わりません。完全合意条項で排除されるのは、当該契約の対象である取引に関する合意であり、何が「当該契約の対象取引」であるかは必ずしも明確でないことも多いです。もし、特定の契約を完全合意条項により無効にすると明確化したいのであれば、以下のように記載することが考えられます。

This Agreement, the schedules, the exhibits and the transaction documents constitute the entire understanding and agreement of the Parties with respect to said transactions and the subject matter hereof, and supersedes any previous agreements and understandings, including the XXX Agreement, YYY Agreement and ZZZ Agreement.

ここに無効とされるべき従前の契約を例示列挙します。

本契約、別表、別紙あるいは取引書類は、その取引及び対象事項に関する当事者の理解及び合意のすべてを構成し、XXX 契約、YYY 契約及び ZZZ 契約を含む従前のあらゆる合意、了解に優先します。

◆ 11.7条 No waiver（黙示免責のないこと）

相手方に対して有する権利につき黙示の放棄・免責はないこと（当該権利を行使し忘れたり、あえて行使しないで留保する場合に、そのことをもって当該権利の放棄・免責に同意したとみなされないこと）を明言するものです。以下のような規定が一般的です。

In no event shall any failure or forbearance on the part of either party to enforce or pursue any of its rights or remedies under this Agreement, or to insist upon the other party's full performance of its obligations under this Agreement, be construed or interpreted as a complete or partial waiver or relinquishment of that or any other right, remedy or obligation in that or any other instance; rather, the same shall continue in full force and effect. No waiver by any party in respect of any breach shall operate as a waiver in respect of any subsequent breach.

放棄は特定の違反に関してのみ適用され、その後続く違反には及ばないとする慣用文。支払いを立て続けに遅延した場合等を想定したものであるが、どこまで明確化するかの問題なのであまり気にする必要はない。

本契約における権利や救済手段の執行あるいは他方当事者の本契約における義務の履行を要請することを当事者が行わずあるいは差し控えた場合であっても、それらの権利、救済手段あるいは相手方当事者の義務について、当該時点あるいは別の場面において全部又は一部を放棄したものと解釈されあるいはみなされることはなく、引き続き有効であり効力を有する。一定の違反に関して免責した場合であっても、その後の別の違反にその免責は及ばない。

実務では、契約上発生する法的権利をいちいち行使しない場合もあります。

たとえば、製品の供給契約で、配達された物品の1つに瑕疵があった場合や納入日に1日遅れた場合において、それによる影響がほとんどない場合には、相手との信頼関係に免じて契約上の責任追及をしないことが考えられます。このような場合に、行使しなかったからといって免責したわけではないことを記しておくのがこの規定の目的です。そうしておけば、細かいミスが積み重なり相手との信頼関係が失われた場合に、過去の違反には免責されたことにならず、法的手段に訴える権利を確保できることになります。

もっとも、この条項はそうした効果を「明確化」しているにすぎず、本項がないとしても、「見逃してあげた」違反が当然に免責されるわけではありません。この場合は、適用される準拠法における契約法の解釈により、当該状況で黙示の免責があったかを事実関係を踏まえて判断していくことになります。したがって、この規定は、そうした裁判所による判断次第で結果が左右されることを排除し、黙示の免責はないということを明記しているものということができます。

さらに、免責に一定の手続を要求したり、あるいは、権利の一部を行使しても（たとえば、損害賠償請求）その他の権利の行使（たとえば、解除）が妨げられないことを規定したりする例もあります。その場合は、以下のような内容を追記します。

In no event shall any failure or forbearance on the part of either party to enforce or pursue any of its rights or remedies under this Agreement, or to insist upon the other party's full performance of its obligations under this Agreement, be construed or interpreted as a complete or partial waiver or relinquishment of that or any other right, remedy or obligation in that or any other instance; rather, the same shall continue in full force and effect. No waiver by any party in respect of any breach shall operate as a waiver in respect of any subsequent breach. No single or partial exercise of any right shall preclude its further exercise. Any agreement on the part of a party to any waiver shall be valid only if set forth in an instrument in writing signed on behalf of such party.

権利の一部の行使はその他の権利の行使を排除しないとするもの。

免責・放棄はきちんと書面で行わないと効果がないとするもの。

本契約における権利や救済手段の執行あるいは他方当事者の本契約における義務の履行を要請することを当事者が行わずあるいは差し控えた場合であっても、それらの権利、救済手段あるいは相手方当事者の義務について、当該時点あるいは別の場面において全部又は一部を放棄したものと解釈されあるいはみなされることはなく、引き続き効力を有する。一定の違反に関して免責した場合であっても、その後の別の違反にその免責は及ばない。権利を１回だけ行使した場合や、その一部分のみを行使した場合であっても、その余の行使をすることを妨げない。権利の放棄に関する当事者の合意は当事者が署名した書面でなされる場合にのみ有効となる。

このほかにも様々な追記がありますが、いずれも解釈の明確化のためのものであり、原則としてリスクがある規定ではありません。

◆ 11.12条 Headings（題名）

契約書の各条項には名称が付されていることがありますが、かかる名称が条項の解釈には影響を及ぼさず、あくまで参照目的でしかない旨を確認する規定です。Caption（見出し）という名称が使用されることもあります。

The Article and section titles in this Agreement are only for purposes of convenience and do not form a part of this Agreement and will not be taken to qualify, explain or affect any provision thereof.

本契約の各章ないし各条項の見出しは便宜のためのみに付されたものであり、本契約の一部を構成せず、条項の内容について制限、説明あるいは影響するものではない。

各条項の名称は、その条項で記載する内容を一語で簡潔に表わそうとしているため、条項内のすべての記載と必ずしも合致する内容になっていないことも多いです。たとえば、主に独占的ライセンスを定める条項であるため「Exclusive License」という名称を使用した場合、当該条項内で独占的ライセンスではない通常のライセンスを記載している場合があります。本条は、このような場合に誤解が生じないよう念のため規定されるだけであって、なんら法的効果はなく、通常の契約ではあえて入れる必要性はありません。

◆ 11.13条 No third Party Beneficiaries (第三者受益者)

契約内の各条項は契約の当事者にしか適用されないという原則を明確化するための規定であり、一般的には以下のような内容になります。

The provisions of this Agreement shall not impart rights enforceable by any person or entity not a Party or not a permitted successor or assignee of a Party bound to this Agreement and shall not create, or be interpreted as creating, any standard of care, duty or liability to any person not a Party hereto.

第三者が権利行使できないことを確認するもの。

第三者に対する当事者の義務を発生させないことを確認するもの。前段を裏から言い換えたようなもの。

本契約の条項は、当事者あるいはこの契約に拘束される後継者あるいは承継者以外の者に対して執行可能な権利を付与するものではなく、当事者以外の者に対する注意義務や責任を発生させるものでもなく、またそのように解釈されることもない。

日本や米国等では、契約の当事者ではない第三者が契約上の権利を行使できるとする合意を許容しています。このような合意をするには、一般的に、当事者が第三者による権利行使を認める旨の合意をしていたかが焦点になります。通常は、そのような合意が契約書に明記されていなければ合意があったとはみなされにくいとは思いますが、いずれにせよ裁判所による解釈に委ねられることになるため、その不確実性を払拭するためにこの規定が入れられることが多いです。

英文契約書の中には当事者以外の第三者に触れた条項がよくあります。典型例は、Indemnity 条項 (補償条項) で補償対象者として相手方当事者に加えてその役員や従業員が含まれる場合や、知的財産権についての規定で相手方当事者に属する知的財産権をそれ以外の第三者に対しても権利主張しないと規定される場合です。このように、契約の中で触れられた第三者が契約上の権利を行使できたり、当事者からの権利行使に対して契約上の規定を防御手段として利用できたりしてしまうと想定外の負担となるため、Third Party Beneficiaryの規定を入れて明確化することになります。

Question 3

Third Party Beneficiary条項において、以下のように、例外として第三者が契約上の権利行使ができるケースが規定されている場合、どのように判断したらよいでしょうか。

The provisions of this Agreement shall not impart rights enforceable by any person or entity not a Party or not a permitted successor or assignee of a Party bound to this Agreement and shall not create, or be interpreted as creating, any standard of care, duty or liability to any person not a Party hereto, provided, however, that each member or related party of the Party, as listed as Indemnitee in Section 7. 1 of this Agreement, is a beneficiary of this Agreement and each of them is authorized and entitled to seek enforcement of all of the rights and benefits provided to them pursuant to Section 7. 1 of this Agreement; provided that no such member or related

第三者に対して権利を付与しないとしつつ、Indemnity条項（補償条項）においてIndemnitee（補償対象者、被補償者）として列挙された第三者は補償の権利を行使できることを例外ルールとして規定。2つ目のprovided以下は、当該第三者が権利行使できるとしても契約の当事者になるわけではないので、補償条項以外の契約の修正に関して当該第三者の同意が不要なことを念のため明記したもの。

party of the Party is required to approve, consent to or execute any amendment to this Agreement before such Agreement will become effective except such amendment seeks to change any terms of Section 7. 1.

本契約の条項は、当事者あるいはこの契約に拘束される後継者あるいは承継者以外の者に対して執行可能な権利を付与するものではなく、当事者以外の者に対する注意義務や責任を発生させるものでもなく、またそのように解釈されることもない。ただし、7. 1条で補償対象者として列挙されている当事者のメンバーや関連のある者は、本契約の第三者受益者であり、それらの者は、7. 1条に従いそこで規定されている権利と利益を行使することができるが、7. 1条自体に関する修正を除き、本契約の修正にあたってはそれらの者の承認、合意あるいは締結は不要である。

ここでは、例外的に、列挙された第三者がIndemnity条項(補償条項)における補償請求権を直接行使できるとしています。

Indemnity条項で補償対象者として列挙された第三者は、「第II部 第5章」で説明したように、自身が補償対象となる損害を受けたとしても、原則として自ら直接権利行使はできません。つまり、当該第三者に損害があった場合でも、補償対象者である契約当事者しか補償請求を行うことができません(不法行為等契約以外の根拠に基づき請求することは別途考えられます)。したがって、補償責任者である契約当事者は補償対象者である契約当事者とのみ対峙・交渉すればよいことになります。

一方で、Third Party Beneficiary条項により例外的に補償対象者である第三者が直接権利行使できるとなると、補償責任者としては、契約の相手方だけでなく、そうした第三者とも個別に対峙・交渉する必要が生じます。したがって、第三者による直接権利行使を例外的に認めるかどうかは、慎重に検討することが必要です。可能であれば削除してしまうほうがよいと思われます。

同様の例外規定は、よりシンプルに、以下のような形で記載されることもあります。

This Agreement is for the sole benefit of the Parties hereto (and their permitted successors and assigns), and nothing herein expressed or implied shall give, or be construed to give, to any person any legal or equitable rights hereunder, except (i) the Parties hereto and such permitted successors and assigns, (ii) Indemnified Persons (with respect to Section [ ]) and (iii) Released Parties (with respect to Section [ ]).

本契約は、当事者（及びその正当な後継者あるいは承継者）のみのためのものであり、これら以外の者に対して法的あるいは衡平法上の権利を付与するものではなく、またそのように解釈されることもない。ただし、(i) 当事者及びその正当な後継者と承継者、(ii) [ ] 条に関しては補償対象者、及び、(iii) [ ] 条に関しては免責者については、それぞれこの限りではない。

単に原則ルールの例外として権利行使できる第三者を列挙したシンプルなもの。(i)で記載されている者は当事者及びその承継人なのでそもそも「第三者」ではないが、念のため記載されている。(ii)はindemnity条項（補償条項）においてIndemnitee（補償対象者）として列挙された第三者であり、(iii)はこの契約で当事者が損害賠償等の訴追をしないことを合意した相手方として列挙された第三者を指している。

ここで列挙された第三者は、契約において当該第三者との関係で規定されている権利（当該第三者が行使できるものとして記載された権利）や責任免除（当該第三者の責任追及を契約当事者が合意したもの）の規定を直接行使できることをになります。

この場合、責任免除の規定については、第三者に対して責任追及しないことに合意している以上、名宛人の第三者が直接それを援用できるかどうかはさほど大きな影響は与えません。問題になるのは、当該第三者との関係で規定されている権利（当該第三者が行使できるものとして記載されたもの）を直接行使できるとする点です。

◆ 11. 15条 No Partnership（独立当事者関係）

契約当事者はそれぞれ独立の立場であって、相手に対して法令上特別な権利義務関係を発生させる特殊な関係（パートナーシップや代理人関係）を成立させることは意図していない旨を明確にするための規定です。以下のような内容が典型的です。

This Agreement does not constitute a partnership or joint venture between the Parties. No employee, partner or joint venture of either Party is an employee, partner or joint venture of the other Party for any purpose whatsoever. Neither Party has authority to make any agreement or commitment or to incur any liability on behalf of the other Party, and neither Party is liable for any acts, omissions, agreements,

契約の相手方の従業員等が他方当事者の従業員等と同視されないとするもの。

当事者が勝手に、他方当事者にその法的効果を帰属させるような形で他方当事者に代わって行為する権限を委任していないことを確認するもの。

promises or representations made by the other Party, unless otherwise stated in this Agreement.

本契約は当事者の間でパートナーシップ関係や合弁関係を成立させない。一方当事者の従業員、パートナー又は合弁は、いかなる意味においても他方当事者の従業員、パートナー又は合弁とはみなされない。当事者は、他方当事者を代理して契約を締結したり約束したり義務を負う権利を一切有しておらず、本契約で別段の定めがある場合を除き、他方当事者が行った行為、不作為、契約、約束又は表明に関して責任を負うことはない。

当事者が互いに一定の緊密関係に入る場合に、法令上、当事者間に特殊な関係が成立したとして、契約に定めのある範囲を超えた一定の権利義務関係を発生させることがあります。たとえば、パートナーシップ関係が成立した場合や代理人関係が成立した場合には、当事者の一方が一定の事項に関して他方当事者を代理し、その効果を他方当事者に帰属させることができます。

もっとも、このように特殊な関係を成立させることを目的とする契約の場合には、その旨が明確に規定されますが、当該規定がなくとも取引の実態などから特殊な関係が成立していると解釈されるのを防ぐため、こうした規定が入れられることがあります。

2 あまり見かけない Miscellaneous 条項

最後に、通常 Miscellaneous 条項であまり見かけない規定の内容をチェックしていきます。英文契約サンプル中では以下の条項になります。

11.6 Existing Agreements.

Except as otherwise mutually agreed by the Parties, all Individual

Agreements for the purchase and sale of Products (as that term is defined herein) entered into prior to the Effective Date of this Agreement shall be subject to and governed by this Agreement.

11. 10 Cumulative Remedies.

The rights and remedies provided by this Agreement are cumulative and the use of any one right or remedy by any Party shall not preclude or waive its right to use any or all other remedies. Said rights and remedies are given in addition to any other rights the Parties may have by Applicable Law, statute, ordinance or otherwise.

11. 16 No License.

Unless otherwise expressly provided herein, nothing contained in this Agreement shall be construed as granting or conferring any right or license, by implication, estoppel or otherwise, under any patent, copyright, know-how or any other intellectual property rights of the party.

11. 17 No Change.

Seller shall not change the specifications of the Product without Buyer's prior written consent. Further, Seller shall not change the process, design, materials and/or manufacturing location for the Products which may affect fit, appearance, form, function, quality, safety and/or life of the Products, without Buyer's prior written consent.

11.6 既存の契約

別途当事者で合意する場合を除き、本契約の効力発生日前に締結された製品の売買に関するすべての個別契約（本契約で定義する意味を有する）は、本契約の適用を受ける。

11.10　追加的救済手段であること

本契約で規定されている権利や救済手段は追加的なものであり、これらを当事者が行使した場合でも、その他の権利の行使を妨げない。これらの救済手段や権利は、法令、制定法、規則その他において当事者が有するものに追加して付与されるものである。

11.16　ライセンスのないこと

本契約で別途明示的に定められている場合を除き、本契約は当事者に対して、黙示的あるいは禁半言その他の理由を問わず、他方当事者の特許、著作権、ノウハウあるいはその他の知的財産権についての権利やライセンスを付与するものではない。

11.17　変更しないこと

売主は、買主の書面による合意なく、製品の仕様を変更してはならない。さらに、売主は、買主の書面による合意なく、製品の仕様、見栄え、品質、機能、安全性あるいは耐用年数に影響を与える可能性のある製造過程、デザイン、原料や製造場所の変更をしてはならない。

すでに説明したように、Miscellaneous条項のレビューは、通常よく見られる規定以外が入っていないか、あるいは、通常よく見られる規定であっても、その内容が特異なものになっていないかのネガティブチェックが中心になります。

この観点で見ると、「11.6 Existing Agreements」、「11.10 Cumulative Remedies」、「11.16 No License」、「11.17 No Change」の4つは、通常Miscellaneous条項で見かける典型規定ではないとわかります。そこで、これらに関して、念のため内容の確認をする必要があります。

このうち、「11.4 Existing Agreements」は、本契約成立前に締結された製品売買に関する個別契約についても本契約の条項が適用されるとするものです。契約の交渉が長引き、契約締結前に実際の取引が始まってしまうことがありますが、本条は、そのような契約締結前に成約した取引（個別契約）にも契約締結後の条項を適用しようとするものです。

なお、契約は締結後に効力を発するのが原則であり、この規定がなければ、締結前に成約した取引に遡及適用されることはありません。

「11.10 Cumulative Remedies」は、義務違反等があった場合の救済手段が本契約に規定されているものに限定されず、法令等でその他の救済手段が可能なのであれば、当該救済手段の行使ができるとするものです。

仮に、Indemnity条項（補償条項）に救済手段を限定する旨の規定がある場合や、特に当該Indemnity条項で補償額に制限がある場合には、本条と矛盾することになるため、受け入れないようにします。英文契約サンプルでは、違反に対する救済措置としてIndemnity条項や、Warranty条項違反に対する措置が5.2条で定められていますが、これらの救済手段に限定する規定はありません。したがって、「11.10 Cumulative Remedies」を受け入れるかどうかは判断の余地があるといえます。また、適用される準拠法において特殊な救済措置が定められていないかに関して自信がない場合には、その点をしっかり確認して判断すべきでしょう。

「11.16 No License」は、本契約で別途明示的に付与されている場合を除き、契約の相手方に対していかなる知的財産に関するライセンスも付与されないことを確認する規定です。

たとえば、取引にあたって自社のロゴの入ったものを相手に交付することがありますが、そのロゴを勝手に使用できる権利を付与したものではないことを確認するために定められます。これも、一定の関係に入ったことにより当然にライセンス等が付与されるものではないことを確認する意味にとどまり、基本的に問題のない規定であることがわかります。

「11.17 No Change」は注意が必要です。これは、買主の同意なく、製品の仕様を変えたり、製品の仕様、見栄え、品質、機能、安全性あるいは耐用年数に影響を与える可能性のある製造過程、デザイン、原料や製造場所の変更をしてはならないとするのものです。

「Product」が本契約の買主から提供された仕様書に基づく特注品等であれ

ばこうした要請に応じることは考えられますが、そうでない汎用品の場合には製品の仕様自体や製造過程等について一切手をつけられないというのはかなり厳しい制限であり、売主の自由な研究開発すら制限しかねません。また、この文言によれば、製造過程等への変更に関して、製品の仕様、見栄え、品質、機能、安全性、あるいは、耐用年数に「影響」(悪影響に限定していません)を与える「可能性がある」変更に関してまで買主の同意が必要としており、このまま受け入れると、当該製品は売主の製品であるにもかかわらず、実質的に買主のコントロールを受けることになります。

製品の供給能力に影響を与えるような変更はともかく、ほぼすべての変更に関して買主の同意を必要とするのは過剰であるため、次のように修正することが考えられます。

11.17 No Change.

Seller shall not make such change to the specifications of the Product that would have an adverse effect on the quality of the Product without Buyer's prior written consent. Further, Seller shall not change the process, design, materials and/or manufacturing location for the Products which ~~may affect~~ would have an adverse effect fit, appearance, form, function, quality, safety and/or life of the Products, without Buyer's prior written consent.

11.17 変更しないこと

売主は、買主の書面による合意なく、製品の品質に悪影響を及ぼすことになるような製品の仕様を変更してはならない。さらに、売主は、買主の書面による合意なく、製品の仕様、見栄え、品質、機能、安全性あるいは耐用年数に悪影響を与える~~可能性のある~~こととなる製造過程、デザイン、原料や製造場所の変更をしてはならない。

この修正により、あくまで品質などに悪影響のある変更に関してだけ買主の同意を要すると限定できます。また、「may」という語句により悪影響の可能性があればすべて買主の事前同意を要求するのではなく、「would」を使用して悪影響が出る可能性の高さを条件にすることで範囲を限定するものです。「would」の代わりに「would likely to」や「would reasonably be expected to」という語句を使用することも考えれます。

このように、通常あまり見られないMiscellaneous条項の中には、契約の内容に影響を与えないものと当事者の事業活動に対する大きな制限になり得るものがあるため、内容をよく検討することが肝心です。

Question 4

次のような規定がMiscellaneous条項に入っています。このようにあまり見慣れない規定を受け入れても問題ないでしょうか。

The parties hereto agree that if any of the provisions of this Agreement were not performed in accordance with their specific terms or were otherwise breached, irreparable damages would occur, no adequate remedy at law would exist and damages would be difficult to determine, and that the parties shall be entitled to specific performance of the terms hereof and an injunction or injunctions to prevent breaches of this Agreement, in addition to any other remedy at law or equity, in each case without the necessity of providing any bond or security in connection with any such order or injunction.

本契約の条項がその内容に従って履行されない場合あるいは違反が

あった場合、法令による救済では適切な対応ができず回復不能であって損害の算定が困難な損害が発生すること、そして、法令あるいは衡平法による救済措置に加えて当事者が契約の条項の特定履行あるいは違反の阻止のための差し止めを求めることができること、実際に特定履行ないし差し止めの決定が出た場合でも保証金や担保を供する必要がないことに合意する。

Each of the parties hereto hereby agrees that, with regard to all dates and time periods set forth or referred to in this Agreement, time is of the essence.

当事者は、本契約で規定されあるいは参照されている日付や期間に関しては、重要な要素であることに合意する。

上記はともにあまり見かけない条項ですが、いずれも契約上の権利を強化するものにすぎず問題ありません。ただし、権利を行使することが多い買主の立場である場合には入れておいたほうがよい規定ですので、場合によっては追加を検討すべきでしょう。それぞれ見ていきましょう。

◆ Specific Performance（特定履行）

The parties hereto agree that if any of the provisions of this Agreement were not performed in accordance with their specific terms or were otherwise breached, irreparable damages would occur, no adequate remedy at law would exist and damages would be difficult to determine, and that the parties shall be entitled to specific performance of the terms hereof and an injunction or injunctions to prevent breaches of this Agreement, in addition to any other remedy at law or equity, in each case without the necessity of providing any bond or security in connection with any such order or injunction.

本契約の条項がその内容に従って履行されない場合あるいは違反があった場合、法令による救済では適切な対応ができず回復不能であって損害の算定が困難な損害が発生すること、そして、法令あるいは衡平法による救済措置に加えて当事者が契約の条項の特定履行あるいは違反の阻止のための差し止めを求めることができること、実際に特定履行ないし差し止めの決定が出た場合でも保証金や担保を供する必要がないことに合意する。

契約の義務違反に対して、金銭補償だけでなく、履行強制あるいは仮処分をすることができるという合意です。物の引渡しなど義務の特定履行を選択できる日本法と異なり、英米法では金銭補償が原則です。そのため、こうした特定履行が可能であることを明示的に規定するのが本条です。また、仮処分を行うことを認める合意が入っている場合も多いです。日本でも通常の契約の義務に関して仮処分が認められる要件は厳しいため、こうした合意をすることが役に立つ可能性もあります。

◆ Time of Essence（期限厳守）

Each of the parties hereto hereby agrees that, with regard to all dates and time periods set forth or referred to in this Agreement, time is of the essence.

当事者は、本契約で規定されあるいは参照されている日付や期間に関しては、重要な要素であることに合意する。

契約の対象となる取引において期限厳守が重要であることを宣言するものです。これを宣言することで、義務の履行において期限を徒過した場合に、契約解除ができるようになる効果を狙って規定されます。

第7章 ドラフト上の注意点

1 ドラフト上のテクニックによる罠

英文契約は、長く複雑な内容になっているだけでなく、独特のドラフト上のテクニックによって、日本人が気づかないような「罠」が仕組まれているのではないかという漠然とした不安を抱いている人がいます。

ここでいう「罠」とは、契約締結時にはまったく想定していなかったリスクが締結後に発覚する場合、つまり、自分が理解していた契約の内容・効果が実は誤っていたという場合です。具体的には、以下のようなケースになります。

- 使用される語句や条項に法的に特殊な効果が与えられており、英語として読んだだけではその正確な効果が理解できなかった場合
- 本来の意味が隠されるように条文が作成されており、ただ英語として読んだだけではそれがわからなかった場合

前者は、英文契約で使用される語句や条項の法的な意味合いや効果をきちんと理解していない場合に陥る「罠」です。したがって、法的知識を身につければ、この「罠」にかかることはありません。

また、後者はいわゆるドラフトのテクニックによって埋め込まれる「罠」です。しかし、筆者の経験上、このような「罠」を埋め込むことは通常は極めて難しいというのが実感です。英文契約に携わる弁護士等は、確かに英文契約をレビューするだけでなく、その作成に関するテクニックを磨きますが、そのテクニックの主眼は、むしろ複雑な当事者の合意内容をできるだけ正確かつ誤解のないように英語で表現し、書面に落とすことに向けられるので

あって、相手の目から本来の意図を隠したり相手を誤解させたりすることに向けられてはいません。また、そもそも、当事者間で互いに修正等を加えながらやり取りする中で、そうした「罠」を相手に気づかれないように組み入れることは困難です。修正箇所はWord等のソフトウェアにおける変更箇所表示機能によってあぶりだされるため、特殊な規定を入れたことは容易に発覚するからです。

したがって、英文契約は確かに読み慣れていない独特の形式をとるものの、その内容を正確に読める英語力があり、かつ、第3章から第6章で見た特殊な法的概念のポイントを押さえて理解すれば、「罠」にかかるリスクを抑えられます。

もっとも、英文契約特有のドラフト上の注意点というものは存在します。以下では、英文契約サンプルを見ながら、それらの代表例を検討していくことにします。

2 定義の利用

1 まずは定義の役割を押さえる

英文契約では「定義」が多く使われます。定義は、特定の語句に対して当該契約中における一定の意味を付与するものです。定義された語句に置き換えることで、規定が不必要に長くなるのを防ぎ、また、特定の語句に共通の明確な意味を持たせることで解釈を判然とさせます。

定義をする場合、最初に当該語句が出てきた条項の中で定義を示す方法と、契約の中に独立した定義集を作成してまとめる方法の2つがあります。前者の場合、各条項に点在した定義内容を探すのに手間がかかるため、ボリュームの多い契約書では後者の方式が採られる傾向があります。

後者の場合には、定義をする文章が独立しているので内容が明確です。たとえば、以下のような形になります。

"Damages" means damages, losses or liabilities (including judgements, awards, interests and penalties) together with costs, expenses and reasonable attorney' fees.

「損害」とは、損害、損失あるいは責任（判決、審判、利息及び罰金を含む。）に加えて、費用、経費及び合理的な弁護士費用を含む。

一方、定義が本文中でされる場合の典型例は次のとおりです。

Party (an **"Indemnifying Party"**) shall each indemnify, defend and hold harmless the other Party, its Affiliates and their respective directors, officers and employees (each, an **"Indemnitee"**) from and against all claims, damages, losses, liabilities, costs, expenses and reasonable attorneys' fees due to or arising out of or in connection with any breach of its obligation by Indemnifying Party under this Agreement except should those be caused due to active or passive negligence of the Indemnitee (**"Damages"**).

「Indemnify をする」Party をもって Indemnifying Party と定義するもの。ここでは Indemnifying Party という語句に一定の意味を持たせるというよりは、当事者がともに Party と表記されてしまうために、どちらか一方を特定することを目的としている。

「the other Party, their Affiliate, their respective directors, officers and, employees」をまとめて Indemnitee と定義。

ここで列挙されたものを Damage と定義するものであるがその範囲がどこまでかは慎重に見ることが必要。下記参照。

当事者（以下「補償責任者」という。）は、他方当事者、その関連会社、並びに、それらの取締役、役員及び従業員（以下「補償対象者」という。）に対して、補償対象者の過失による行為あるいは不作為によるものを除き、本契約における補償責任者の義務違反を理由として、起因して、あるいは関連して発生した、請求、損害、損失、責任、経費、費用及び合理的な弁護士費用（以下「損害」という。）について、補償し、保護し、防御する。

条文中の「定義」は、契約をコンパクトにし、また、意味内容を明確にするうえで有用ですが、逆にこうした定義の機能を利用して本来の意味内容を変えたり、隠したりする「罠」として使用されることもあります。このような定義における「罠」は、以下の2つに整理することができます。

① 「定義」の内容となる文章の範囲をいじることで異なる意味を持たせる
② 「定義」を使用することで文章の意味を変える

以下、順に検討します。

2 「定義」の内容となる文章の範囲をいじって異なる意味を持たせる例

(1) 英文契約サンプル中の例（8.2条）

英文契約サンプルの8.2条を見てみましょう。この条項は、取引の過程で何らかの知的財産権が発明された場合に、その帰属等の取扱いについて定めるものですが、不適切な部分はないでしょうか。特に、「Relevant Inventions（関連発明等）」という定義の使い方が正しいか検討します。

8. 2　Relevant Inventions.

If Seller has created any invention, device, design, trademark, copyright or other work related to the Products or the manufacturing method thereof (**"Relevant Inventions"**) based on any Specifications or other specification sheet, drawing or any other materials provided by Buyer, Seller shall promptly notify Buyer in writing thereof. Seller shall not file an application for intellectual property rights (including patent right, utility model right, design right, trademark right, right to obtain them and copyright) related to the Relevant Inventions or register them without the prior written consent of Buyer. If any Relevant Invention has been created, the Parties shall consult on which Party should own them, how to handle them and other relevant issues.

8. 2　関連発明等

売主が、本製品又はその製造方法に関して発明、部品、デザイン、商標、著作権あるいはその他の成果物（以下「関連発明等」という。）を作り出した場合で、それらが買主が提供した仕様書、設計図その他の資料に基づき作り出されたものである場合、売主は買主に対して書面で速やかに連絡する。売主は、関連発明等に関して、買主の書面による事前の同意なく、知的財産権（特許、実用新案、意匠、商標、著作権を含む。）の申請あるいは登録をしてはならない。関連発明等が作り出された場合、当事者はその権利の帰属、対応その他の関連する事項に関して協議する。

本条では、「Relevant Inventions（関連発明等）」に関して、勝手に特許出願等の権利化手続はせず、その帰属については当事者で話し合うものとしています。こうした手続規定を設けることはよくありますが、問題は「Relevant Inventions」の定義内容です。

そこで条文を見てみると、定義語の前で説明されている「If Seller has created any invention, device, design, trademark, copyright or other work related to the Products or the manufacturing method thereof」、すなわち、「売主が製品又はその製造方法に関して作り出した発明、部品、デザイン、商標、著作権あるいはその他の成果物」が「Relevant Inventions」の定義であるということがわかります。

この定義には、位置関係上、「based on any Specification sheet, drawing or any other materials provided by Buyer」という文言が含まれていないことがわかります。つまり、買主が提供した仕様書、設計図その他の資料に基づいて作り出されたものであることは条件にされていないのです。言い換えれば、買主の関与・寄与がまったくなく、売主が自身の努力のみで作り出したような「発明、部品、デザイン、商標、著作権あるいはその他の成果物」であっても、それが買主に納入している製品に関するものであれば「Relevant Inventions」に含まれてしまうため、単独で特許出願等の権利化手続をすることはできず、その帰属について常に売主と話し合わなければならないことになります。

これは買主がなんら寄与していないものにまで制限をかけるものであって、あまりに過剰といえます。これは、前述の定義を利用した「罠」のパターン1（定義の内容となる文章の範囲をいじることで異なる意味を持たせる）であるとわかります。

こうした不合理な内容になっているのは、「Relevant Inventions」の定義の範囲がおかしいためです。そこで、次のように修正することが考えられます。

【修正パターン①】

If Seller has created any invention, device, design, trademark, copyright or other work related to the Products or the manufacturing method thereof ~~(“Relevant Inventions”)~~ based on any Specifications or other specification sheet, drawing or any other materials provided by Buyer ("Relevant Inventions"), Seller shall promptly notify Buyer in writing thereof.

売主が、本製品又はその製造方法に関して発明、部品、デザイン、商標、著作権あるいはその他の成果物~~(以下「関連発明等」という。)~~を作り出した場合で、それらが買主が提供した仕様書、設計図その他の資料に基づき作り出されたもの(以下「関連発明等」という。)である場合、売主は買主に対して書面で速やかに連絡する。

このように定義語句の位置をずらせば、「Relevant Inventions」の意味は、「売主が製品又はその製造方法に関して作り出した発明、部品、デザイン、商標、著作権あるいはその他の成果物であって、買主が提供した仕様書、設計図その他の資料に基づいて作り出されたもの」に限定されます。そして、この内容であれば、「Relevant Inventions」について勝手に特許出願等の権利化手続はできず、両者の寄与があることを前提に、その寄与の程度に応じて権利の帰属等を話し合うことは合理的といえます。

さらに、一歩進めて、売主が自身に有利な内容にするには、以下のような修正が考えられます。

【修正パターン②】

If Seller has created any invention, device, design, trademark, copyright or other work related to the Products or the manufacturing method thereof based solely or primarily on any Specifications or other specification sheet, drawing or any other materials provided by Buyer ("Relevant Inventions"), Seller shall promptly notify Buyer in writing thereof.

売主が、本製品又はその製造方法に関して発明、部品、デザイン、商標、著作権あるいはその他の成果物を作り出した場合で、それらが買主が提供した仕様書、設計図その他の資料にのみあるいは主としてそれらに基づき作り出されたもの（以下「関連発明等」という。）である場合、売主は買主に対して書面で速やかに連絡する。

すなわち、「買主が提供した仕様書、設計図その他の資料」に少しでも関与があれば「Relevant Inventions」に該当するとするのではなく、発明、部品、デザイン、商標、著作権あるいはその他の成果物が買主が提供した仕様書、設計図その他の資料のみに依拠して作り出された、あるいは、主として買主が提供した仕様書、設計図その他の資料に依拠して作り出されたといえる場合に限定し、買主側の寄与度が売主側のそれよりも高いことを要求するものです。「solely or primarily」が条件として厳しすぎるということであれば、より緩やかな基準を求める「substantially」という語句を用いることも選択肢の一つです。この場合、抽象的に一定程度の「実質的な寄与」があったことだけを求めることになります。どの程度の関連性を示す語句を使用するかの選択は、個々の状況に応じて検討することになります。

(2) その他の例

では次に、その他の例で「定義」の内容となる文章の範囲をいじることで異なる意味を持たせるようになっていないかを確認してみましょう。

本文中で定義がなされている場合、基本的には、定義語を示すカッコの前に来る文章あるいは語句がその定義の内容になりますが、実務上は悩ましいケースもあります。

たとえば、**241ページ**の例でも、本文中で「Damages」の定義がされています。ここでの「Damages」の定義は何になるでしょうか。

Party (an **"Indemnifying Party"**) shall each indemnify, defend and hold harmless the other Party, its Affiliates, and their respective directors, officers and employees (each, an **"Indemnitee"**) from and against all claims, damages, losses, liabilities, costs, expenses and reasonable attorneys' fees due to or arising out of or in connection with any breach of its obligation by Indemnifying Party under this Agreement except should those be caused due to active or passive negligence of the Indemnitee ("**Damages**").

当事者（以下「補償責任者」という。）は、他方当事者、その関連会社、並びに、それらの取締役、役員及び従業員（以下「補償対象者」という。）に対して、補償対象者の過失による行為あるいは不作為によるものを除き、本契約における補償責任者の義務違反を理由として、起因あるいは関連して発生した、請求、損害、損失、責任、経費、費用及び合理的な弁護士費用（以下「損害」という。）について、補償し、保護し、防御する。

「claims, damages, losses, liabilities, costs, expenses and reasonable attorneys' fees」を指しているのは明らかですが、問題は、「due to or arising out of or in connection with any breach of its obligation by Indemnifying Party under this Agreement」や「except should those be caused due to active or passive negligence of the Indemnitee」までが「Damages」の内容になっているかです。

これらが「Damages」の定義に含まれる場合、その意味は、単に「claims, damages, losses, liabilities, costs, expenses and reasonable attorneys' fees」といった損失・損害・費用に限られません。すなわち、これらが定義内容に含まれる場合、「Indemnifying Partyが契約違反により発生したもの」に限定され、さらに、「Indemniteeの過失により発生した損失・損害・費用」は除かれることになり、「Damages」の内容はかなり限定されたものになります。
一般的には、当該語句の直前までの文章は定義の内容であると理解されるので、上記では、「Damages」の内容は、「claims ～ Indemnitee」の全部ということになります。もし、「Damages」の内容を「claims, damages, losses, liabilities, costs, expenses and reasonable attorneys' fees」のみとして、その後に続く範囲を限定する文章を定義の中に取り込まないのであれば、「all claims, damages, losses, liabilities, costs, expenses and reasonable attorneys' fees (“Damages”) due to or arising out of or in connection with any breach of its obligation by Indemnifying Party under this Agreement except should those be caused due to active or passive negligence of the Indemnitee」という位置関係にすることが必要です。
このように、語句の位置をどこにするかで定義内容が大きく変わることに注意が必要です。

また、上記「Damages」の定義との関係で以下のような規定があった場合には大きな問題になります。

【12. 1】 Party (an **“Indemnifying Party”**) shall each indemnify, defend and hold harmless the other Party, its Affiliates, and their respective directors, officers and employees (each, an **“Indemnitee”**) from and against all claims, damages, losses, liabilities, costs, expenses and reasonable attorneys' fees due to or arising out of or in connection with any breach of its obligation by Indemnifying Party under this Agreement except should those be caused due to active or passive negligence of the Indemnitee (**“Damages”**).
【12. 2】 The Parties acknowledge and agree that the remedies provided and set forth in Section 12. 1 shall be the Parties' sole and exclusive remedy with respect to Damages in relation to any subject

matter of this Agreement.

【12. 3】 Except as otherwise expressly set forth in this Agreement, in no event shall either Party be liable to the other Party for such Damages incurred or suffered by the other Party that are consequential, special, incidental, indirect or punitive in nature.

【12. 1】 当事者（以下「補償責任者」という。）は、他方当事者、その関連会社、並びに、それらの取締役、役員及び従業員（以下「補償対象者」という。）に対して、補償対象者の過失による行為あるいは不作為に基づくものを除き、本契約における補償責任者の義務違反を理由として、起因あるいは関連して発生した請求、損害、損失、責任、経費、費用及び合理的な弁護士費用（以下「本損害」という。）について、補償し、保護し、防御する。

【12. 2】 当事者は、12. 1条に規定された救済手段が本契約に関する本損害に関して唯一かつ独占的な救済手段であることに合意する。

【12. 3】 本契約で別途明確な定めがある場合を除き、当事者は、他方当事者が負担し被った本損害であって、結果的なもの、特別なもの、付随的なもの、間接的なものあるいは懲罰的ものに関しては責任を負うことはない。

12. 2条では、当事者が「Damages」（本損害）に対して当該契約で行使できる救済措置が12. 1条で定めるindemnificationに限定されていること、12. 3条では、結果損害、特別損害、付随損害、間接損害や懲罰的損害に関しては責任を負わないことがそれぞれ規定されています。

本来であれば、これらの限定規定は契約に関連して発生するありとあらゆる損害を対象にする必要があります。これらの対象から外れるものがあると、限定の効果が薄れて思いがけないリスクを負うことになるためです。

ところが、12. 2条の救済手段の限定や12. 3条の責任限定の対象は、本契約中に定義される「Damages」になっており、一般用語である「damages」とは異なります。つまり、単なる損失・損害・費用ではなく、① Indemnifying Party による契約上の義務の違反に起因するものであって、かつ、② Indemnitee の過失により発生した損失・損害・費用は除外されることになります。

したがって、12.2条や12.3条でせっかく設けた限定規定の適用は、定義規定によってその範囲が狭められた損失・損害・費用である「Damages」(本損害) しか対象にならず、たとえば不法行為による損害のように契約上の義務違反に起因する損害以外の損害には適用されないことになります。これでは12.2条や12.3条が穴だらけになり、本来期待される機能・効果を持たない結果になってしまいます。

なお、この例では、定義規定と当該定義語が使用されている規定が並んでいるため「からくり」に気づきやすいですが、両者が離れている場合は要注意です。

3 「定義」を使用することで文章の意味を変える

(1) 英文契約サンプル中の例 (7.1条)

英文契約サンプルでIndemnity (補償) を定めた7.1条を見ると、いくつかの定義語が使用されていることがわかります。これらは適切でしょうか。想定外の意味に変えられていないでしょうか。

> Each party (the "Indemnitor") shall indemnify, hold harmless and defend the other Party, its Group, and their respective directors, officers and employees, agents, customers, suppliers and representatives (each, an **"Indemnitee"**) from and against all claims, damages, losses, liabilities, costs, expenses and reasonable attorneys' fees due to arising out of caused by or in connection with …….

当事者（以下「補償責任者」という。）は、他方当事者、そのグループ、それらの取締役、役員、従業員、代理人、顧客、供給者及び代表者（以下「補償対象者」という。）に対して、……を理由として、起因して、原因としてあるいは関連して発生した……について、補償し、保護し、防御する。

これは典型的なIndemnity条項（補償条項）ですが、「Indemnitee」の定義の中に「Group」という定義語が入っています。以下がその定義規定です。

"Affiliate" means, with respect to any person or entity, any person or entity that directly or indirectly, through one or more intermediaries, controls, or is controlled by, or is under common control (which shall mean 50% or greater voting interest in a person) with, such person or entity.

……

"Co-Venture" means any other entity with whom a Party is or may be from time to time a party to a joint operating agreement or similar agreement relating to the distribution, sale, manufacture, or development of its products.

……

"Group" means, with respect to an entity, such entity, its Co-Ventures, and the respective Affiliates of such entity and Co-Venture.

「**関係会社**」とは、ある者又は会社にとって、一ないし複数の中間者を通じて、直接又は間接的に、自身が支配（他の者の50％以上の議決権を保有することをいう。）し、自身が支配され、あるいは、自身と共通の支配下にある他の者あるいは会社をいう。
……
「**合弁会社**」とは、当事者が現在あるいは将来において、共同運営契約あるいはその他製品の物流、販売、製造あるいは開発に関して類似の契約を締結した場合の契約の相手方をいう。
……
「**グループ**」とは、ある会社にとって、その会社自身、その合弁会社、それらの関係会社をいう。

「Group」という語句から一般的に想定されるのは、一定程度以上の資本関係がある関連会社の集まりでしょう。

一方、この契約における「Group」の定義によれば、Co-Ventureとその Affiliateが含まれるとしています。そこでCo-Ventureの定義を見ると、製品の物流、販売、製造あるいは開発に関して共同運営契約もしくはこれに類似する契約を締結する相手とされています。つまり、この契約での「Group」には、資本関係のまったくない業務提携先まで含むと定義されているのです。しかも、「Group」にはCo-VentureのAffiliateまで含まれるので、さらに注意が必要です。「Affiliate」は、50%以上の資本関係がある会社と定義されており、通常「Group」として想定される会社の範囲ではありますが、「Co-VentureのAffiliate」は、自身とはなんら関係のない会社だからです。

そうすると、相手方の「Group」が補償対象者に含まれていることで、相手方となんら資本関係もないような会社等についてまで補償義務の範囲が拡大してしまうことになります。

このように、定義によって、用語の意味が一般的な意味よりも拡大した内容になり、その結果、自身の義務の範囲が想定外に広くなることがあるので十分注意しましょう。

(2) その他の例

「定義」によって文章の意味が変わってしまう他の例を見てみましょう。

以下は、当事者が互いに協力してサービスを提供するという内容の契約で設けられる顧客勧誘禁止規定です。

Each Party, during the term of this Agreement and for a period of 12 months thereafter, shall not solicit any Client introduced by the other Party pursuant to this Agreement.

当事者は、本契約の期間中及びその後12か月間は、本契約に従い他方当事者より紹介を受けた顧客を勧誘してはならない。

互いにそれぞれの顧客を相手方に紹介し、その顧客に対して当事者が協力してサービスを提供する契約において、紹介した顧客を相手方にとられてしまわないように、契約期間中及び契約終了後も12か月間は相手方当事者から紹介された顧客に勧誘を行わないという約束を交わすものです。

ここでも、勧誘禁止の対象は「Client」という定義語になっています。定義規定が以下のとおりである場合、どのような結果になるでしょうか。

A "Client" shall mean a client of the Party which it has a business relationship prior to the execution date of this Agreement and introduces to the other Party and both Parties agree jointly to provide Services pursuant to this Agreement.

「顧客」とは、当事者の顧客であって、本契約の締結前において取引関係があり、本契約に従い相手方に紹介し両当事者でサービスを共同して提供することに合意した者をいう。

この定義によれば、「Client」とは、単なる取引関係のある者（which such Party has business relationship）という辞書的な意味ではなく、①当該契約締結前に取引関係のあった者（prior to the execution date of this Agreement）に限定され、さらに、②この契約で当事者が共同してサービスを提供することに合意した者（which…… both Parties agree jointly to provide Service pursuant to this Agreement）に限定されていることがわかります。

そうすると、先ほどの顧客勧誘禁止規定もこの限定された意味での「顧客」にしか適用がなく、それ以外の、当該契約締結後に取引関係ができた顧客や、相手方に紹介したものの共同でサービス提供することに合意できなかった顧客は、勧誘禁止の対象ではないことになります。特に、後者は勧誘禁止規定の対象としたい典型例のはずですが、勧誘禁止規定において一般用語である「client」ではなく定義語の「Client」を使用してしまったことで勧誘禁止規定が穴だらけになり、本来期待される機能・効果を持たない規定になってしまうのです。

また、このケースでは、定義自体が顧客勧誘禁止規定とは別の条項に定められているため、この「からくり」に気づくのが難しいかもしれません。これに気づくには、顧客勧誘禁止規定を見た後、契約書の冒頭もしくは終わりに別途設けられている定義条項を一つずつ確認するしかありません。

4 定義を介した「罠」のポイント

以上のように、定義された語句が通常想定される一般的な意味とは異なる意味を持つ場合、契約の規定が思わぬ変容を受け、想定外の結果となることがあります。そして、定義語が使用されている規定と定義規定が離れた場所に置かれる場合には、この「罠」を見つけにくくなります。

また、一般的な用語に対して特別な定義がなされている場合は、通常の意味で読めてしまうため、特に注意が必要です。先に見たDamages、Client、Groupはまさにその典型例です。

なお、定義による「罠」は、意図的に仕組まれる場合ももちろんありますが、不注意によって陥ってしまうケースもあります。これは、定義語が契約中の様々な箇所に異なる文脈で使用されるためです。たとえば、ある定義語が、条項A及び条項Bで使用されていた場合において、当該定義語を条項Aの趣旨に沿うように変更した結果、変更後の定義語が条項Bの文脈で想定外の効果を生じさせるケースです。したがって、この点に注意して内容を確認しておくことが重要といえます。

さらにもう一歩

他の条項とは区別した形式で定義集を設ける方法の場合、かかる定義条項は契約書の冒頭もしくは一番後ろに来ることが多いです。いずれの場合でも契約書の本文中に位置することは変わりませんので、定義条項にも法的効力が付与されています。

そのため、定義条項中に当事者の権利義務が記載されている場合、それは契約書本文に規定された他の条項同様に法的効力を有する権利義務となるので注意が必要です。

たとえば、A、B、C及びDが株主として締結する株主間契約で、以下のような定義があったとします。

"Purchase Agreement" shall mean the Stock Purchase Agreement between A and B as of [ ], 2017 as amended or modified provided however that no such amendment or modification shall be made without consent of other Shareholders.

「買収契約」とは、A及びBの間で2017年[ ]に締結された株式売買契約をいう（その改正ないし変更を含むが、ただし、改正ないし変更は他の株主の同意なく行ってはならない。）。

このような定義があった場合、AB間で締結されたStock Purchase Agreementに関しては、当事者であるABの同意で変更できるのが原則ですが、定義中に「provided however that no such amendment or modification shall be made without consent of other Shareholders」という文言が追加されていることで、当

該Stock Purchase AgreementはABの同意だけでは変更できず、「other Shareholders」(つまりCとD)の同意まで要求されることになります。このように、定義規定中に定められた権利義務等も法的効力を有して当事者を拘束しますので、見逃さないようにすることが必要です。

3 接続詞の選択と解釈への影響

英文契約では多くの接続詞が使用されます。通常の英文同様、逆接・順接のどちらなのか、例外をつくるものかといった意味を押さえておけば十分ですが、この接続詞を変えることで、文章の解釈に影響させようとするものもあります。

たとえば、英文契約サンプルの3.5条では、「Provided, however」という接続詞が使用されていますが、ここを変えることでどのような効果が出るのか見てみましょう。

3.5 Similar Products.

Seller shall not, directly or through a third party, manufacture or sell any products identical to the Products or similar products thereto utilizing all or any part of the appearances or specifications of the Products for the benefit of any third party, without the prior written consent of Buyer, provided, however, that Seller may sell, directly or indirectly, the product corresponding to product number XXXX and YYYY to a third party without the prior written consent of Buyer.

3.5 類似品の販売禁止

売主は、直接あるいは第三者を通じて、本製品と同じ製品あるいは本製品の外観や仕様の全部ないし一部を利用した類似品を、買主の事前の書面による同意なく、第三者のために製造ないし販売してはならない。ただし、製品番号 XXXX と YYYY の製品に関しては、買主の事前の書面による同意なく、直接又は間接的に、第三者に対して製造ないし販売することができる。

本条を分解すると、以下の2つのことが書かれているとわかります。

Seller shall not, directly or through a third party, manufacture or sell any products identical to the Products or similar products thereto utilizing all or any part of the appearances or specifications of the Products for the benefit of any third party, without the prior written consent of Buyer.

売主は、直接あるいは第三者を通じて、本製品と同じ製品あるいは本製品の外観や仕様の全部ないし一部を利用した類似品を、買主の事前の書面による同意なく、第三者のために製造ないし販売してはならない。

Seller may sell, directly or indirectly, the product corresponding to product number XXXX and YYYY to a third party without the prior written consent of Buyer.

売主は、製品番号 XXXX と YYYY の製品に関しては、買主の事前の書面による同意なく、直接又は間接的に、第三者に対して製造ないし販売することができる。

第一文では、同一製品又は類似品の第三者への販売を禁止し、一方で、第二文では、製品番号XXXXとYYYYに関しては販売してもよいとしています。

そして、問題は両者の関係ですが、これには2つの可能性があります。

① 「製品番号XXXXとYYYY」はそもそも「同一製品又は類似品(当該製品のデザインや使用の全部又は一部を利用したもの)」ではないので、当然に許容される。

② 「製品番号XXXXとYYYY」は「同一製品又は類似品(当該製品のデザインや使用の全部又は一部を利用したもの)」にあたるものの、例外として許容される。

上記2つの考え方は、「製品番号XXXXとYYYY」自体が販売できる点では同じですが、「同一製品又は類似品」の範囲が変わってきます。すなわち、前者であれば、「製品番号XXXXとYYYY」のようなものは含まれないということが明確になりますし、後者であれば、「製品番号XXXXとYYYY」のようなものが第三者販売禁止の対象になると考えられるからです。

ここで注目すべきなのが、2つの文章をつなぐ「provided, however」という語句です。これが使用されているときは前後の文章の適用範囲が重なっていることを前提とするという共通理解があり、かかる理解をもとに本条を見ると、「製品番号XXXXとYYYY」が「類似品」であることを前提にしているように読めてしまうのです。すなわち、「製品番号XXXXとYYYY」は、少なくとも「類似品」に含まれるという一つの具体例となるのです。これは、禁止の範囲を広げたい買主側に有利な内容になります。

a) 3.5条を売主有利に変更する

一方で、売主からすると、「製品番号XXXXとYYYY」は「類似品」にあたらず販売は許容されると考えているはずです。これを明確にしたい場合には、以下のように修正することが考えられます。

【修正パターン①】

Seller shall not, directly or through a third party, manufacture or sell any products identical to the Products or similar products thereto utilizing all or any part of the appearances or specifications of the Products for the benefit of any third party, without the prior written consent of Buyer.~~, provided, however, that~~ For the avoidance of doubt, Seller may sell, directly or indirectly, the product corresponding to product number XXXX and YYYY to a third party without the prior written consent of Buyer.

売主は、直接あるいは第三者を通じて、本製品と同じ製品あるいは本製品の外観や仕様の全部ないし一部を利用した類似品を、買主の事前の書面による同意なく、第三者のために製造ないし販売してはならない。~~ただし、~~疑義を避けるために述べると、製品番号XXXXとYYYYの製品に関しては、買主の事前の書面による同意なく、直接又は間接的に、第三者に対して製造ないし販売することができる。

このようにすると、「製品番号XXXXとYYYY」は「類似品（当該製品のデザインや使用の全部又は一部を利用したもの）」にあたらず販売が許されるという趣旨が明確になります。すなわち、2つの文章は「重なっていない」ことを明確にするのです。言い換えれば、「製品番号XXXXとYYYY」は「類似品」に含まれないという一つの判断基準を示すことになります。

b）中立的な表現にする

また、以下のような文章にすることも考えられます。

【修正パターン②】

Seller shall not, directly or through a third party, manufacture or sell any products identical to the Products or similar products thereto utilizing all or any part of the appearances or specifications of the Products for the benefit of any third party, without the prior written consent of Buyer.~~, provided, however, that~~ Without limiting the generality of the foregoing, Seller may sell, directly or indirectly, the product corresponding to product number XXXX and YYYY to a third party without the prior written consent of Buyer.

売主は、直接あるいは第三者を通じて、本製品と同じ製品あるいは本製品の外観や仕様の全部ないし一部を利用した類似品を、買主の事前の書面による同意なく、第三者のために製造ないし販売してはならない。~~ただし、~~売主は、製品番号XXXXとYYYYの製品に関しては、買主の事前の書面による同意なく、直接又は間接的に、第三者に対して製造ないし販売することができるが、これは前文で述べる原則を制限するものではない。

「製品番号XXXXとYYYY」の許容は第一文で定められた禁止規定の適用に影響がないとされています。ただし、この「Without limiting the generality of the foregoing」は、ニュアンスとしては「provided however」寄りの意味を含むため、「製品番号XXXXとYYYY」が「類似品」には該当すると読まれる余地があり、注意は必要です。実際にどの語句を使用するか、どちら寄りのニュアンスにするかは、最後は交渉によって決着させざるを得ません。

このように、意図的に接続詞を変えるだけで、禁止範囲の解釈に対する影響を通じて、その範囲を拡大したり縮小したりすることがあることを覚えておいてください。

4 自分の義務の否定及び限定の方法

英文契約での修正の多くは、それぞれの権利義務を強めたり弱めたりすることに費やされ、英文契約におけるレビュー交渉はこれに尽きるといっても過言ではありません。そこで、以下では、権利義務についての典型的な修正方法と気をつけるべきポイントを見ていきます。

英文契約サンプルの6.7条のAudit条項(監査条項)を見てみましょう。

6.7　Audit.

Upon notice by Buyer, Seller shall furnish to the representatives of Buyer, and allow such representatives of Buyer, access to financial and operating data and other information regarding assets, properties and liabilities relating to the Products. Seller shall cooperate with Buyer and its appointed representatives and grant them access. If any such examination reveals any inaccuracy in any invoice, the necessary adjustments in such invoice and the payments thereof will be made promptly and the responsible Party shall bear interest calculated at the Interest Rate from the date the overpayment or underpayment was made up to, but excluding, the date the payment is made. Any information received or reviewed by a Party in connection with an audit shall be Confidential Information, and may only be used to show a breach hereof.

6.7　監査

買主からの通知があった場合、売主は、買主の代表者に対して財務及び運営に関するデータ並びに製品に関連する資産、動産及び負債に関するその他の情報を提供し、また、買主の代表者が利用できるようにしなければならない。売主は、買主及びその代表者に協力し、それらの情報を利用できるようにする。かかる調査の結果、請求に関して不正確な点が発見された場合、請求書及びそれによる支払いに関して必要な調整を速やかに行うものとし、その場合、責任ある当事者は支払超過あるいは支払不足があった日から必要な支払いが完了する日までの期間につき本利率で計算される利息を負担する。当事者が監査に関連して受領し閲覧した情報は守秘情報とみなし、違反があったことを示すためのみに使用することができる。

この規定は前段と後段に分かれており、前段は監査手続を、後段は監査の結果不備が発見された場合に規定された手続に従い不備による未払金と利息を支払うことを求めています。本条に規定された義務をどのように受け入れ可能な形に変えていけばよいでしょうか。

後段については、不備が発見された際の手続にすぎないため、その手続が問題ないか、対応できるかどうかの確認は最低限必要だとしても、前段の不備発見のための監査手続さえ適正であればそれほどリスクがあるものではありません。したがって、前段に注目してレビューすることになります。

前段は、「Upon a notice by Buyer, …… to the Products」と記載されており、売主の会計・請求に関する情報に買主がアクセスする権利を規定していることがわかります。つまり、売主は、買主からこうした請求があった場合、理由を問わず応じなければならないということです。

では、これを否定したい場合はどうすればいいでしょうか。

1 自身の義務の否定

契約交渉の大きな目標は、自身の権利をできるだけ拡大し、義務に関してはなるべくその範囲を狭めるということに尽きます。

もっとも、自身の義務を否定するには複数の方法があります。典型的な方法をいくつか見てみましょう。

買主から通知があれば売主は常に理由を問わず監査を受け入れなければな

らないのは負担が過大であると考えた場合、もっともシンプルな対応は、そのような義務を一切負わないとして規定の全部を削除することです。

【義務の否定の修正パターン①】

~~Upon notice by Buyer, Seller shall furnish to the representatives of Buyer, and allow such representatives of Buyer, access to financial and operating data and other information regarding assets, properties and liabilities relating to the Products.~~

~~買主からの通知があった場合、売主は、買主の代表者に対して財務及び運営に関するデータ並びに製品に関連する資産、動産及び負債に関するその他の情報を提供し、また、買主の代表者が利用できるようにしなければならない。~~

ただし、単なる削除では買主が納得しない場合が多いため、以下のような対案をすることが考えられます。

【義務の否定の修正パターン②】

Buyer may, with a prior consent of Seller, investigate and access to financial and operating data of Seller and other information regarding assets, properties and liabilities relating to Products.

買主は、売主の事前の同意があれば、売主の財務及び運営に関するデータ並びに製品に関連する資産、動産及び負債に関するその他の情報を調査し利用することができる。

元案の枠組みが「売主の監査に応じる義務」であったのに対して、上記対案では、「買主の監査する権利」に枠組みを変えています。これは、「買主が望めば売主を監査できる」ということをどちらの視点から見るかだけの違いであり、いずれも効果は変わりません。

しかしながら、この対案でのポイントは、買主が売主を監査する権利があるという基本的な枠組みを残しつつ、一方で「with a prior consent of Seller」を追加し、あくまで売主の同意がある場合にのみ当該権利を行使できるとすることです。これにより、実質的に当該買主の監査する権利を無意味にすることができます。

あるいは、元の文章を生かしつつ、技巧的に以下のようにすることも考えられます。

【義務の否定の修正パターン③】

Upon notice by Buyer, Seller shall furnish to the representatives of Buyer, and allow such representatives of Buyer, access to financial and operating data and other information regarding assets, properties and liabilities relating to Products only if Buyer and Seller agree on the terms and conditions as to how to conduct the foregoing.

買主からの通知があった場合、買主と売主の間でその実施の方法に合意した場合に限り、売主は、買主の代表者に対して財務及び運営に関するデータ並びに製品に関連する資産、動産及び負債に関するその他の情報を提供し、また、買主の代表者が利用できるようにしなければならない。

また、同様の趣旨で以下のようにすることも考えられます。

【義務の否定の修正パターン④】

Upon notice by Buyer, Seller shall furnish to the representatives of Buyer, and allow such representatives of Buyer, access to financial and operating data and other information regarding assets, properties and liabilities relating to Products subject to and pursuant to an agreement to be separately agreed between the parties.

買主からの通知があった場合、買主と売主の間で別途合意する内容に従って、売主は、買主の代表者に対して財務及び運営に関するデータ並びに製品に関連する資産、動産及び負債に関するその他の情報を提供し、また、買主の代表者が利用できるようにしなければならない。

これらはいずれも、売主には買主からの監査要求に応じる義務があるという元の文章は残しつつ、その義務を一定の条件にかからしめています。

【義務の否定の修正パターン③】では、「only if Buyer and Seller agree on the terms and conditions as to how to conduct the foregoing」となっており、あくまで売主と買主がデータ提供方法・データアクセス方法に関して合意した場合に限り監査に応じる義務があることを明確にしています。この場合、買主から監査の要求があっても、これに合意するかどうかは売主に裁量があり、売主が合意しなければ監査要求に応じる義務は発生しないことになります。

【義務の否定の修正パターン④】では、「subject to and pursuant to an agreement to be separately agreed between the parties」が追加されており、売主が監査に応じる義務は当事者が別途合意することを条件に、かつ、その合意内容に従ってのみ発生することになります。この場合も、実際に監査要請に応じる義務が発生するかどうかは、売主の意思によって決まるように変更されています。

以上のような条件付けをして、義務を実質的に否定する目的で実務上よく使われる文言を、**図表13**にまとめました。

図表13

[無意味にしたい規定] only if…	もし…ならば、[無意味にしたい規定] を適用する。
[無意味にしたい規定] subject to…	…を条件として、[無意味にしたい規定] を適用する。
[無意味にしたい規定], provided, how ever, that …	[無意味にしたい規定]。ただしそれは…であることを条件とする。
[無意味にしたい規定] on the conditi on that…	…を条件として [無意味にしたい規定] を適用する。
[無意味にしたい規定] to the extent that…	…である限りにおいてのみ [無意味にしたい規定] が適用される。

◆ **条件付けの語句の位置に注意する**

この条件付けは、文末ではなく文中に追加するパターンもあります。ただし、この場合には、追加した文言がきちんと無意味にしたい規定全体にかかっているかどうかを確認することが必要です。追加文言を挿入する位置によっては、当該条件付けの対象となる範囲が変わることがあるからです。

以下、具体的に見てみましょう。

【条件付けの位置パターン①】

Upon notice by Buyer, Seller shall, subject to and pursuant to an agreement to be separately agreed between the parties, furnish to the representatives of Buyer, and allow such representatives of Buyer, access to financial and operating data and other information regarding assets, properties and liabilities relating to Products.

買主からの通知があった場合、売主は、買主と売主の間で別途合意する内容に従って、買主の代表者に対して財務及び運営に関するデータ並びに製品に関連する資産、動産及び負債に関するその他の情報を提供し、また、買主の代表者が利用できるようにしなければならない。

ここでは、条件付けの文章が、売主に課せられた2つの義務（①資料を提供する義務（furnish to the representives of Buyer）と②資料を直接閲覧させる義務（allow such representatives of Buyer access to））の動詞の前にきています。したがって、この場合には、このいずれの義務も売主が合意しなければ発生しないことになります。

では、以下の挿入位置ではどうでしょう。

【条件付けの位置パターン②】

Upon notice by Buyer, Seller shall furnish to the representatives of Buyer, and subject to and pursuant to an agreement to be separately agreed between the parties, allow such representatives of Buyer, access to financial and operating data and other information regarding assets, properties and liabilities relating to Products.

買主からの通知があった場合、売主は、買主の代表者に対して財務及び運営に関するデータ並びに製品に関連する資産、動産及び負債に関するその他の情報を提供し、また、買主と売主の間で別途合意する内容に従って、買主の代表者が利用できるようにしなければならない。

こちらの例では、2つある義務のうち、後者の資料を直接閲覧させる義務の後ろに条件付けの文章が置かれているため、前者の資料を提供する義務（furnish to the representatives of Buyer）はこの条件にかかっていないと読まれる可能性が高いです。つまり、買主から監査要求があった場合、資料を直接閲覧させる義務は売主の合意がなければ発生しませんが、資料を提供する義務は合意なくして発生することになります。

念のため、もっと微妙なケースを検討してみましょう。

【条件付けの位置パターン③】

Upon notice by Buyer, Seller shall furnish, subject to and pursuant to an agreement to be separately agreed between the parties, to the representatives of Buyer, and allow such representatives of Buyer, access to financial and operating data and other information regarding assets, properties and liabilities relating to Products.

買主からの通知があった場合、売主は、買主の代表者に対して財務及び運営に関するデータ並びに製品に関連する資産、動産及び負債に関するその他の情報を、買主と売主の間で別途合意する内容に従って、提供し、また、買主の代表者が利用できるようにしなければならない。

先の例との違いは、条件付けの文章が、shall と furnish の間ではなく、furnish の後に挿入されている点です。本条では「shall」という助動詞を受ける2つの動詞（furnish と allow）が置かれているので、条件付けの文章が shall と furnish の間に置かれていれば、それが2つにかかることが明確になるのですが、あえて furnish の後に置かれていることを考えれば、後者にはかかっていないと読まれる可能性が高いでしょう。

すなわち、この文章を「shall」を起点に分解すれば、「shall furnish, <u>subject to and pursuant to an agreement to be separately agreed between the parties,</u> to the representatives of Buyer financial and operating data and other information regarding assets, properties and liabilities relating to Products」と「shall allow such representatives of Buyer access to financial and operating data and other information regarding assets, properties and liabilities relating to Products」という2つの文章で成り立っていると読むことができ、後者には条件付けの文章はかかっていないと考えられるのです。

なお、実務的にはこのような不明確さを残す記載は避けるべきです。

仮に、前者の資料を提供するについてのみ売主の同意にかからしめるということであれば、意図を明確にするために順番を入れ替え、以下のようにすべきです。

【条件付けの位置パターン④】

Upon notice by Buyer, Seller shall allow the representatives of Buyer access to and, subject to and pursuant to an agreement to be separately agreed between the parties, furnish to such representatives of Buyer financial and operating data and other information regarding assets, properties and liabilities relating to Products.

買主からの通知があった場合、売主は、買主の代表者に対して財務及び運営に関するデータ並びに製品に関連する資産、動産及び負債に関するその他の情報を利用可能にし、そして、買主と売主の間で別途合意する内容に従って、買主の代表者に提供しなければならない。

2 主観的な語句を使用することによる義務の限定

上記のように自身の義務を否定する方法はいくつかあるものの、こうした権利の「否定」は相手に受け入れられにくく、交渉が行き詰まることになります。こういう場合にうまく中和する手段として、主観的な判断の入る語句を使用することがあります。実務でよく使われるのは、**図表14**のような語句です。これらはいずれも主観的な価値判断を含む語句です。

企業の顧問弁護士や法務担当の立場からは、一切解釈の余地がない語句はいざ問題が発生したときに逃げ道がないため受け入れることに大きな抵抗があります。

一方で、主観的な価値判断を含む語句のように、内容的には少々厳しくても、いざ争いになったときに何らかの弁解や主張をなす余地のある語句は受け入れてもらえる可能性が高いため、妥協を引き出すうえで有用です。**図表14**に挙げた語句はいずれも、どこまでやれば「reasonable」なのか、どの程度の影響があれば「material」あるいは「important」なのか、どれだけ一致していれば「substantial」といえるのかが、使用される文脈や具体的な状況によって変わり得るため、いざ問題が発生した場合に当事者がそれぞれの立場から弁解・主張をなす余地があります。

もちろん、最終的に判断するのは、裁判所あるいは仲裁機関といった第三者の公的紛争解決機関であり、当事者の弁解・主張が必ず通るわけではありませんが、契約にあたって互いに妥協し、歩み寄るうえでは有用なツールになります。

(1) シンプルに義務の内容を中和する

では、6.7条に戻って、どのように義務を緩和すればよいのか見てみましょう。

図表14

用語例	意　味	内　容
Reasonable	合理的な	義務の程度を絶対的なものでなく、「合理性」のレベルまで落とす。例：reasonable request, make reasonable efforts, unreasonably withheld 等
Material, Important	重要な	軽微なものも含めて全部ではなく、「重要」なものに限定する。例：material breach, breach of its obligation in all material aspect 等。
Substantial	実質的に	対象をすべてではなく、「実質的に一緒であればよい」というように完全に一致することまでを要求しないようにする。例：substantially in the form of 等。

Upon notice by Buyer, Seller shall furnish to the representatives of Buyer, and allow such representatives of Buyer, access to financial and operating data and other information regarding assets, properties and liabilities relating to the Products.

買主からの通知があった場合、売主は、買主の代表者に対して財務及び運営に関するデータ並びに製品に関連する資産、動産及び負債に関するその他の情報を提供し、また、買主の代表者が利用できるようにしなければならない。

本条における売主の懸念が、「通知があれば常に理由を問わず監査を受け入れなければならないのは負担が過大である」という点にあった場合、逆にいえば、負担にならない形であれば監査に応じることは問題ないはずです。その場合には、当該義務を「否定」までせずとも、「負担にならないような義務」に「限定」できればよいことになります。

具体的な方法の一つは、自身の負担にならないケースを細かく書き出し、規定に入れることです。たとえば、「週末と休日を除く日であって時間帯は10時から17時までの間」という文言の追加が考えられます。しかし、実際には将来何が起こるかわからないため、本当にその設定条件で大丈夫かという不安も残ります。また、細かい条件を書き込めば書き込むほど相手との合意に時間がかかる可能性があります。

そこで、容易な限定方法として使用されるのが、主観的な価値判断を要する語句です。たとえば、以下のように修正します。

【義務の限定の修正パターン①】

Upon notice by Buyer, Seller shall make reasonable efforts to furnish to the representatives of Buyer, and allow such representatives of

Buyer, access to financial and operating data and other information regarding assets, properties and liabilities relating to Products.

買主からの通知があった場合、売主は、買主の代表者に対して財務及び運営に関するデータ並びに製品に関連する資産、動産及び負債に関するその他の情報を提供するよう合理的に努力し、また、買主の代表者が利用できるように合理的に努力しなければならない。

このようにすれば、売主は、あくまで当該義務に応じるよう合理的な努力を尽くせばよいことになり、応じることが難しい場合や不相応の負担となる場合には、義務違反を問われない余地が出てきます。

たとえば、年末年始で従業員が誰もいない状況において、特に監査を実施すべき喫緊の事由があるわけではないにもかかわらず買主から監査要求があった場合、修正前の文章ではこれに応じなければ義務違反を問われかねません（少なくとも文言上は違反になります）。しかし、修正後の文章であれば、このような非常識な要請に応じられなくても、義務違反にはならない（＝reasonable effortsは果たした）と主張する余地があります。

この点、実際に具体的な状況で何をすれば「reasonable efforts」を果たしたといえるかは明確ではなく、最終的には、裁判所あるいは仲裁機関といった第三者の公的紛争解決機関で判断することになりますが、重要なのは、主張する余地が残されているという点です。また、主張する余地があるということは、当事者間で協議の機会を設けて話し合いによって解決される可能性も高いということであり、これは一つの有用な妥協方法といえます。

(2) 発展例

主観的な価値判断を含む語句を入れる修正方法には様々なパターンがあります。たとえば、以下のような使い方もよく行われます。

【義務の限定の修正パターン②】

Buyer may, with the prior consent of Seller which shall not be unreasonably withheld, investigate and access to financial and operating data of Seller and other information regarding assets, properties and liabilities relating to Products.

買主は、売主の事前の同意（ただし、かかる同意を不合理に留保してはならない。）があれば、売主の財務及び運営に関するデータ並びに製品に関連する資産、動産及び負債に関するその他の情報を調査し利用することができる。

これは、**263ページ**で買主の権利に書き換えた文章をもとにして、さらに「which shall not be unreasonably withheld」という条件を売主の同意に課すものです。これにより、買主の監査依頼に対して売主が有する同意権につき、売主の完全な自由裁量がなくなります。すなわち、不合理に同意を留保することは認められず、監査依頼を断るのであれば、何らかの合理的な理由が必要になります。

たとえば、買主が十分余裕をもって連絡したうえで事業所を訪れ、確認したい資料がまさに目の前にあるのを見つけて監査依頼をしたというケースにおいて、「which shall not be unreasonably withheld」という条件がなければ、売主はこれを拒否できます（少なくとも、文言上は売主が拒否することに制限はありません）が、「which shall not be unreasonably withheld」という条件が付される場合には、閲覧を拒否することは難しいと考えられます。

どのような事情があれば拒否する合理的な理由になるのかには主観的な判断が介在するため、その点につき当事者双方に主張の余地がある点で妥協しやすい文言といえます。

他にも、以下のようなパターンも考えられます。

【義務の限定の修正パターン③】

Upon notice by Buyer, Seller shall furnish to the representatives of Buyer, and allow such representatives of Buyer, access to financial and operating data and other information regarding assets, properties and liabilities relating to Products in a reasonable manner and at a reasonable timing.

買主からの通知があった場合、売主は、合理的な方法及び時期において、買主の代表者に対して財務及び運営に関するデータ並びに製品に関連する資産、動産及び負債に関するその他の情報を提供し、また、買主の代表者が利用できるようにしなければならない。

ここでは、買主から監査要求があった場合、売主にはそれに応じる義務があるものの、その方法と時期は合理的なものであることが要求されています。言い換えれば、監査の方法と時期が合理的な場合にのみ、監査に応じる義務があることになります。したがって、不相応な負担がある場合は要請に応じる必要はなく、合理的な対応をすれば義務違反は問われないという主張をなすことが可能になります。

あるいは、さらにシンプルに、以下のようにすることも考えられます。

【義務の限定の修正パターン④】

Upon reasonable request ~~**notice**~~ by Buyer, Seller shall furnish to the representatives of Buyer, and allow such representatives of Buyer, access to financial and operating data and other information regarding assets, properties and liabilities relating to Products.

買主からの合理的な要請~~**通知**~~があった場合、売主は、買主の代表者

に対して財務及び運営に関するデータ並びに製品に関連する資産、動産及び負債に関するその他の情報を提供し、また、買主の代表者が利用できるようにしなければならない。

これは、合理的な監査要請があった場合にはそれに応じる義務が発生するという内容です。明確な条件付けの文言ではなく「upon」でつなげているため表現としてはやや弱いですが、監査要請が合理的なものでなかった場合には、応じる義務はないと主張する余地があります（合理的な要請でなければそもそも義務の発生の前提である「Upon a reasonable request by Buyer」がないと主張することになります）。

なお、細かい点ですが、「a reasonable notice」にしてしまうと、通知の「時期」が合理的なものであれば足り、監査の方法・内容・目的等が合理的であることまでは条件となっていないと解釈される可能性があるため、「a reasonable request」という文言を使ったほうが趣旨が明確になります。

このように、様々な使い方があります。どれも解釈の余地を残すものですが、使用される義務自体のリスク、想定される問題が実際に生じる可能性の高さなどを考慮し、どの方法を選択するか（あるいは、どれで妥協するか）を判断することになります。

たとえば、Audit条項（監査条項）についていえば、これはあくまで付随的な義務にすぎず、実際に行使されるケースは多くありません。また、相手が上記で想定したような嫌がらせの行動に出る可能性は低いでしょう。したがって、理想としては「make reasonable efforts」のように解釈の余地が広いものを選ぶべきですが、「a reasonable notice」で妥協することも考えられます。

(3) 注意を要する使用例

上記のように、主観的な価値判断を要する語句は義務を中和するのに有用です。一方で、主観的な価値判断を要する語句が以下のように使用される場合は注意が必要です。

【注意を要する修正パターン①】

Upon request by Buyer, which by Seller's opinion shall be reasonable, Seller shall furnish to the representatives of Buyer, and allow such representatives of Buyer, access to financial and operating data and other information regarding assets, properties and liabilities relating to Products.

買主から売主が合理的であると考える要請があった場合、売主は、買主の代表者に対して財務及び運営に関するデータ並びに製品に関連する資産、動産及び負債に関するその他の情報を提供し、また、買主の代表者が利用できるようにしなければならない。

この例では、買主の要請が合理的であることを要求している点は【義務の限定の修正パターン④】と同じですが、よく見ると「by Seller's opinion」という語句が追加されています。つまり、単に「要請が合理的であること」を条件とするのではなく、「売主が合理的と考えるような要請であること」が条件とされているのです。

ここで、主観的な価値判断を要する語句が妥協方法として有用なのは、各当事者がそれぞれの立場から主張する余地があり、実際に紛争になった場合に、一方当事者の意見でなく裁判所や仲裁機関など第三者の公的紛争解決機関によって判断される点に一定の公平感を見い出せるためです。

ところが、この修正案では、当該要請の合理性に関して売主の考えが基準になるという規定になっているため、前述の公平感が薄れてしまっている点に注意が必要です。

上記と同様の効果を持たせる語句として「satisfactory to」があり、たとえば、以下のように使用されます。

【注意を要する修正パターン②】

Upon notice by Buyer, Seller shall furnish to the representatives of Buyer, and allow such representatives of Buyer, access to financial and operating data and other information regarding assets, properties and liabilities relating to Products by such a reasonable manner and at a reasonable timing as satisfactory to Seller.

買主からの通知があった場合、売主は、売主が満足する内容での合理的な方法及び時期において、買主の代表者に対して財務及び運営に関するデータ並びに製品に関連する資産、動産及び負債に関するその他の情報を提供し、また、買主の代表者が利用できるようにしなければならない。

この例では、「such……as satisfactory to Seller」という語句が追加されています。これにより、売主が応じるべき監査要請について、監査の方法と時期が「単に合理的であること」のみならず、「売主が満足するような内容で合理的であること」が求められます。したがって、この場合も、合理性を判断するにあたっては売主の考えが基準になり、先の例同様、公平感が薄れてしまいます。

もっとも、「reasonable」の位置を変えるだけで、公平感を取り戻すことも可能です。たとえば、**276ページ**の例では、次の位置に追加・変更することが考えられます。

【注意を要する修正パターン①への対応例】

Upon request by Buyer, which by Seller's reasonable opinion shall be reasonable, Seller shall furnish to the representatives of Buyer, and allow such representatives of Buyer, access to financial and operating data and other information regarding assets, properties and liabilities relating to Products.

買主から売主が合理的性のある意見において合理的であると考える要請があった場合、売主は、買主の代表者に対して財務及び運営に関するデータ並びに製品に関連する資産、動産及び負債に関するその他の情報を提供し、また、買主の代表者が利用できるようにしなければならない。

単に「Seller's opinion」ではなく、「Seller's reasonable opinion」とすることで、当該要請の合理性を判断するにあたって「売主の判断が合理的であること」が求められています。

Sellerの判断が合理的かどうかに関しては、誰が判断権者であるかを特定していないため、結果的には裁判所あるいは仲裁機関といった第三者の公的な紛争解決機関に判断がゆだねられることになり、公平感が取り戻せるのです。

また、277ページの例では「reasonable」を次の位置に変更します。

【注意を要する修正パターン②への対応例】

Upon notice by Buyer, Seller shall furnish to the representatives of Buyer, and allow such representatives of Buyer, access to financial and operating data and other information regarding assets, properties and liabilities relating to Products by such a manner and at a reasonable timing as reasonably satisfactory to Seller.

買主からの通知があった場合、売主は、売主が合理的に満足する内容での合理的な方法及び時期において、買主の代表者に対して財務及び運営に関するデータ並びに製品に関連する資産、動産及び負債に関するその他の情報を提供し、また、買主の代表者が利用できるようにしなければならない。

「reasonable」を「satisfactory」にかかる位置に移動しています。修正前は、逆に「reasonable」に「satisfactory」がかかっていたため、要請の合理性が売主にとって満足であることが求められていましたが、修正後は、売主の満足・不満足の判断が合理的であるかどうかが問われる形に変更されています。

このようにすることで、合理性の判断権者が売主から裁判所や仲裁機関など第三者の公的紛争解決機関に移ることになり、公平感が取り戻されます。

このように、当事者の一方が判断権者にならないように修正することがポイントです。契約の交渉語句の位置関係など少しの調整を通じて、できるだけ自身に有利な内容にすることを心がけてください。

3 その他の方法による義務の限定

義務を限定する手法は他にもあります。

6.7条における売主の懸念が、「会計や請求情報といった財務にかかる情報を何でも開示しなければならないとすると、会社の機密情報守秘の観点から望ましくない」という点にあることも考えられます。なぜなら、本条後段により、開示された情報は守秘情報として扱われ、第三者への漏洩には歯止めがかかるとしても、いったん契約の相手方である買主自身に確認されることだけでも十分リスクがあるからです。

そこで、このような懸念がある場合は、以下のような修正をすることが考えられます。

【義務の限定の修正パターン⑤】

Upon notice by Buyer, Seller shall furnish to the representatives of Buyer, and allow such representatives of Buyer, access to financial and operating data and other information regarding assets, properties and liabilities relating to Products for the purpose of ensuring that the terms under this Agreement are complied with, provided, however, that Seller shall not be obliged to grant access to such information that would have an adverse influence on Seller.

買主からの通知があった場合、売主は、買主の代表者に対して、合理的な方法及び時期において、本契約の条項が遵守されているかを確認する目的で、財務及び運営に関するデータ並びに製品に関連する資産、動産及び負債に関するその他の情報を提供し、また、買主の代表者が利用できるようにしなければならない。ただし、売主は自身に悪影響が出ることになるような情報に関しては利用可能にする義務を負わない。

まずは、「for the purpose of ensuring that the terms under this Agreement are complied with」を追記することで、監査の目的を契約上の規定を遵守しているかどうかの確認のみに限定します。相手の権利の範囲を狭めるために目的を明記するというのはよく使用される手法です。

この目的要件をさらに厳しくするため、「solely for the purpose of ensuring that the terms under this Agreement are complied with」として、他の目的の並存を許さないようにすることも考えられます。

加えて、「provided, however, that Seller shall not be obliged to grant an access to such information that would have an adverse influence to Seller」を追記し、売主にとって悪影響がある情報の提出まで拒否できるようにすることも考えられます。

このように、相手が行使できる権利に目的を追記したり、さらに、権利に対する例外要件を設けたりすることで、相手の権利を弱めていく（＝こちらで拒否する際に根拠とできるような文言を増やす）のは、英文契約レビューの典型的な手法です。

実際、すべての修正を受け入れてもらうのが難しい場合には、相手との関係等に鑑みて、どれを残すのがもっとも受け入れてもらいやすいか、自身のリスクとしては何が一番重大かを検討して選ぶことになります。

4 修正が必要な範囲の確認

本節では、売主の情報提供義務を否定・限定することを目的として、6.7条の第一文について修正を行ってきました。この場合、その修正だけで足りるか、言い換えれば、6.7条の第二文以降もこれに合わせて修正しなければ第一文に加えた修正の趣旨が没却されないか、修正すべき範囲のチェックをしなければなりません。

そこで6.7条を見てみると、本節で行ってきた第一文への文言追加だけでは不十分であることがわかります。前段には「Seller shall cooperate with Buyer and its appointed representative and grant them access」という文章が入っており、こちらも同様の制限対象にしないと、第一文だけ修正した趣旨が減殺されてしまいます。

つまり、第一文でいくら合理性を要件にしても、そのような要件を求めていない第二文がそのまま残っていれば、こちらを根拠に情報へのアクセスを要求されかねないのです。

そこで、以下のように修正することが考えられます。

With respect to the audit conducted pursuant to the preceding sentence, Seller shall cooperate with Buyer and its appointed representative and grant them access.

前文に従い実施される監査に関して、売主は、買主及びその代表者に協力し、それらの情報を利用できるようにする。

このようにしておけば、第二文の売主の協力義務や情報へのアクセスは、あくまで第一文の制限に服した範囲内での監査に限られ、第一文で許容される監査の範囲を超えて売主の協力義務や情報へのアクセスが強制されるリスクを軽減することができます。

このように、ある規定に関して修正を加える場合には、せっかく加えた修正の趣旨が没却されないように、修正が必要な範囲の確認をしておくことが重要です。

第8章 想定していないイベントの発生と契約条項の限界

この章では、契約書作成当時に想定していなかった事態が発生したときに、契約上どのような主張ができるのか、あるいはできないのかについて見ていきます。

1 イベントの発生と契約上の義務の履行

契約締結中に、相手方との契約上の取引を解消あるいは停止したいような事象が発生した場合には、どのような対応が可能でしょうか。

その事象が当該契約に関する相手方の義務違反（たとえば、約束した製品を納入しない等）であれば、シンプルに契約違反による契約解除を主張すれば足ります（英文契約サンプル2.2条）。問題は、その事象が当該契約における相手方の義務違反以外である場合です。たとえば、コロナ禍（2019年末～2022年頃）のようなパンデミックが発生して正常な事業活動ができなくなったような場合や、契約の相手方が自身との契約と直接関係のないところで法令等に違反していることが判明した場合等があります。

このような特殊な状況が発生した場合であっても、契約上の根拠がある場合を除き、契約上の義務の履行を拒否し、また、相手方との取引を停止ないし解消することはできないのが原則です。英文契約が準拠法とする英米系のコモンローでは、契約がいったん成立した場合、その後の事情の変化にかかわらず（そして、その事情の変化により契約上の義務を履行することが負担になるような場合であっても）、契約上の明確な根拠がない限り、契約上の義務の履行を免れることができないとされているためです。

一方で、そもそもこのような特殊な事情は、契約締結時点では想定できないことが多いため、契約上の「明確な根拠」が規定されていないケースも少なくありません。このような場合に、英文契約上どのような対応が可能なのか、また、そのようなケースに備えて契約書作成時に気をつける点等がないかを検討します。

2 コロナ禍のようなケース（Force Majeure 条項）

コロナ禍のようなパンデミックが発生した場合には、契約上どのような対応ができるでしょうか。

パンデミック自体は当事者と関係なく発生するものであり、いわば双方の当事者ともに被害者であるということができます。たとえば、自身が製品の供給者である場合には、契約の相手方である買主に対して、製品を一定期日までに納入する義務を負っているものの、コロナ禍による人手不足で納入が困難になったとして、当該納入義務を免れることを主張できるのでしょうか。前述のとおり、原則として、英文契約上の根拠がなければ自身の契約上の義務（この例では、一定期日までに製品を納入する義務）を免れることはできません。そして、パンデミックが発生したとしても相手方当事者である買主に契約上の義務違反はありませんので、契約の解除（英文契約サンプル2.2条）に依拠することはできません。

そこで検討するのが、Force Majeure 条項（不可抗力条項）（英文契約サンプル10.1条）になります。実際に、2020年から本格的に始まったコロナ禍では、Force Majeure 条項の適用によって契約上の義務を免れようとする裁判が米国で多く提起されました。

1 Force Majeure に該当するか

Force Majeure 条項（英文契約サンプル10.1条）が適用できるかどうかは、コロナ禍のようなパンデミックが英文契約で定義する「Force Majeure」に該当するかどうかによって決まります。英文契約のサンプルでは「Force Majeure」は以下のように定義されています。

"Force Majeure" means an event or circumstance which prevents one Party from performing its obligations under one or more Individual Agreements such as riots, wars, terror, governmental laws, orders or regulations, embargoes, actions by the government or any agency thereof, acts of God, storms, fires, strikes, explosions or such other similar disasters that were not anticipated as of the date the Individual Agreement was agreed to, that are not within the reasonable control of, or are not the result of the negligence of, the Claiming Party, and that, by the exercise of due diligence, the Claiming Party is unable to overcome or avoid, or cause to be avoided. The following shall not be a basis to claim Force Majeure: (i) the loss of Buyer's markets: (ii) Buyer's inability economically to use or resell the Product purchased hereunder; (iii) the loss or failure of Seller's supply; or (iv) Seller's inability to sell the Product at a price greater than the Purchase Price. The applicability of Force Majeure to the Individual Agreement is further controlled by the definition of that Product.

「不可抗力」とは、当事者による一ないし複数の個別契約上の義務の履行を妨げることとなる事由ないし状況を意味し、暴動、戦争、テロ、政府又は当局による法令、天災、暴風雨、火災、ストライキ、爆発、又は、これらに類似した災害であって個別契約の締結日においては想定されていないものであり、不可抗力を主張する当事者が合理的にコントロールできず、また、その過失に起因するものではなく、不可抗力を主張する当事者が適正な注意をはらってもその発生を防ぐことができないものをいう。ただし、次に該当する事由は不可抗力とはみなされない：(i) 買主の商圏の喪失、(ii) 買主が本契

約に基づいて購入した本製品を経済的な目的で使用できなくなること、(iii) 売主が供給できなくなること、又は、(iv) 売主が本製品に関して購入価格よりも高い値段で販売できないこと。個別契約に対して不可抗力を適用する際には関連する本製品の内容を勘案する。

この定義では、パンデミック自体は、「Force Majeure」に該当するものとして列挙されている「such as riots, wars, terror, governmental laws, orders or regulations, embargoes, actions by the government or any agency thereof, acts of God, storms, fires, strikes, explosions or such other similar disasters」には明確に含まれていません。これはコロナ禍のようなものは従前は想定されていなかったことから当然といえるかもしれません。

では、このような場合には、パンデミックは「Force Majeure」には該当しないとして、Force Majeure 条項 (英文契約サンプル10. 1条) による救済は受けられないのでしょうか。この点が、コロナ禍において米国で行われた裁判で一つの争点となりました。

まず、一般論として、「Force Majeure」のような契約の効力を停止させる例外規定に関しては、その適用範囲が拡大されるべきではなく、限定的に解釈すべきというのが英文契約の準拠法として多く使用される英米法の原則になります。したがって、ここで「Force Majeure」として列挙された各事項に関しては、それが本来有する意味 (辞書等でその語句に付与された意味) 以上に拡大して読み込むことは原則許されないということになります。そうすると、パンデミック自体は「Force Majeure」として列挙されていないため、Force Majeure 条項による救済は受けられないようにも思われます。

この点、コロナ禍において米国の裁判所では、このように厳格に解釈する姿勢をとりつつも、「disaster」という語句には、辞書的な意味においてパンデミックのような疫病の大流行状況も含まれていると解釈したうえで、コロナ禍におけるパンデミックについて「Force Majeure」に該当すると判示した裁判例が見られますので、明確にパンデミック自体が列挙されていないくても救済の余地があるということになりそうです。ただし、ここで重要なのは、米国の裁判では、あくまで、「Force Majeure」の定義で記載されている語句を字句どおりに（すなわち、辞書的な意味において）読んだ場合に、パンデミックが含まれているといえるかどうかのみを検討しているということです。逆にいえば、「Force Majeure」の意味に関して、英文契約に記載された字句内容から離れて、その概念等を推測するなどして「契約の趣旨からパンデミックはForce Majeureに含まれる」というような趣旨解釈を行っているわけではありません。この意味で、英文契約においてはあくまでその記載内容が重視されるということがわかります。

これらを踏まえて、英文契約サンプルの「Force Majeure」の定義を見ると、「such as riots, wars, terror, governmental laws, orders or regulations, embargoes, actions by the government or any agency thereof, acts of God, storms, fires, strikes, explosions or such other similar disasters」となっており、「disaster」が列挙されているため、上記の米国の裁判での判示によれば、コロナ禍のようなパンデミックも「disaster」に含まれ、「Force Majeure」に該当すると読む余地があるように思われます。

しかし、ここで注意すべきは、列挙された「disaster」に「such other similar」という形容詞がついている点です。すなわち、ここでいう「disaster」は「riots, wars, terror, governmental laws, orders or regulations, embargoes, actions by the government or any agency thereof, acts of God, storms, fires, strikes, explosions」に類似した「disaster」に限定されてしまっています。

上記米国の裁判例では、「disaster」が辞書的に広く「災害」を意味する（人工的なものであるか自然発生的なものであるかやその内容を問わず被害をもたらす事象）ことに着目し、その広い意味の中にはパンデミックも含まれ得ると判断しました。ところが、英文契約サンプルの「Force Majeure」では、「such other similar disaster」として、「disaster」をこの文章で先行して列挙されたものに「類似した災害」というように限定しており、先行して列挙されたものは、いずれも「governmental laws, orders or regulations, embargoes, actions by the government or any agency thereof, …strikes」のように人間の活動に由来するものや、「acts of God, storms, fires, …explosions」のように自然災害です。そうすると、疫病の大流行とは少し類型が異なるものにも見えるため、これらに「類似した災害」(such other similar disasters)といった場合には、果たしてパンデミックが含まれるかどうかはかなり微妙といわざるを得ません。上記米国の裁判での判示に依拠できるような形にするのであれば、ここは以下のように修正することで、せっかく列挙していた「disaster」が広く災害一般を含むようにすることが考えられます。

"Force Majeure" means an event or circumstance which prevents one Party from performing its obligations under one or more Individual Agreements such as riots, wars, terror, governmental laws, orders or regulations, embargoes, actions by the government or any agency thereof, acts of God, storms, fires, strikes, explosions or ~~such~~ any other ~~similar~~ disasters that were not anticipated as of the date the Individual Agreement was agreed to, that are not within the reasonable control of, or are not the result of the negligence of, the Claiming Party, and that, by the exercise of due diligence, the Claiming Party is unable to overcome or avoid, or cause to be avoided. The following shall not be a basis to claim Force Majeure: (i) the loss of Buyer's markets: (i) the loss of Buyer's markets; (ii) Buyer's inability economically to use or resell the Product purchased hereunder; (iii) the loss or failure of Seller's supply; or (iv) Seller's inability to sell the Product at a price greater than the Purchase Price. The applicability of Force Majeure to the Individual Agreement is further controlled by the definition of that Product.

「不可抗力」とは、当事者による一ないし複数の個別契約上の義務の履行を妨げることとなる事由ないし状況を意味し、暴動、戦争、テ

ロ、政府又は当局による法令、天災、暴風雨、火災、ストライキ、爆発、又は、~~これらに類似した~~それら以外の災害であって個別契約の締結日においては想定されていないものであり、不可抗力を主張する当事者が合理的にコントロールできず、また、その過失に起因するものではなく、不可抗力を主張する当事者が適正な注意をはらってもその発生を防ぐことができないものをいう。ただし、次に該当する事由は不可抗力とはみなされない：(i) 買主の商圏の喪失、(ii) 買主が本契約に基づいて購入した本製品を経済的な目的で使用できなくなること、(iii) 売主が供給できなくなること、又は、(iv) 売主が本製品に関して購入価格よりも高い値段で販売できないこと。個別契約に対して不可抗力を適用する際には関連する本製品の内容を勘案する。

上記のように修正することで「disaster」は先行する他の例示にひっぱられることなく本来の広い意味の語句として適用することが可能になります。なお、コロナ禍の初期の頃には各国政府がロックダウンを発動しましたが、それが強制力を持ったものである場合には、ここで列挙されたもののうち「actions by the government or any agency thereof」あるいは「governmental laws, orders or regulations」に該当する可能性もあると思われます。ただし、日本での緊急事態宣言のように強制力を持たない外出禁止のようなケースであれば微妙な判断になりますし、ロックダウン自体が出されていなかった期間に関しては利用できないという限界はあります。

また、コロナ禍での米国の裁判においてより重視されたのは、「Force Majeure」に該当する事項の例示に加え、「Force Majeure」の概念を包括的に説明する説明文があるかどうかです。すなわち、「event which is not within the reasonable control of the party」というような概念が例示とは別に規定されている場合には、別段の定めのない限り、パンデミックが例示されていないとしても、当該包括的な概念に依拠することで「Force Majeure」

に該当すると主張しやすいためです。

このような説明文がある場合には、ほとんどのケースでパンデミックは「Force Majeure」に該当すると判断されることになります。パンデミックは、その性質上、英文契約の当事者に一切の帰責性がないものであることは明白だからです。

英文契約サンプルの「Force Majeure」の定義でも「that were not anticipated as of the date the Individual Agreement was agreed to, that are not within the reasonable control of, or are not the result of the negligence of, the Claiming Party, and that, by the exercise of due diligence, the Claiming Party is unable to overcome or avoid, or cause to be avoided」という「Force Majeure」の包括的な概念を説明するような文章が含まれています。しかし、やはりここで注意すべきは、当該包括的な概念を説明した文章の位置と修飾関係です。この英文契約サンプルでは、「…or such other similar disasters, that were not anticipated as of the date the Individual Agreement was agreed to, that are not within the reasonable control of, or are not the result of the negligence of, the Claiming Party, and that, by the exercise of due diligence, the Claiming Party is unable to overcome or avoid, or cause to be avoided」となっており、「that」を通じて直前にある「such other similar disasters」の内容を修飾するような形でこの説明文が使用されてしまっています。

すなわち、これらの説明文が「that」の直前にある「such other similar disasters」にかかる形になっているため、「such other similar disasters」に該当するとして「Force Majeure」を主張するには、①「riots, wars, terror, governmental laws, orders or regulations, embargoes, actions by the government or any agency thereof, acts of God, storms, fires, strikes, explosions」に類似する事象であって(①の要件)、②「that were not anticipated as of the date the Individual Agreement was agreed to」(個別契約の締結日において想定されていないものであること)(②の要件)、③「that are not within the reasonable control of, or are not the result of the negligence of, the Claiming Party」(不可抗力を主張する当事者が合理的にコントロールできず、また、

その過失に起因するものではないこと）（③の要件）、及び、④「that, by the exercise of due diligence, the Claiming Party is unable to overcome or avoid, or cause to be avoided」（不可抗力を主張する当事者が適正な注意をはらってもその発生を防ぐことができないものであること）（④の要件）の4つの要件を満たすことが求められる、という構造になってしまっています。

したがって、コロナ禍のようなパンデミックに関しては、「such other similar disasters」に上記修正を加える前ではそもそもここで例示された事項に該当しないため（＝①の要件を充足しない）、この説明文に関係なく該当しないと判断される可能性がありますし、「such other similar disasters」に上記修正を加えることで「disasters」に含まれるようにした場合であっても、さらに、この説明文による②〜④の要件：

- 「that were was not anticipated as of the date the Individual Agreement was agreed to」（個別契約の締結日において想定されていないようなものであること）
- 「that are not within the reasonable control of, or the result of the negligence of, the Claiming Party」（不可抗力を主張する当事者が合理的にコントロールできず、また、その過失に起因するものではないこと）
- 「which, by the exercise of due diligence, the Claiming Party is unable to overcome or avoid or cause to be avoided」（不可抗力を主張する当事者が適正な注意をはらってもその発生を防ぐことができないものであること）

をすべて充足することを証明しなければいけないということになります。

コロナ禍のようなパンデミックであれば、これら②〜④の要件はおそらく充足すると思われますが、このせっかくの説明文が「Force Majeure」の範囲を広げるのではなく、限定する方向で使用されている点に注意が必要です。そこで、「Force Majeure」の範囲に関して、例示されている事項に限らず、想定されなかった事象に広く適用できるようにするには、以下のように修正することが考えられます。

"Force Majeure" means an event or circumstance which prevents one Party from performing its obligations under one or more Individual Agreements, which was not anticipated as of the date the Individual Agreement was agreed to, which is not within the reasonable control of, or are not the result of the negligence of, the Claiming Party, and which, by the exercise of due diligence, the Claiming Party is unable to overcome or avoid or cause to be avoided, such as riots, wars, terror, governmental laws, orders or regulations, embargoes, actions by the government or any agency thereof, acts of God, storms, fires, strikes, explosions or ~~such~~ any other ~~similar~~ disasters, ~~that were not anticipated as of the date the Individual Agreement was agreed to, that are not within the reasonable control of, or are not the result of the negligence of, the Claiming Party, and that, by the exercise of due diligence, the Claiming Party is unable to overcome or avoid, or cause to be avoided~~. The following shall not be a basis to claim Force Majeure: (i) the loss of Buyer's markets; (ii) Buyer's inability economically to use or resell the Product purchased hereunder; (iii) the loss or failure of Seller's supply; or (iv) Seller's inability to sell the Product at a price greater than the Purchase Price. The applicability of Force Majeure to the Individual Agreement is further controlled by the definition of that Product.

「不可抗力」とは、当事者による一ないし複数の個別契約上の義務の履行を妨げることとなる事由ないし状況であって、個別契約の締結日においては想定されていないものであり、不可抗力を主張する当事者が合理的にコントロールできず、また、その過失に起因するものではなく、不可抗力を主張する当事者が適正な注意をはらっても

その発生を防ぐことができないものを意味し、暴動、戦争、テロ、政府又は当局による法令、天災、暴風雨、火災、ストライキ、爆発、又は、~~これらに類似した~~それら以外の災害~~であって個別契約の締結日においては想定されていないものであり、不可抗力を主張する当事者が合理的にコントロールできず、また、その過失に起因するものではなく、不可抗力を主張する当事者が適正な注意をはらってもその発生を防ぐことができないもの~~をいう。ただし、次に該当する事由は不可抗力とはみなされない：(i) 買主の商圏の喪失、(ii) 買主が本契約に基づいて購入した本製品を経済的な目的で使用できなくなること、(iii) 売主が供給できなくなること、又は、(iv) 売主が本製品に関して購入価格よりも高い値段で販売できないこと。個別契約に対して不可抗力を適用する際には関連する本製品の内容を勘案する。

当該説明文の位置を変えただけですが、このようにすることで、「Force Majeure」は「契約締結日に想定できず、当事者が合理的にコントロールないし発生を防ぐことができない事象」を指すものとして定義され、「as riots, wars, terror, governmental laws, orders or regulations, embargoes, actions by the government or any agency thereof, acts of God, storms, fires, strikes, explosions or any other disasters」はそのような事業の例示としてのみ機能することになります。このような形であれば、コロナ禍のようなパンデミックが「契約締結日に想定できず、当事者が合理的にコントロールないし発生を防ぐことができない事象」に該当すると主張しやすいですし、また、これに該当すれば、その後に続く例示事項に該当するかどうかの検討（disaster という語句にパンデミックを含むものとして読むのが合理的か）をするまでもなく、「Force Majeure」に該当すると主張することができます。

「Force Majeure」に該当するかどうかに関して、最後に問題になるのは、発生した事象によって、当事者が英文契約上の義務を履行することができなくなったかどうかです。

Force Majeure条項により契約上の義務を免れるのは、「Force Majeure」の発生により義務の履行ができなくなった場合です。ここでは原則として「履行が不可能であること」が必要であり、単に履行が困難になった程度であればForce Majeure条項による救済の対象にならないというのが基本的な考え方です。

英文契約サンプルの「Force Majeure」では、ここを「event or circumstance which prevents one Party from performing its obligations under one or more Individual Agreements」と規定しています。この要件は、実際に適用する場合にはかなり厄介です。すなわち、パンデミックに伴い政府機関が強制力のあるロックダウンを発令した場合には、法令上外出禁止になり、当事者は英文契約上の各種義務（たとえば、製品の納入等）を履行することが「不可能」になるといえますので、この要件を満たすことになります。一方で、パンデミックの際に出される政府の命令が2020年のコロナ禍における日本の緊急事態宣言のように法令上の強制力を持たないような場合に、契約上の義務の履行が「不可能」とまでいえるのかは微妙です（厳格にいえば外出することが禁止されているわけではないので「不可能」になったとはいえないと思われます）。

また、単にパンデミックが発生したとしても、政府がロックダウン等の措置をとっていない場合には、多くの人は蔓延している疫病が怖いため外出を控えると思いますが、それはいわば自主的な判断であり、外出が禁止されるわけではありません。そのような疫病に対する懸念によって外出を控えることをもって契約上の義務の履行が「不可能」になったと評価することは難しい場合もあると思われます。「履行が不可能であること」の要件に関しては、ケースバイケースで裁判所が柔軟に解釈して救済することもありますが、契約上の文言を以下のように修正して対応することも考えられます。

> "Force Majeure" means an event or circumstance which prevents one Party from reasonably performing its obligations under one or more

Individual Agreements…

「不可抗力」とは、当事者による一ないし複数の個別契約上の義務を合理的な履行を妨げることとなる事由ないし状況を意味し、…

このように「reasonably」という文言を追加することで、「義務の履行が不可能であること」までは要求されず、「合理的に義務の履行をすることが困難であること」という程度で足りることになります。すなわち、社会通念上合理的に義務の履行が難しいという状況であれば「Force Majeure」に該当すると主張しやすくなります。そうすると、先ほどのパンデミックの状況において、たとえ、政府による強制力のあるロックダウン等の隔離措置がとられていなくても、(流行している疫病の悪質性にもよりますが) 多くの人が外出を控えるという状況であれば、この合理性の基準に照らして、なお、「Force Majeure」に該当すると主張することができます。

このような文言の修正を行うと「Force Majeure」の該当性がかなり広くなるため、修正には慎重な検討が必要ですが、将来の想定し得ない事態に備えるという意味では選択肢に入ってくるケースもあると思います。

2 Force Majeure に該当した場合に契約上何ができるか

それでは、発生したパンデミックが英文契約上の「Force Majeure」に該当する場合、どのような救済を受けられるでしょうか。この点、英文契約サンプルでは、10条で以下のように定めています。

10. 1　Suspension of Obligations.

Except with regard to a Party' s obligation to make payments under this Agreement, in the event either Party hereto is rendered unable, wholly or in part, by Force Majeure to carry out its obligations with respect to this Agreement, it is agreed that upon such Party' s (the "Claiming Party") giving notice and full particulars of such Force Majeure as soon as reasonably possible after the occurrence of the cause relied upon, such notice to be confirmed in writing or by facsimile to the other Party, then the obligations of the Claiming Party shall, to the extent they are affected by such Force Majeure, be suspended during the continuance of said inability, but for no longer period, and the Claiming Party shall not be liable to the other Party for, or on account of, any loss, damage, injury or expense resulting from, or arising out of such event of Force Majeure. The Party receiving such notice of Force Majeure shall have until the end of the Business Day following such receipt to notify the Claiming Party that it objects to or disputes the existence of an event of Force Majeure.

10. 2　Due Diligence.

A Party affected by an event of Force Majeure shall use due diligence to fulfill its obligations hereunder and to remove any disability caused by such event at the earliest practicable time. Nothing herein shall require a Party to settle any strike or labor dispute. The Party affected by Force Majeure shall continue to perform here under after such cause has been removed.

---

10. 1　義務の停止

本契約における当事者の支払義務を除き、不可抗力を理由として、当事者が本契約における義務の全部又は一部について履行することができなくなった場合において、当該当事者（以下「要請当事者」という。）が、不可抗力が発生した後合理的に可能な限り速やかに、相手方当事者に対して、当該不可抗力の発生とその具体的内容を書面ないしファックスにより通知した場合、要請当事者の義務は、当該不可抗力によって影響を受ける限度で、かつ、履行が不能になっている期間に限り、その履行を免れるものとし、また、要請当事者は相手方当事者に対して、当該不可抗力を理由として、起因して、あるいは、原因として生じた損失、損害、傷害ないし費用に関して責任を負わない。不可抗力の通知を受け取った相手方当事者は、当該通知を受けた翌営業日の終わりまでの間に、要請当事者に対して不可抗力の発生について異議を申し入れ、あるいは、争う旨を通知することができる。

10.2　合理的な努力

不可抗力事由によって影響を受ける当事者は、本契約における義務を遂行するよう、また、当該事由によって履行ができなくなっている要因を実務上可能な限り早期に解決するようにように適切な対応をとるものとする。ただし、本条項は、当事者がストライキやその他の労働争議に関して和解・解決することを義務付けるものではない。不可抗力によって影響を受ける当事者は、当該事由が去った場合には、本契約上の義務を履行する義務を負う。

この規定によれば、「Force Majeure」が発生した場合には、その旨を相手方に通知することで自身の義務の履行を当該事象が発生している間は免れる（履行を延期する）ことができ、また、履行を延期することで発生する損害等に関しても責任を負わないとされています。

ただ、こちらの規定でも「…in the event either Party hereto is rendered unable, wholly or in part,…」とされおり、義務の履行が不可能になったことを条件として要請していますので、上記で検討したようにこちらの文章を修正して、履行が完全に不可能であることまでは不要であり、合理的に難しくなったことで足りるとするように変更することが可能です。たとえば、下記のように修正することが考えられます。

…in the event either Party hereto is rendered unable, wholly or in part, by Force Majeure to reasonably carry out its obligations with respect to this Agreement…

…当事者が本契約における義務の全部又は一部について合理的に履行することができなくなった場合において、…

一方、これまでの例とは逆のケースとして、自身が買主であり、売主である相手方から製品の納入を受けているものの、コロナ禍に伴う経営の悪化により代金の支払いが難しいという場合に、当該支払義務を免れる、あるいは、免れないにせよ、支払いの延期を主張することはできるのでしょうか。

この点、通常、金銭債務の支払いは、銀行の決済システムがダウンする等の極めて限定的な場合を除き、履行が「不可能」ないし「困難」になることはないといえるため、「Force Majeure」における救済の対象にはならないとされています。これは、財務上の困難さ・資金繰りの厳しさというものは基本的に債務履行を免れる理由にはならないとされている英米法における契約上の原則に合致するものです。この点を明確にするために契約の中にその旨を入れておくことがあり、たとえば、英文契約サンプルの10.1条では「Except with regard to a Party's obligation to make payments under this Agreement」とされている点がこの例になります。したがって、基本的に金銭債務の履行は、「Force Majeure」によっても免れることはできないのが原則ですので、注意が必要です。

英文契約サンプルの10条は、「Force Majeure」の際の救済方法として義務の履行の延期を定めていましたが、契約によっては、契約の解除を認めるようなものも見受けられます。あるいは、基本的には義務の履行の延期ではあるものの「Force Majeure」が長期化した場合には解除できるとするものも見受けられます。このように、解除が救済方法として定められている場合には、若干注意が必要です。

すなわち、自身の義務の履行が先履行であり、相手の義務の履行を待っている間に「Force Majeure」が発生して契約を解除されるような場合です。たとえば、自身が買主であり先に製品代金の支払いを行い、売主から製品の納入を待っている間に「Force Majeure」が発生し契約を解除されたような場合ですが、この場合には、売主は製品の納入義務を免れてしまうことになります。

一方で、すでに支払った代金に関しては契約に従って正当に払われたものであるため、売主はこれを受領する権限があり、少なくとも契約上の取扱いとしては返還対象にはなりません。別途、不当利得等の契約外の法理論で返還を請求することは考えられますが、こちらに関しては、返還が認められるかは不確実な要素が多いと思われます。

したがって、Force Majeure 条項に関して救済方法として契約解除が定めれている場合には、このような不適切な状況に陥ることがないか、契約その他の条項（自身の義務が先履行かどうか等）も含めて検討することも重要になってきます。

3 契約上の継続的義務（特別 Covenant 等）を免れることができるか

Force Majeure 条項において、救済手段として契約の義務の履行の延期のみが定められている場合には、「Force Majeure」の事象によって履行が難しくなった義務のみが履行を一時的に免れる（延期される）だけであり、影響を受けないような義務は何らの救済も受けられません。そのため、英文契約で規定される特別 Covenant のような義務に関しては、その内容が何らかの行為を行うような積極的な義務ではなく、一定の禁止行為を行わないこと約束する消極的義務であることを考えると、「Force Majeure」の事象で影響を受けることは考えにくいといえます。

たとえば、特別 Covenant の典型例としては、守秘義務や競業避止義務があります。これらは、相手方の営業上の秘密情報を第三者に漏らさない義務、あるいは、第三者との間で当該取引と類似の取引を行わない義務ですが、いずれも、「Force Majeure」が発生したとしてもその履行が困難にならないことは明らかです。したがって、特別Covenantに関しては、Force Majeure条項によってその義務の履行を免れることは基本的に難しいといえます。そのため、「Force Majeure」が発生した場合、当該英文契約の対象となる取引に関する義務（製品の納入義務等）はその履行を一時的に免れることができるとしても、当該英文契約で規定されている特別Covenant等の義務は、「Force Majeure」の事象が継続している間であってもなお遵守しなければいけないことに注意が必要です。「Force Majeure」が発生した場合において、英文契約上のすべての義務に関して免除を受けたいときには、Force Majeure条項の救済手段として、影響を受けた義務の履行の一時的延期だけではなく、契約自体の解除を可能とするようにしておくことが必要です。

3 契約の相手方に法令違反等があったケース

1 何が根拠規定となるか

英文契約の相手方に法令違反あるいはその他の不祥事等があった場合には、英文契約上何らかの措置をとれるでしょうか。そのような法令違反をするような相手とは取引をしたくないとして、契約上の義務の履行を拒んだり、あるいは、契約を解除することができるでしょうか。

たとえば、英文契約サンプルのように、製品の売買契約を締結しており、当該契約をもとに一定量の製品の受注が成立している場合において、契約の相手方である買主に重大な法令違反が発生し、買主のコンプライアンス体制に疑義が生じたようなケースはどうでしょうか。すでに受注している製品の納入を買主が求めてきた場合に、重大な法令違反を犯すような相手には自社製品を売却・納入したくないとして拒否できるでしょうか。

これは、たとえば、自身が製造・販売している製品がいわゆる外国為替及び外国貿易法による輸出規制の対象になる製品であるような場合において、買主がまさに輸出規制違反を犯したことが判明したようなときには、深刻な問題になってきます。自身が引き渡した製品に関しても、買主が同様の輸出規制違反を犯す蓋然性があるためです。この場合も、英文契約上にそのような措置をとる根拠条文があることが必要です。そこで、そのような契約上の根拠があるのかを検討することになります。

まず、相手方に契約違反があるような場合には、契約を解除することができますが（英文契約サンプル2. 2条）、買主に法令違反があること自体は、英文契約サンプルの各条項に照らして買主側の契約義務違反を構成しません。買主が法令遵守をするというような規定はないためです。なお、表明保証の条項には、法令遵守に近いような規定があります。たとえば、英文契約サンプル5. 1条の (a)(d) 又は (e) です。

5. 1 General Representations and Warranties.

On the Effective Date of this Agreement and the date of entering into each Individual Agreement, each Party represents to the other Party that:

(a) It is duly organized and validly existing under the Applicable Laws of the jurisdiction of its organization or incorporation and, if relevant under Applicable Laws, in good standing;

(d) Neither the execution or delivery of this Agreement nor the consummation of the Individual Agreements contemplated hereby causes or will cause such Party to be in violation of any Applicable Laws, regulation, administrative or judicial order, or process or decision to which such Party is subject or by which such Party or its properties are bound or affected;

(e) All governmental and other authorizations, approvals, consents, notices and filings that are required to have been obtained or submitted by such Party with respect to this Agreement or any Individual Agreement or other document relating hereto or thereto to which it is a party have been obtained or submitted and are in full force and effect and all conditions of any such authorizations, approvals, consents, notices and filings have been complied with;

5.1　一般表明保証

契約効力発生日及び各個別契約の締結日において、当事者は他方当事者に対して以下の事項を表明し保証する。

(a) 設立地の適用法令に基づき適法に設立されかつ有効に存続しており、(当該法令において関連する場合には) 適用法令上問題ない状態であること

(d) 本契約の締結又は実施あるいは個別契約の実施が、自身が適用を受ける法令、規則、行政ないし司法の命令・手続、又は、自身あるいは自身の資産に対して下された判決に抵触せず、また、抵触することにならないこと

(e) 本契約あるいは個別契約その他自身が当事者となっているこれらに関連する書類に関して、取得あるいは届出をすべき政府その他の機関の許可、同意、通知あるいは届出は完了しており有効であること、また、それらの許可、同意、通知あるいは届出に条件が付されている場合、それが充足し遵守されていること

(a) 号は「適用法令上問題ない状態であること」ということを保証していますが、これはあくまで当該当事者が適法に「存続している」ことを保証するものであり、当該当事者が適用法令に違反していないことを保証するものではありません。たとえば、前述の例において契約の相手方である買主が外国為替及び外国貿易法の輸出規制に違反しても、刑事罰等の罰則が科されますが、買主が存続しなくなる (たとえば、買主が解散させられる等) わけではないことからも、(a) 号は当事者による法令違反には適用がないことがわかります。

(d) 号は「... 自身が適用を受ける法令、規則、行政ないし司法の命令・手続…に抵触せず、また、抵触することにならないこと」として法令違反にならないことを保証していますが、その内容はあくまで「本契約の締結又は実施あるいは個別契約の実施」が法令違反にならないことの保証です。言い換えれば、本契約とは関係のないところで契約の相手方が法令違反を犯しても、同号の表明保証違反にはなりません。たとえば、前述の例で、契約の相手方である買主が他の第三者が納入した製品に関して外国為替及び外国貿易法の輸出規制に違反した場合であっても、買主が自身との間で本契約を締結することを違法とするものではありません。もっとも、当該第三者の製品に関して、買主が輸出規制違反を行ったことを理由に政府が買主に対して相手方を問わず新たな製品購入を一切禁止するというような措置命令を出している場合には、買主と自身の間の契約は当該措置命令に違反することになるので、(d)号違反を主張することができますが、このような事例は極めて例外的です。

(e) 号は、「本契約あるいは個別契約…に関して取得あるいは届出をすべき政府その他の機関の許可、同意、通知あるいは届出は完了しており有効であること…」というように法令上のすべての手続が履践されていることを保証していますが、これはあくまで自身と買主の間の本契約に関するものに限られています。買主が第三者の納入した製品に関して輸出規制に違反した場合には、当該第三者の製品に関しては法令上の手続を履践していないことになりますが、そのような第三者の製品に関する手続の違反は、(e) 号の射程の範囲外ということになります。このように、英文契約サンプルにあるような通常の表明保証では、契約の相手方による（自身との間の契約以外での）法令違反は契約違反の根拠にならないことに注意が必要です。

Force Majeure条項も、自身の義務の履行に関して一時的な延期等の救済を受けられる根拠になる規定ですが、英文契約サンプルにおける「Force Majeure」の定義によれば、契約の相手方の法令違反は「Force Majeure」に該当しません。一般的に「Force Majeure」は契約当事者がコントロールできないような事象を対象にするため、契約の当事者の法令違反という事象が「Force Majeure」に含まれていることは通常ありません。

結論としては、サンプルの英文契約の内容では、契約の相手方に法令違反があった場合に、契約の解除あるいは自身の義務の履行の免除といった救済を受けることはできません。そこで、対応方法としては、契約当事者が法令違反を行った場合には英文契約の義務違反になるとする規定を設けることが必要になってきます。

2 Covenantとして規定するか、表明保証として規定するか

契約の相手方が法令違反を犯した場合にそれを英文契約上の義務違反になるようにするには、通常2つの方法が考えられます。一つは、「契約の当事者は法令違反をしていないこと」ということを表明保証の内容にすることです。もう一つの方法は、端的に、「契約の当事者は法令を遵守する」という特別Covenantを規定することです。

表明保証の内容として規定する場合には、英文契約サンプルの5.1条に以下のような追記をすることが考えられます。

(h) Such Pasty is in full compliance with and does not commit any breach or violation of any law or regulations applicable to it.

(h) 当該当事者は自身に適用のある法令ないし規則について完全に遵守しており、いかなる違反も犯していない。

このような表明保証を追加すれば、上記で検討したように英文契約サンプルの元の表明保証ではカバーされなかった「契約の当事者が適用されるすべての法令を遵守していること」という事項を表明保証の対象にすることができ、相手方が第三者の製品に関して輸出規制に違反した場合にもこの表明保証違反に該当することになるため、契約の解除（英文契約サンプル2.2条）を行う根拠となります。

特別Covenantの一つとして規定する場合には、サンプルの英文契約に以下のような新たな規定を追記することになります。

Each Party shall comply with any laws or regulations applicable to it.

当事者は適用のある法令ないし規則を遵守している。

このような規定を設ければ、やはり、相手方が第三者との間の製品に関して輸出規制に違反した場合には、このCovenantの義務に違反することになるので、契約の解除（英文契約サンプル2.2条）を行う根拠となります。

このように、相手方が法令に違反したことをもって契約の解除ができるようにするには、通常このような規定を追記する必要があることに留意が必要です。英文契約では、その規定はあくまで当該契約の対象である取引に関して定めており、当該契約の範囲外での当事者の行為等は問題になっていないことが多いためです。

それでは、表明保証に追記する場合と特別Covenantに追記する場合では違いはあるのでしょうか。この点、いずれの場合も、契約の相手方に法令違反があれば、それをもって英文契約上の義務違反になる点では同じです。ただし、両者では、当該法令違反がいつ発生したかによってその効果が変わってくることがあります。これは、表明保証では、その「保証の時点」が一定の時点のみに限定されていることがあるためです。

英文契約サンプルの5.1条を見ると、表明保証の時点に関しては、「On the Effective Date of this Agreement and the date of entering into each Individual Agreement, each Party represents…（契約効力発生日及び個別契約の締結日において…以下の事項を表明し保証する。）」としています。言い換えれば、「契約効力発生日」及び「個別契約の締結日」という２つの時点以外の時点では表明保証はされません。

たとえば、前述の例で、英文契約の相手方である買主との間で個別の製品に関する受注が成立した日（＝個別契約の締結日）の後に、買主側で第三者から納入を受けた製品に関して輸出規制違反があった場合はどうなるでしょうか。この場合、個別契約の締結日時点では買主には法令違反はなかったことから、この表明保証には違反しないことになります。したがって、そのような場合には、買主による輸出規制違反は表明保証違反にならず、契約解除もできないことになります。

新たに追記した法令遵守に関する表明保証が適用されるには、これらの表明保証をした時点においてすでに買主に法令違反が発生していたことが必要です。たとえば、実は買主による輸出規制違反は、自身との個別契約の締結日の前に発生しており、その発見が個別契約の締結日以後になったというような場合です。このように、表明保証に関しては(無過失責任であるという厳格な責任であることから)時点が特定されていることが多く、したがって、適用において思わぬ制限がかかることがある点に注意が必要です。

一方、特別Covenantとして追記した場合には、当該法令遵守義務に関して時点は特定されておらず、契約の期間中は常にこの義務が適用されることになります。したがって、個別契約の締結日以後に買主が輸出規制違反を犯した場合であっても、当然に新たに追記した特別Covenant違反になるため、契約解除の根拠となります。

このように、同様の内容であっても、それを、表明保証として規定するのか、あるいは、特別Covenantとして規定するのかによってその効果が変わってくることは、英文契約を扱うにあたっては注意を要する点です。一般的には、契約の期間中継続して遵守してもらうことが必要な事項は、表明保証ではなく特別Covenantとして規定するほうがその目的に沿うことが多いといえます。

◆著者紹介

熊木 明（くまき あきら）

弁護士・カリフォルニア州弁護士

2000年　東京大学経済学部卒業
2001年　最高裁判所司法研修所修了
2007年　コロンビア大学ロースクール LL.M（修士課程）修了

2006年にスキャデン・アープス法律事務所東京オフィスに入所。同事務所パートナー弁護士。M＆A、プライベート・エクイティ、ファンド実務、各種証券法案件等のほか、公開・非公開会社にかかる企業法務全般を幅広く手がけている。M＆Aに関しては、ライブドア対ニッポン放送事件や楽天による TBS への買収提案等、いわゆる敵対的買収案件にも関与した経験を有し、近年では所謂アクティビスト・ショートセラー株主対応等にも多く携わっている。また、これまで日本国内外で行われた取引において多数の日本・外国企業を代理したノウハウをもとに、英文契約に関する企業向けセミナーで講師を務めている。

新版　負けない英文契約書　不利な条項への対応術

2024年３月22日　発行

著　者　熊木 明 Ⓒ

発行者　小泉 定裕

発行所　株式会社 清文社
東京都文京区小石川１丁目3－25（小石川大国ビル）
〒112-0002　電話 03(4332)1375　FAX 03(4332)1376
大阪市北区天神橋２丁目北2－6（大和南森町ビル）
〒530-0041　電話 06(6135)4050　FAX 06(6135)4059
URL　https://www.skattsei.co.jp/

印刷：亜細亜印刷㈱

■本書の内容に関するお問い合わせは編集部まで FAX（03-4332-1378）又はメール（edit-e@skattsei.co.jp/）でお願いします。

■本書の追録情報等は、当社ホームページ（https://www.skattsei.co.jp/）をご覧ください。

ISBN978-4-433-75354-2